**10
18**

12, AVENUE D'ITALIE. PARIS XIIIe

Du même auteur
aux Éditions 10/18

ANNE PERRY

LA CONSPIRATION
DE WHITECHAPEL

Traduit de l'anglais
par Paul BENITA

INÉDIT

10/18

« *Grands Détectives* »
dirigé par Jean-Claude Zylberstein

Sur l'auteur

Anne Perry, née en 1938, à Londres, est aujourd'hui célébrée dans de nombreux pays comme la « reine » du polar victorien grâce aux succès de deux séries : les enquêtes de Charlotte et Thomas Pitt (dont elle a publié le vingt-quatrième titre, *Long Spoon Lane*, en 2005), puis celles de William Monk, qui comptent aujourd'hui quinze titres. Anne Perry s'est depuis intéressée à d'autres périodes historiques avec notamment *À l'ombre de la guillotine*, qui a pour cadre le Paris de la Révolution française. Elle a aussi entrepris de publier une ambitieuse série de cinq titres dans laquelle elle brosse le portrait d'une famille anglaise pendant la Première Guerre mondiale. Anne Perry vit au nord d'Inverness, en Écosse.

Titre original :
The Withechapel Conspiracy

© Anne Perry, 2001.
© Éditions 10/18, Département d'Univers Poche, 2007,
pour la traduction française.
ISBN 978-2-264-04479-2

À Hugh et Anne Pinnock,
avec amitié

CHAPITRE PREMIER

La salle d'audience de l'Old Bailey était bondée. Tous les sièges étaient occupés et les huissiers refusaient du monde. On était le 18 avril 1892, le lundi après Pâques qui marquait également l'ouverture de la Saison à Londres. C'était aussi le troisième jour du procès du distingué John Adinett, militaire, accusé du meurtre de Martin Fetters, grand voyageur et spécialiste de l'Antiquité.

À la barre des témoins se trouvait Thomas Pitt, commissaire du poste de police de Bow Street.

Le procureur Ardal Juster se tenait face à lui.

— Commençons par le commencement, Mr. Pitt.

Juster était un homme brun d'environ quarante ans, grand, svelte et doté de traits peu banals : sous certains éclairages, il était charmant ; sous d'autres, il avait des allures de fauve. De ses gestes émanait une surprenante grâce.

Il leva les yeux vers son témoin.

— Pour quelle raison vous trouviez-vous à Great Coram Street ? Qui a fait appel à vous ?

Pitt se redressa légèrement. Il était lui aussi de bonne taille mais là s'arrêtait la ressemblance avec Juster. Ses cheveux étaient trop longs, sa cravate de travers et les poches de sa veste bâillaient, informes. Malgré ses vingt ans de carrière dans la police, témoigner devant une cour d'assises le mettait toujours mal à l'aise. Il était trop conscient qu'ici se jouaient la réputation d'un homme, sa liberté peut-être. Dans le cas présent, sa vie. Il n'avait pas peur d'affronter le regard calme et froid d'Adinett dans le box car il n'allait dire que la vérité. Les conséquences n'étaient pas de son ressort. Voilà ce qu'il s'était répété avant de gravir les quelques marches menant à la barre sans y trouver pour autant le moindre réconfort.

Le silence se faisait lourd. Il n'y avait pas un bruit dans les travées. Personne ne toussait.

— Le Dr Ibbs m'a fait demander, répondit-il. Les circonstances entourant la mort de Mr. Fetters le troublaient. Ayant déjà collaboré avec moi lors d'autres affaires, il estimait pouvoir compter sur ma discrétion au cas où il se serait trompé.

— Je vois. Voulez-vous nous dire ce qui s'est passé après que vous avez reçu l'appel du Dr Ibbs ?

John Adinett restait impassible dans le box. Mince mais solidement bâti, il affichait cette confiance que donnent les compétences et les privilèges. Dans la salle se trouvaient des hommes qui l'appréciaient et l'admiraient. Tous étaient assis là, incrédules, stupéfaits qu'on ose l'accuser d'un tel crime. Il ne pouvait s'agir que d'une erreur. D'un moment à l'autre, la défense allait obtenir l'annulation et des excuses seraient présentées.

Pitt se lança.

— Je me suis immédiatement rendu au domicile de Mr. Fetters dans Great Coram Street. J'y suis arrivé un peu après cinq heures de l'après-midi. Le Dr Ibbs m'attendait dans le hall d'entrée et nous sommes montés dans la bibliothèque où le corps de Mr. Fetters avait été découvert.

Tandis qu'il parlait, la scène lui revenait si nettement à l'esprit qu'il aurait pu être en ce moment même en train de grimper les marches inondées de soleil, découvrant sur le palier l'immense vase chinois rempli de bambous décoratifs, longeant le couloir et ses tableaux aux motifs d'oiseaux et de fleurs, passant devant les quatre portes ouvragées pour enfin pénétrer dans la bibliothèque. La lumière de fin d'après-midi se déversait à travers les grandes fenêtres, éclaboussant d'écarlate le tapis turc, illuminant les lettrages dorés sur les couvertures des livres alignés sur les étagères et s'étalant sur le cuir fatigué des grands fauteuils.

Juster attendait qu'il continue.

— Le corps d'un homme gisait dans le coin opposé, enchaîna Pitt. Depuis le seuil, sa tête et ses épaules étaient cachées par un fauteuil qui pourtant, selon le Dr Ibbs, avait été légèrement déplacé. Le majordome avait cherché à atteindre la victime dans l'espoir de lui porter secours...

Reginald Gleave, avocat de la défense, se dressa.

— Votre honneur, Mr. Pitt n'ignore sûrement pas qu'il n'a pas à livrer à la cour des éléments dont il n'a pas eu personnellement connaissance. A-t-il vu ce fauteuil être déplacé ?

Pitt se sentit rougir d'agacement. Il ne l'ignorait pas, en effet. Il aurait dû se montrer plus prudent. Il s'était juré de ne pas commettre la moindre erreur et voilà qu'il en avait déjà commis une. C'était la nervosité. Il avait les mains moites. Selon Juster, l'issue du procès reposait entièrement sur lui. Ils ne pouvaient compter sur personne d'autre.

Le juge se tourna vers Pitt.

— Étape par étape, commissaire, même si cela peut paraître moins clair pour le jury.

— Oui, votre honneur.

Pitt sentit de la sécheresse dans sa voix. Il savait que c'était de la tension, mais on aurait pu la prendre pour de la colère. Se concentrant, il se trouva de nouveau dans la pièce.

— L'étagère supérieure de la bibliothèque étant trop haute, il y avait là un marchepied monté sur roues permettant de l'atteindre. Celui-ci était renversé à une trentaine de centimètres des pieds du cadavre. Au sol, il y avait aussi trois livres, l'un à plat et fermé, les deux autres ouverts, face contre terre, avec plusieurs pages repliées.

Il les revoyait tout en parlant.

— L'espace vide correspondant était visible sur l'étagère du haut.

— Quelles conclusions en avez-vous tirées ? Ces éléments vous ont-ils incité à approfondir votre enquête ? s'enquit Juster d'un air innocent.

— Apparemment, Mr. Fetters avait perdu l'équilibre en tentant de prendre un livre et était tombé, répondit Pitt. Le Dr Ibbs avait relevé une ecchymose sur le côté de la tête et le cou était brisé, ce qui avait entraîné la mort.

— En effet, c'était bien là la teneur de son témoignage, acquiesça Juster. Cela vous paraissait-il correspondre à vos observations ?

— Dans un premier temps, c'est ce que j'ai cru…

L'attention monta d'un cran dans les travées et, avec elle, ce qui ressemblait à de l'hostilité.

— Puis, en y regardant de plus près, j'ai relevé plusieurs incohérences, conclut Pitt.

Juster haussa les sourcils.

— Quelles étaient-elles ? Pouvez-vous les détailler pour nous afin que nous comprenions vos conclusions, Mr. Pitt ?

C'était un avertissement. Toute l'accusation reposait sur ces détails qui tous n'étaient que des preuves indirectes. Les semaines d'enquête n'avaient pas permis de découvrir le moindre élément pouvant expliquer pourquoi Adinett en aurait voulu à Martin Fetters. C'étaient deux amis très proches aux passés et convictions similaires. Riches tous les deux, ils avaient beaucoup voyagé et partageaient la même passion pour les réformes sociales. Ils possédaient un large cercle d'amis communs qui les appréciaient et les respectaient au même titre.

Pitt s'était répété cela à maintes reprises, non pas en vue du procès mais pour lui-même. Il avait minutieusement examiné chaque détail avant d'envisager de poursuivre l'enquête.

— D'abord, il y avait les livres sur le sol.

Il les avait ramassés, agacé en voyant le cuir éraflé et les pages repliées qu'ils aient été endommagés.

— Ils portaient, plus ou moins, sur le même thème. Le premier était une traduction de l'*Iliade* d'Homère, le deuxième une histoire de l'Empire ottoman et le troisième traitait des routes commerciales au Proche-Orient.

Juster affecta la surprise.

— Je ne comprends pas en quoi cela a pu éveiller vos doutes. Voulez-vous nous l'expliquer ?

— Les livres rangés sur l'étagère du haut étaient tous des ouvrages de fiction, répondit Pitt. Des romans de Sir Walter Scott, plusieurs œuvres de Dickens et un Thackeray.

— Et, selon vous, l'*Iliade* n'a rien à faire parmi eux ?

— Ceux placés sur l'étagère du milieu portaient, quant à eux, sur la Grèce antique, expliqua Pitt. Et plus particulièrement sur Troie. Les travaux et articles de Mr. Schliemann[1], des ouvrages historiques ou sur l'art antique ; il y avait cependant trois exceptions notables, trois romans de Jane Austen qui auraient été mieux à leur place sur l'étagère du haut.

— J'aurais placé les romans, surtout ceux de Jane Austen, dans un endroit plus accessible, remarqua Juster avec un petit sourire.

— Peut-être pas si vous les aviez déjà lus, répondit Pitt, trop tendu pour lui rendre son sourire. Par ailleurs, si vous étiez un spécialiste de l'Antiquité, et

1. Heinrich Schliemann (1822-1890) : archéologue autodidacte, « découvreur » du site vraisemblable de la Troie d'Homère. (*N. d. T.*)

13

plus particulièrement de la Grèce homérique, vous garderiez sans doute à portée vos livres sur ce sujet, sur l'étagère du milieu donc, comme c'était bien le cas… ces trois volumes étant les seules exceptions.

— En effet, je comprends, fit Juster. Cela semble curieux, pour le moins. Qu'avez-vous fait quand vous avez remarqué les livres ?

— J'ai étudié plus attentivement le corps de Mr. Fetters et j'ai demandé au majordome, qui l'avait trouvé, de m'expliquer ce qui s'était exactement passé.

Pitt se tourna vers le juge pour voir s'il lui était permis de répéter ses paroles.

Reginald Gleave attendait, les lèvres pincées, prêt à intervenir.

— Poursuivez, si cela est pertinent, ordonna le juge.

— Il m'a dit que Mr. Adinett avait quitté la maison par la grande porte et était parti depuis environ dix minutes quand la cloche de la bibliothèque a retenti. Il a aussitôt répondu à l'appel. Arrivé dans le couloir, il a entendu un cri et un choc. Alarmé, il a ouvert la porte pour découvrir les chevilles et les pieds de Mr. Fetters dépassant de derrière le grand fauteuil en cuir placé dans un coin de la pièce. Il s'est aussitôt précipité pour voir s'il était blessé. Je lui ai demandé s'il avait déplacé le corps. Il m'a dit que non mais qu'afin de l'atteindre, il avait dû légèrement écarter le fauteuil.

Des gens commençaient à s'agiter. Tout cela ne paraissait pas avoir la moindre importance. Rien là ne suggérait la passion, la violence et encore moins un meurtre.

Adinett fixait calmement Pitt.

Juster hésita. Il savait qu'il était en train de perdre le jury. Cela se lisait sur son visage.

— Légèrement, Mr. Pitt ? demanda-t-il d'une voix tranchante. Qu'entendez-vous par « légèrement » ?

— Il a été très précis. Il a dit jusqu'au bord du tapis, qui se trouvait à trente-trois centimètres.

Pitt enchaîna sans laisser le temps à Juster d'intervenir.

— Ce qui signifiait qu'à l'endroit où s'était trouvé le fauteuil, il était mal placé par rapport à la lumière, que ce soit celle de la fenêtre ou bien celle du bec de gaz, pour permettre une lecture confortable. De plus, à cet endroit, il bloquait l'accès à une bonne partie de la bibliothèque, notamment celle où étaient rangés les livres concernant les voyages et les arts, livres que Mr. Fetters consultait souvent, m'a assuré le majordome. J'en ai conclu, dit-il en regardant Juster dans les yeux, que ce n'était pas là la position habituelle du fauteuil, et j'ai examiné le tapis pour y chercher des marques d'usure laissées par les pieds. Je les ai trouvées. J'ai aussi découvert des traces, des sortes de traînées et, en examinant à nouveau les pieds de Mr. Fetters, j'ai constaté qu'un bout de peluche était accroché à une de ses semelles. Il semblait provenir du tapis.

Cette fois, il y eut un murmure dans la salle. Reginald Gleave pinça les lèvres mais de mépris plutôt que de crainte.

À nouveau, Pitt enchaîna sans qu'on l'interroge.

— Selon ses premières constatations, le Dr Ibbs avait supposé que Mr. Fetters s'était trop penché, avait perdu l'équilibre et était tombé du marchepied, se cognant la tête contre le coin des étagères, la force du choc lui ayant brisé le cou. En m'appuyant sur les éléments que je viens d'évoquer, j'ai envisagé la possibilité qu'on lui ait porté un coup puis qu'on ait modifié la disposition des lieux pour faire croire à une chute.

Un murmure passa dans les travées. Une femme laissa échapper une exclamation.

Pitt continua, impassible.

— Des livres qu'il aurait pu être en train de lire avaient été sortis des étagères et jetés à terre. Les espaces vides correspondant avaient été bouchés avec des ouvrages de l'étagère supérieure pour expliquer l'usage du marchepied. Le fauteuil avait été poussé dans le coin afin de dissimuler en partie le cadavre.

Un air d'incrédulité amusée passa sur le visage de Gleave. Il regarda Pitt, puis Juster et pour finir le jury. C'était un excellent numéro d'acteur. Naturellement, il savait depuis très longtemps ce que Pitt allait dire.

Juster haussa les épaules.

— Par qui ? demanda-t-il. Mr. Adinett était déjà parti et, quand le majordome est entré dans la pièce, il ne s'y trouvait personne, à l'exception de Mr. Fetters. Douteriez-vous de la parole du majordome ?

Pitt choisit ses mots avec soin.

— Je crois qu'il a dit la vérité telle qu'elle lui est apparue.

Gleave se dressa. C'était un homme de haute taille aux larges épaules.

— Votre honneur, les considérations du commissaire Pitt quant à la véracité des déclarations du majordome sont hors de propos. Le jury a eu l'occasion d'entendre son témoignage et, par conséquent, de juger par lui-même s'il disait la vérité ou non et si cet homme est compétent et honnête dans son travail.

Juster avait visiblement du mal à garder son calme.

— Mr. Pitt, sans nous dire pourquoi, puisque cela semble agacer mon estimé confrère, pourriez-vous nous raconter ce que vous avez fait après avoir élaboré cette théorie inattendue ?

— J'ai examiné la pièce pour essayer de trouver d'autres éléments pertinents, répondit Pitt. J'ai vu un plateau sur une petite table dans le coin opposé de la bibliothèque sur lequel se trouvait un verre de porto à moitié plein. J'ai demandé au majordome quand était parti Mr. Adinett et il me l'a dit. Je lui ai alors demandé de replacer le fauteuil exactement là où il l'avait trouvé en entrant dans la pièce et de répéter ses gestes de la façon la plus fidèle possible.

Il voyait encore la surprise du domestique et sa désapprobation. À l'évidence, il considérait cela comme un manque de respect à l'égard du mort, mais il avait néanmoins obéi avec raideur, le visage fermé.

— Je me suis placé derrière la porte, reprit Pitt. Quand le majordome a été obligé de contourner le fauteuil pour atteindre Mr. Fetters, je suis sorti de la pièce pour passer dans celle qui lui faisait face dans le couloir.

Il s'arrêta, laissant le temps à Juster de réagir.

Maintenant tous les jurés l'écoutaient avec une extrême attention. Personne ne bougeait. Pas un regard ne s'égarait.

— Le majordome vous a-t-il appelé ?

Juster, à son tour, choisissait ses mots avec le plus grand soin.

— Pas immédiatement, répondit Pitt. J'ai d'abord entendu sa voix dans la bibliothèque ; il parlait de façon normale puis il a paru se rendre compte de mon absence et est sorti dans le couloir pour m'appeler à nouveau.

— Vous en avez donc déduit qu'il ne vous avait pas vu sortir ?

— Oui. J'ai recommencé l'expérience en inversant nos rôles. Accroupi derrière le fauteuil, je ne pouvais pas le voir.

Juster hocha la tête avec satisfaction.

— Je comprends. Et pourquoi vous êtes-vous rendu dans cette autre pièce, Mr. Pitt ?

— Parce que la distance entre l'entrée de la bibliothèque et les escaliers est d'environ sept mètres, expliqua Pitt, qui revoyait clairement les lieux, les rayons de soleil filtrant à travers les carreaux rouges et jaunes de la fenêtre au bout du couloir. Si le majordome avait sonné la cloche pour demander de l'aide, j'aurais à coup sûr croisé toute personne qui serait montée avant de pouvoir quitter la maison.

— Si, bien sûr, votre désir avait été de ne pas être vu, conclut Juster à sa place. Ce qui, si vous aviez quitté la maison de façon ostentatoire une quinzaine de minutes plus tôt, pour y revenir par la porte de service, vous faufiler à l'étage et déguiser un meurtre en accident, vous aurait...

Des cris et des exclamations retentirent.

Gleave avait bondi, le visage écarlate.

— Votre honneur ! Ceci est un outrage ! Je...

— Oui ! Oui ! acquiesça le juge avec impatience. Cette manœuvre est indigne de vous, Mr. Juster. Si je vous autorisais de telles libertés, je devrais en faire autant avec Mr. Gleave et vous n'aimeriez pas cela !

Juster tenta de prendre un air de repentir sans vraiment y parvenir. Pitt estima qu'il ne se donnait pas grand mal.

— Avez-vous vu quoi que ce soit d'inhabituel pendant que vous étiez dans la pièce faisant face à la bibliothèque ? s'enquit le procureur en se tournant avec élégance vers le jury. De quelle pièce s'agissait-il, au fait ?

— D'une salle de billard. Oui, j'ai vu une éraflure très récente sur le coin de la porte, mince et incurvée vers le haut, juste au-dessus du loquet.

— Curieux endroit pour endommager une porte, remarqua Juster. Cette éraflure aurait-elle pu être faite quand la porte était fermée ?

— Non, il fallait qu'elle soit ouverte. Ce qui aurait considérablement gêné le jeu à la table de billard.

Juster posa les mains sur les hanches. C'était une pose curieuse, pourtant il semblait à l'aise.

— Donc, il est plus probable que cette marque ait été faite par quelqu'un qui entrait ou sortait de la pièce ?

Gleave était à nouveau debout, congestionné.

— Comme il a déjà été dit, il aurait été gênant de jouer avec la porte ouverte. La réponse à cette question est donc évidente, votre honneur. Quelqu'un a éraflé la porte avec une queue de billard parce que, comme l'a si astucieusement et inutilement fait remarquer Mr. Pitt, la place manquait pour jouer quand la porte était ouverte.

Il sourit d'un air satisfait, montrant des dents parfaites.

Un silence absolu régnait dans la salle.

Pitt jeta un regard vers Adinett qui restait impassible.

Juster affichait un air d'innocence enfantine qui ne lui convenait en rien. Il regarda Pitt comme s'il n'avait pas pensé à ce fait jusqu'à cet instant.

— Avez-vous envisagé cette possibilité, commissaire ?

Pitt lui rendit son regard.

— Oui. La femme de chambre qui s'occupait du ménage dans cette pièce m'a assuré que cette marque n'existait pas ce matin-là et que personne n'avait utilisé la pièce depuis.

Il hésita.

— L'éraflure creusait le bois. Il n'y avait ni cire, ni poussière.

— Vous avez donc cru cette femme ?

Juster leva les mains en direction de Gleave.

— Pardonnez-moi, reprit-il. S'il vous plaît, ne répondez pas à cette question, Mr. Pitt. Nous interrogerons la femme de chambre en temps voulu, et le jury décidera par lui-même si elle est honnête et compétente... et si elle connaît son travail. La pauvre Mrs. Fetters pourra peut-être aussi nous dire si c'est une bonne femme de chambre ou pas.

Des murmures parcoururent la salle. La tension avait été brisée. Si Gleave avait pris la parole en cet instant, cela n'aurait été qu'une perte de temps et il en était conscient.

Le juge poussa un long soupir mais sans intervenir.

— Qu'avez-vous fait ensuite, commissaire ? demanda Juster d'un ton léger.

— J'ai demandé si Mr. Adinett portait une canne quelconque, répondit Pitt, enchaînant avant que Gleave ne l'interrompe : C'était le cas. Le valet l'a confirmé.

Juster sourit.

— Je vois. Merci. Maintenant, avant que mon honorable confrère ne vous le demande, je vais m'en charger. Avez-vous trouvé quelqu'un qui ait surpris la moindre querelle, le moindre échange un peu rude, la moindre divergence d'opinion entre Mr. Adinett et Mr. Fetters ?

— Non, personne, admit Pitt, se souvenant que ce n'était pas faute d'avoir essayé.

Même Mrs. Fetters, qui en était venue à croire que son mari avait été assassiné, n'avait pu se souvenir de la moindre dissension entre eux, ni du moindre motif qui aurait pu pousser Mr. Adinett à s'en prendre à lui.

— Et, cependant, à partir de ces maigres éléments, vous en avez conclu que Mr. Fetters avait été assassiné et ce, par Mr. Adinett ? insista Juster d'une voix onctueuse avant de lever les doigts l'un après l'autre pour détailler ces fameux éléments. Un fauteuil déplacé, trois livres qui ne sont pas à leur place, une traînée sur un tapis, un bout de peluche coincé sous une semelle et une éraflure récente sur la porte d'une salle de billard ? Sur la base de ces seuls éléments, vous voulez faire condamner un homme pour le plus terrible des crimes ?

— Je voudrais le faire passer en jugement, corrigea Pitt, s'empourprant. Parce que je crois que le meurtre de Mr. Fetters est la seule explication à tous ces faits. Je crois qu'il l'a assassiné au cours d'une querelle soudaine et qu'il a maquillé son crime en…

— Votre honneur ! s'exclama Mr. Gleave à nouveau debout, les bras levés.

— Non, dit calmement le juge. Mr. Pitt est un professionnel. Les affaires de meurtre et la recherche de preuves sont son domaine, comme le montrent ses vingt années de carrière dans les forces de l'ordre. Il reviendra au jury, conclut-il avec un humour glacial, de décider s'il est honnête et compétent dans son travail.

Pitt lança un coup d'œil vers le jury et vit le président hocher imperceptiblement la tête.

Une femme dans la galerie éclata de rire avant de porter les mains à sa bouche.

Gleave était écarlate.

Juster s'inclina avant de faire signe à Pitt de poursuivre.

— … Qu'il a maquillé son crime en accident, reprit celui-ci. Je crois qu'il a ensuite quitté la bibliothèque, fermant la porte de l'extérieur. Il est descendu, a salué Mrs. Fetters avant d'être reconduit à la porte par le majordome. Son départ a aussi été observé par le valet.

Le président du jury se tourna vers son voisin. Les deux hommes échangèrent un regard avant de revenir sur Pitt qui poursuivait son récit.

— Adinett est sorti, a descendu la rue sur une trentaine de mètres environ puis est entré à nouveau dans la propriété par une porte donnant dans le jardin. Un individu répondant à son signalement a été vu précisément à cet instant. Il est rentré dans la maison par une porte de service, est remonté dans la bibliothèque et a immédiatement sonné la cloche pour appeler le majordome.

Le plus grand silence régnait dans la salle. Tous les regards étaient fixés sur Pitt.

— Quand celui-ci est entré, Adinett se tenait derrière la porte, caché par celle-ci. Et quand le majordome s'est porté aux côtés de Mr. Fetters derrière le fauteuil, comme il se devait, Adinett est sorti, a traversé le couloir pour se dissimuler dans la salle de billard au cas où le majordome appellerait à l'aide. Une fois le couloir désert, il est ressorti et, dans sa hâte, a cogné sa canne contre la porte. Et cette fois, il a quitté la maison sans être vu.

Une sorte de soupir, accompagné de froissements de tissu, parcourut la salle tandis que les gens osaient bouger à nouveau.

— Merci, commissaire, dit Juster. Des présomptions, certes, mais, comme vous l'avez dit, elles seules permettent d'expliquer tous les détails observés.

Il se tourna un instant vers le jury avant de poursuivre.

— Et s'il nous serait plus commode de dire à la cour pour quelle raison ce malheureux événement s'est produit, nous n'y sommes pas tenus… Il nous revient simplement de démontrer qu'il s'est en effet produit. Ce qu'à mon sens vous avez de façon admirable réussi à faire. Nous sommes vos obligés.

Il se retourna très lentement, invitant Gleave à s'avancer.

Tendu, Pitt se tourna vers l'avocat, attendant l'attaque qui, l'avait averti Juster, serait féroce.

— Après le déjeuner, votre honneur, si vous le voulez bien, dit alors Gleave avec un sourire. Il me faudra bien plus que le quart d'heure qui nous reste maintenant.

Cela ne surprit pas Pitt. Juster n'avait cessé de lui répéter que le procès reposait entièrement sur son témoignage et qu'il devait s'attendre à ce que Gleave tente de le mettre en pièces. Cette idée l'empêcha d'apprécier pleinement le mouton aux légumes qu'on lui servit au pub au coin de la rue. De façon inhabituelle pour lui, il mangea à peine la moitié de son assiette.

— Il va tenter de ridiculiser ou de nier les preuves, dit Juster, installé face à lui et n'ayant guère plus d'appétit. Je ne pense pas que la bonne lui résistera.

Elle est déjà assez terrifiée de se retrouver dans un tribunal pour, en plus, voir son intelligence et son honnêteté mises en doute par un « gentleman ». S'il suggère qu'elle est incapable de se souvenir des dates, il est probable qu'elle sera d'accord avec lui.

Pitt but une petite gorgée de cidre.

— Cela ne marchera pas avec le majordome.

— Je sais, dit Juster en grimaçant. Et Gleave le sait aussi. Il tentera une approche différente. Si c'était moi, je le flatterais, je le mettrais en confiance, je trouverais un moyen de suggérer que la réputation de Fetters serait préservée s'il avait succombé à un accident et non à un meurtre. C'est ce que fera Gleave, je suis prêt à le parier. C'est son métier, percer les caractères, trouver les points faibles.

Pitt aurait aimé le contredire mais il savait que c'était la vérité. Gleave sentait la vulnérabilité des témoins comme un chien de chasse flaire une piste. Il savait flatter, menacer, désarçonner, manipuler... tous les moyens lui étaient bons.

Cette habileté mettait Pitt en rage. La boule qui l'empêchait de manger était due autant à l'outrage qu'à la peur de l'échec. Il était certain que Martin Fetters avait été assassiné, et s'il ne parvenait pas à en convaincre le jury, Adinett sortirait non seulement libre mais aussi innocenté.

Il revint à la barre des témoins, déterminé à soutenir l'attaque et à garder son calme.

— Eh bien, Mr. Pitt, commença Gleave en se postant devant lui, les épaules carrées, les pieds légèrement écartés. Examinons ces prétendues preuves auxquelles vous accordez tant de poids et à partir desquelles vous extrapolez un acte si infâme.

Il marqua une pause mais ce n'était que pour permettre au jury de savourer ses sarcasmes.

— Vous avez été appelé par le Dr Ibbs... qui semble être un de vos grands admirateurs.

Pitt faillit répondre avant de se rendre compte que c'était là ce que l'avocat attendait. Le piège était trop visible.

— Un homme qui craignait apparemment de s'en remettre à son seul jugement, poursuivit Gleave, plissant les lèvres avec dédain. Un homme nerveux donc, peu confiant en ses propres capacités. Ou alors un homme qui avait le désir de provoquer un certain émoi en suggérant que cette tragédie pouvait être le fruit d'un crime.

À l'entendre, Ibbs était au mieux un incompétent.

Juster se dressa.

— Votre honneur, Mr. Pitt n'est pas qualifié pour juger de la moralité et des émotions des médecins en général et du Dr Ibbs en particulier. Il ne peut savoir avec certitude pour quelle raison celui-ci a fait appel à lui. Il sait seulement ce que le Dr Ibbs a dit et que nous avons déjà entendu. Celui-ci a estimé que les faits tels qu'il les voyait posaient problème ; il a donc choisi, me semble-t-il avec raison, de faire appel à la police.

— Objection accordée, dit le juge. Mr. Gleave, cessez de spéculer et posez vos questions.

— Votre honneur, s'inclina Gleave avant de se tourner vivement vers Pitt. Ibbs vous a-t-il dit qu'il suspectait un meurtre ?

Pitt vit le piège.

— Non. Il m'a dit qu'il était troublé et qu'il désirait mon opinion.

— Vous êtes policier et non médecin, exact ?

— Bien sûr.

— Un autre médecin vous a-t-il jamais demandé votre opinion médicale ? Quant à la cause d'une mort, par exemple ?

— Non. On demande mon opinion quant à l'interprétation des indices, c'est tout, répondit Pitt avec prudence.

Il se doutait qu'une autre ruse se préparait.

— Exactement, fit Gleave en hochant la tête. Partant de là, quand le Dr Ibbs fait appel à vous, vous possédez assez d'intelligence pour en déduire qu'il soupçonne cette mort de ne pas être due à un simple accident mais qu'elle pourrait être d'origine criminelle... sinon pourquoi faire appel à la police ?

— Oui.

— Alors quand vous prétendiez que le docteur ne vous a pas affirmé qu'il suspectait un crime, vous vous montriez un peu fourbe, n'est-ce pas ? J'hésite à dire que vous ne faisiez pas preuve d'honnêteté mais c'est l'idée qui vient inévitablement à l'esprit, Mr. Pitt.

Pitt sentit le sang lui monter au visage. Il avait vu un piège et l'avait évité, pour tomber à pieds joints dans le suivant.

— Des faits troublants n'impliquent pas forcément qu'il y ait eu crime, dit-il d'un ton lent. Les gens déplacent des objets pour de multiples raisons, pas toujours dans une intention maligne. Parfois, ils veulent aider ou bien dissimuler la négligence qui a entraîné un accident, afin d'éviter le blâme à ceux qui ont survécu ou pour cacher une indiscrétion. Parfois même pour masquer un suicide.

Gleave parut surpris. Il ne s'était pas attendu à une réponse.

C'était une maigre victoire mais Pitt ne devait pas pour autant s'autoriser à baisser la garde une seule seconde.

— Les traces sur le tapis, dit Gleave, reprenant l'offensive. Quand ont-elles été faites ?

— À n'importe quel moment après le dernier nettoyage du tapis, dont la bonne m'a dit qu'il avait été effectué le matin même.

L'avocat affecta un air innocent.

— Auraient-elles pu être causées par autre chose qu'un homme traînant un cadavre ?

— Bien sûr, dit Pitt.

Gleave sourit.

— Et le petit morceau de peluche sur la chaussure de Mr. Fetters, peut-on là aussi trouver une autre explication ? Imaginons, par exemple, qu'assis dans son fauteuil, il a enlevé ses chaussures en les frottant sur le sol ? Ou bien que l'un des bords du tapis était froissé et qu'il a trébuché ? Ce fameux tapis possédait-il une frange, Mr. Pitt ?

Gleave connaissait pertinemment la réponse à cette question.

— Oui.

— Tout à fait. Si vous me le permettez, c'est là un fil bien ténu auquel pendre un homme, un homme d'honneur, un soldat d'une bravoure exemplaire, un patriote et un érudit tel que John Adinett, ne trouvez-vous pas ?

Il y eut un murmure dans la salle, les gens s'agitant sur leur siège et cherchant à apercevoir Adinett. Pitt vit du respect sur leur visage, de la curiosité aussi mais ils ne manifestaient aucune réprobation. Il se tourna vers les jurés. En citoyens conscients de leur immense responsabilité, ils affichaient plus de retenue. Il ne les enviait pas. La vie d'un homme dépendait de leur jugement.

Gleave souriait.

— Cela vous surprendrait-il d'apprendre, Mr. Pitt, que la bonne qui s'occupe du ménage dans la salle de billard n'est plus aussi certaine que l'éraflure que vous avez si providentiellement remarquée soit si récente ? Elle dit maintenant qu'elle était peut-être déjà là depuis un certain temps et qu'elle ne l'avait peut-être pas remarquée.

Pitt ne sut que répondre. La question était posée de façon alambiquée.

— Je ne la connais pas assez pour être surpris ou pas, dit-il avec prudence. Il arrive que les témoins changent parfois leurs déclarations… pour de multiples raisons.

Gleave parut offensé.

— Que suggérez-vous, monsieur ?

Juster intervint à nouveau.

— Votre honneur, mon estimé collègue a demandé au témoin s'il était surpris. Celui-ci a simplement répondu à la question. Il n'a fait aucun sous-entendu.

Gleave n'attendit pas la réponse du juge.

— Voyons ce qu'il nous reste dans cette extraordinaire affaire. Mr. Adinett rend visite à son vieil ami Mr. Fetters. Ils passent une agréable heure et demie ensemble dans la bibliothèque puis Mr. Adinett s'en va. Je présume que, jusque-là, vous êtes d'accord ?

— Oui, concéda Pitt.

— Bien. Continuons. Une douzaine ou une quinzaine de minutes plus tard, la cloche de la bibliothèque sonne, le majordome répond et quand il s'approche, il entend un cri et un choc sourd. Il ouvre la porte, découvre son maître gisant à terre et le marchepied renversé. Très naturellement, il en conclut qu'un accident s'est produit, un accident fatal. Il n'a vu personne d'autre dans la pièce qu'il quitte ensuite pour aller chercher de l'aide. Vous êtes toujours d'accord ?

Pitt se força à sourire.

— Je ne sais pas. Dans la mesure où je n'avais pas encore livré mon témoignage devant cette cour, je n'ai pu entendre celui du majordome.

— Cela correspond-il aux faits tels que vous les connaissez ? aboya Gleave pour dominer quelques rires étouffés.

— Oui.

— Merci. Il s'agit d'une affaire très grave, Mr. Pitt, et non d'une occasion pour vous de distraire le public et faire étalage de ce que vous croyez être votre sens de l'humour.

Pitt s'empourpra. Il se pencha par-dessus la barre, bouillant de colère.

— Vous m'avez posé une question impossible ! accusa-t-il. C'est ce que je tentais de vous montrer. Si vos facéties amusent la galerie, c'est votre faute... pas la mienne !

Le visage de Gleave se durcit. Il ne s'était pas attendu à une réplique, mais il dissimula très vite sa fureur. C'était un excellent comédien.

— Ensuite, reprit-il comme s'il n'avait pas été interrompu, nous avons le Dr Ibbs qui fait preuve d'un zèle surprenant pour des raisons que nous ignorons. Vous avez répondu à son appel et trouvé ces énigmatiques petits signes. Le fauteuil n'était pas là où vous l'auriez placé si cette belle pièce vous avait appartenu. Le majordome pense qu'il était installé ailleurs. Il y avait des marques sur le tapis.

Il adressa un sourire aux jurés avant de poursuivre :

— Le verre de porto n'était pas terminé et pourtant il a sonné le majordome. Nous ne saurons jamais pourquoi... Mais alors ? Allons-nous accuser John Adinett de meurtre pour autant ? demanda-t-il avec stupéfaction. Y a-t-il là la moindre preuve ? Non ! Messieurs, nous sommes en présence d'une poignée de détails sans la moindre signification qui ont été montés en épingle par un médecin désœuvré et un policier qui cherche à se faire un nom et se soucie fort peu du fait qu'il s'agit là de la mort d'un homme et d'une accusation monstrueuse portée contre son meilleur ami. Un tissu de sornettes qui ne mérite même pas que vous vous y arrêtiez une seconde !

— Est-ce là votre défense ? demanda Juster. Vous semblez déjà en être à votre plaidoirie.

— Non, cela ne l'est pas ! rétorqua Gleave. Même si ce serait déjà amplement suffisant. Je vous rends bien volontiers votre témoin.

— Je n'ai pas grand-chose à ajouter, observa Juster en prenant sa place. Mr. Pitt, quand vous avez interrogé la bonne pour la première fois, était-elle certaine à propos de l'éraflure sur la porte de la salle de billard ?

— Oui.

— Donc, quelque chose l'a fait changer d'avis par la suite ?

Pitt pinça les lèvres.

— Oui.

— Je me demande bien quoi, fit Juster en haussant les épaules avant d'enchaîner. Et le majordome était certain que le fauteuil avait été déplacé ?

— Oui.

— A-t-il changé d'avis depuis ? Oh, bien sûr, vous l'ignorez. Eh bien, non. Le jeune valet est aussi tout à fait certain d'avoir impeccablement nettoyé les bottes de son maître ce matin-là et de n'y avoir vu, et encore moins laissé, la moindre peluche en provenance du tapis ou de sa frange.

Il se redressa comme si une idée venait soudain de lui passer par la tête.

— Au fait, cette peluche que vous avez trouvée, ressemblait-elle à un bout de frange ou plutôt à un amas de poils du tapis lui-même ?

— Un amas de poils dont la couleur était identique à celle du centre du tapis.

— Tiens donc ! Nous avons vu les chaussures mais pas le tapis. Cela aurait été peu pratique de le transporter dans cette salle d'audience, je suppose, fit Juster avec un sourire. Comme nous n'avons pas vu les étagères de la bibliothèque avec les livres mal rangés.

Une pause.

— Pourquoi un voyageur, un spécialiste de l'Antiquité qui s'intéressait essentiellement à Troie, ses légendes, sa splendeur et ses ruines, placerait-il trois de ses livres les plus utiles, les plus consultés, sur une étagère qu'il ne pouvait atteindre qu'en grimpant sur un marchepied ? Sans compter qu'à l'évidence, il avait très envie de les lire, puisqu'il a été jusqu'à risquer sa vie pour essayer de les récupérer…

Nouvelle pause. Encore plus théâtrale.

— Sauf qu'il n'a pas essayé de les récupérer !

Ce soir-là, Pitt ne parvenait pas à se calmer. Il tournait en rond dans le jardin, arrachant les mauvaises herbes, observant les fleurs écloses et celles en bouton, les feuilles nouvelles sur les arbres, mais sans pouvoir fixer son attention.

Charlotte vint le rejoindre, visiblement inquiète, le soleil couchant dessinant un halo autour de sa chevelure aux reflets acajou. Les enfants dormaient et la maison était en paix.

Il se retourna pour lui sourire. Inutile de lui fournir une explication. Elle avait suivi l'affaire depuis les premiers jours et savait les raisons de son anxiété même si elle n'avait aucune idée des sombres pressentiments qui l'habitaient. Il n'avait pas voulu lui en parler : si la culpabilité d'Adinett n'était pas reconnue par le jury, cela signifierait que Pitt était un incompétent, mû uniquement par ses émotions, créant ce dossier de toutes pièces dans le seul but de satisfaire ses ambitions et ses préjugés.

Ils discutèrent de banalités, arpentant la pelouse. Les mots ne comptaient pas, c'était la chaleur de la présence de Charlotte à ses côtés qu'il appréciait, le fait qu'elle était là, ne l'abreuvait pas de questions et ne laissait pas transparaître ses propres peurs.

Le lendemain, Gleave commença sa défense. Il entreprit d'abord de réfuter les témoignages du Dr Ibbs, des différents domestiques qui avaient noté les petits changements dont Pitt avait parlé et celui du passant dans la rue qui avait vu quelqu'un répondant au signalement d'Adinett pénétrer dans la propriété des Fetters par la porte donnant dans le jardin. Cela fait, il appela les témoins de moralité en faveur d'Adinett. Il n'avait eu aucune peine à en trouver et il prit bien soin de le faire noter à la cour. Ceux-ci paradèrent l'un après l'autre, issus de tous les milieux sociaux, militaires ou politiques. Il y eut même un religieux.

Le dernier d'entre eux, l'honorable[1] Lyall Birkett, était typique. Mince, blond, le visage intelligent et aristocratique, les manières posées. Avant même de prendre la parole, il inspirait l'autorité. Pour lui, aucun doute possible : Adinett était innocent. C'était un brave homme pris dans une réseau serré d'intrigues et d'infortunes.

Ayant témoigné, Pitt avait désormais l'autorisation d'assister aux débats, et il avait rejoint le public.

— Douze ans, dit Birkett en réponse à une question de Gleave sur la durée de ses rapports avec Adinett. Nous nous sommes rencontrés au Services Club. Un endroit où on est assez sûr des personnes qu'on y croise, fit-il avec un sourire satisfait. Le monde est petit, voyez-vous ? Entre vétérans, on sait très vite qui a fait ses preuves sur le champ de bataille et sur qui on pourra réellement compter en cas de coup dur. Il suffit de poser quelques questions et on tombe très vite sur quelqu'un qui connaît votre homme.

— Je crois que nous voyons tous ce que vous voulez dire, assura Gleave en souriant à son tour à l'intention du jury. Il n'y a qu'au combat, sous le feu de l'ennemi, qu'on peut en réalité juger de la valeur d'un homme, de son courage, de sa loyauté et de son honneur…

---

1. Qualifie les députés, les membres du gouvernement et certains juges. (*N. d. T.*)

quand sa propre vie est menacée ou, pis encore, quand il risque la mutilation, une vie entière de souffrance.

Une immense douleur se peignit sur ses traits tandis qu'il se tournait avec lenteur vers le public et le jury.

— Et, reprit-il au bout d'un moment, avez-vous jamais entendu le moindre commentaire désobligeant concernant John Adinett parmi vos compagnons du Services Club, Mr. Birkett ? Même le plus infime qui soit ?

— Jamais. Pas le moindre mot, répondit Birkett d'un ton toujours aussi léger.

Il n'y avait pas le moindre étonnement ou la moindre emphase dans sa voix. Pour lui, tout cela n'était à l'évidence qu'une stupide méprise qui serait réparée d'ici peu.

— Mais tous connaissaient bien John Adinett ? insista Gleave.

— Oh, bien sûr. Il a servi au Canada en se distinguant particulièrement. Une affaire en rapport avec la Compagnie de la baie d'Hudson et une rébellion quelconque, je crois. À vrai dire, c'est Fraser qui m'en a parlé. Adinett a plus ou moins été choisi en raison de sa bravoure et de sa connaissance du terrain. C'est un immense territoire sauvage, savez-vous ? Oui, bien sûr, vous le savez. Un désert glacé où un médiocre n'a pas sa place. Il y faut de l'imagination, de l'endurance, la plus grande loyauté, et une intelligence et un courage hors du commun.

Gleave hocha la tête.

— Qu'en est-il de l'honnêteté ?

Birkett parut enfin surpris. Il écarquilla les yeux.

— Monsieur, cela va de soi. Un homme sans honneur n'a de place nulle part. Il peut arriver à chacun de commettre une erreur mais un mensonge est impardonnable.

32

— Et la loyauté envers un ami, envers un compagnon ? demanda Gleave comme s'il s'agissait d'une question anodine dont il ignorait la réponse.

Mais il ne courait pas le risque de trop en faire. Dans cette salle, personne, hormis Pitt, Juster et les magistrats, n'était assez familier des tactiques oratoires pour lire dans son jeu.

— La loyauté est plus précieuse que la vie, dit simplement Birkett. Je confierais à John Adinett tout ce que je possède – ma maison, mes terres, ma femme, mon honneur – sans craindre un seul instant de perdre quoi que ce soit.

Gleave était content de lui-même et il y avait de quoi. Les jurés considéraient Birkett avec admiration et plusieurs d'entre eux avaient ouvertement dévisagé Adinett pour la première fois. Il était en train de gagner et il semblait déjà savourer le goût de la victoire.

Pitt jeta un coup d'œil au président du jury et le vit froncer les sourcils.

— Au fait, connaissiez-vous aussi Mr. Fetters ? s'enquit Gleave, revenant à son témoin.

Une tristesse si profonde accabla le visage de Birkett que personne n'aurait pu la mettre en doute.

— À peine. Un homme de qualité. Quelle amère ironie qu'il ait parcouru le monde afin de mettre au jour les beautés et les gloires du passé pour en fin de compte trouver la mort dans sa propre bibliothèque ! fit-il après un long soupir. J'ai lu ses articles sur Troie. Et j'admets volontiers qu'ils m'ont fait découvrir de nouvelles perspectives. Je n'avais jamais perçu à quel point tout cela était encore… présent. J'oserais dire que ce qui liait Fetters et Adinett, ce sont les voyages et ce même intérêt passionné pour les richesses d'autres cultures.

— Auraient-ils pu avoir un conflit quelconque à ce sujet ? demanda Gleave.

Birkett faillit sursauter.

— Bonté divine, non ! Fetters était un homme de l'art ; Adinett est surtout un amateur, un admirateur enthousiaste de ceux qui réalisent ces découvertes. Il nourrissait la plus haute estime pour Fetters, et il la proclamait, mais il n'avait pas le moindre souci de l'imiter. Il ne faisait que se réjouir de ses réussites.

— Merci, Mr. Birkett, dit Gleave en s'inclinant légèrement. Vous n'avez fait que confirmer ce que nous avons déjà entendu de la bouche d'hommes aussi respectables que vous-même. Aucun d'entre eux, du plus noble au plus humble, n'a dit le moindre mal à propos de Mr. Adinett. J'ignore si mon distingué collègue a quelque chose à vous demander ; quant à moi, j'en ai terminé.

Juster n'hésita pas. L'impression produite par Birkett risquait de démolir toute l'accusation.

— Merci, dit-il de bonne grâce avant de se tourner vers celui-ci.

Pitt éprouvait une angoisse oppressante ; comme tous les témoins de moralité qui s'étaient succédé jusque-là, Birkett était inattaquable. Au cours de ces deux derniers jours, le défilé de témoins qui l'admiraient et étaient prêts à jurer de leur amitié envers lui, y compris là même devant ce tribunal où il était accusé de meurtre, avait pratiquement placé Adinett au-delà de toute critique. S'en prendre à Birkett c'était risquer de s'aliéner le jury.

Juster sourit.

— Mr. Birkett, vous dites que John Adinett était d'une absolue loyauté envers ses amis.

— Absolue, c'est le mot.

— Une qualité que vous admirez ?

— Bien sûr.

— Davantage que la loyauté envers vos principes ?

Birkett parut perplexe.

— Non. Ce n'est pas ce que j'ai suggéré, monsieur. Ou si je l'ai fait, ce n'était pas intentionnel. Un homme doit placer ses principes avant toute chose. Un ami sait cela. En tout cas, tout homme que je choisirais pour ami.

— Moi aussi, approuva Juster. Un homme doit faire ce qu'il croit être juste, même si cela peut lui coûter un prix terrible, la perte d'un ami, par exemple, ou bien la perte de l'estime de ceux à qui il tient.

— Votre honneur ! fit Gleave en se dressant. Tout cela est très moral mais il ne s'agit pas d'une question ! Si mon estimé confrère veut en venir quelque part, pourrait-on lui demander d'y arriver ?

Le juge tourna un regard inquisiteur vers Juster.

Celui-ci ne parut nullement perturbé.

— Voilà où je veux en venir, votre honneur... et c'est essentiel. Mr. Adinett, nous dit-on, est un homme qui place ses principes, ses croyances, au-dessus de tout, y compris de l'amitié. Ou, pour le dire autrement, même une amitié, aussi profonde et ancienne soit-elle, devrait en cas de conflit céder le pas devant ses convictions. Nous avons établi que la victime, Martin Fetters, était son ami. Je suis reconnaissant à Mr. Gleave d'avoir établi que l'amitié n'est pas le souci ultime d'Adinett et qu'il la sacrifierait à ses principes, si un tel choix s'imposait à lui.

Il y eut un murmure dans la salle. Un des jurés parut stupéfait avant qu'une subite compréhension ne se lise sur son visage.

— Nous n'avons pas établi qu'un tel conflit existait ! protesta Gleave.

— Ni qu'il n'existait pas ! riposta Juster.

Le juge les réduisit tous les deux au silence d'un regard.

Après avoir remercié Birkett, Juster retourna à sa place. Sa démarche semblait plus légère.

Le lendemain, Gleave entama son assaut final contre Pitt. Il se plaça face au jury.

— Toute cette affaire, bien maigre reconnaissons-le, repose entièrement sur les considérations d'un seul homme, le commissaire Thomas Pitt, fit-il d'une voix lourde de mépris. Si nous ne tenons pas compte de ses hypothèses, que nous reste-t-il ? Je n'ai pas besoin de vous le dire… il ne reste rien, rien du tout !

Il leva ses doigts un à un.

— Un homme a été vu dans la rue, se dirigeant vers le jardin, c'était peut-être John Adinett mais peut-être pas. Une éraflure sur une porte qui était peut-être là depuis plusieurs jours et a probablement été faite par une queue de billard maniée avec maladresse. Un fauteuil déplacé dans une bibliothèque et cela pour des raisons dont nous ignorons tout. Des livres qui ne sont pas à leur place… mais peut-être avaient-ils été oubliés et la bonne, qui n'est pas une spécialiste de la mythologie grecque, les a-t-elle rangés là où elle l'a cru bon, son souci étant de veiller à l'ordre dans la pièce et non au classement de la bibliothèque. Il est même très possible qu'elle ne sache pas lire ! Un bout de tapis coincé sous une semelle. Comment est-il arrivé là ? Qui peut le savoir ? Et le plus absurde, un verre de porto à moitié plein. Mr. Pitt voudrait nous faire croire que cela signifie que Mr. Fetters n'a pas eu l'occasion de sonner le majordome. Ce que cela signifie en réalité, c'est que Mr. Pitt n'a pas l'habitude d'avoir des domestiques… nous aurions pu le deviner dans la mesure où il est policier.

Il prononça ce dernier mot avec un infini dédain.

Le silence régnait dans la salle.

Gleave hocha la tête.

— Je me propose d'appeler à la barre plusieurs témoins qui ont bien connu Mr. Pitt et qui vous diront quelle sorte d'homme il est, afin que vous puissiez juger par vous-mêmes si ses considérations ont la moindre valeur.

Un froid glacial envahit le ventre de Pitt quand il entendit le nom d'Albert Donaldson et vit la silhouette familière monter à la barre des témoins. Donaldson avait beaucoup vieilli depuis l'époque où il avait été le supérieur de Pitt, quinze ans plus tôt, mais son expression était exactement telle que Pitt se la rappelait.

Sa déposition se déroula en tout point comme il le redoutait.

— Mr. Donaldson, vous êtes retraité des forces de la police métropolitaine ? demanda Gleave.

— Oui.

— Quand vous étiez inspecteur à Bow Street, l'agent Thomas Pitt y était-il en poste ?

— Oui.

Une moue méprisante trahissait déjà ses sentiments à l'égard de Pitt.

Gleave sourit.

— Quelle sorte d'homme était-il, Mr. Donaldson ? Je présume que vous avez souvent eu l'occasion de travailler avec lui… il était bien sous vos ordres, n'est-ce pas ?

— Cet individu n'était sous les ordres de personne ! rétorqua Donaldson en jetant un regard vers Pitt assis dans la foule. Il se prenait pour la police à lui tout seul. Il croyait toujours tout savoir mieux que tout le monde et refusait d'écouter ses supérieurs.

Il avait attendu des années l'occasion de se venger de sa frustration, de l'insubordination de Pitt, de sa manière de faire fi de règles qu'il considérait comme ridicules et contraignantes et de toutes ces affaires sur lesquelles il avait travaillé sans tenir sa hiérarchie informée. Il y avait du vrai dans tout cela : Pitt avait commis des fautes. Il était bien placé pour le savoir maintenant qu'il se trouvait lui-même à la tête d'un commissariat.

— Arrogant vous paraît-il être un mot adéquat pour le qualifier ? s'enquit Gleave.

— Trop faible, même.

— Aux opinions très arrêtées ?

Juster commença à se lever avant de se raviser.

Le président du jury était penché en avant, le front plissé.

Dans son box, Adinett ne bronchait pas.

— Absolument, approuva Donaldson. Il n'en faisait toujours qu'à sa tête. Pour lui, le règlement n'existait pas. En fait, il était avide de gloire et cela était évident dès ses débuts.

Gleave invita le témoin à donner des exemples, et Donaldson lui obéit avec délectation jusqu'à ce que Gleave décide qu'il en avait eu assez. Il sembla rechigner à l'idée de laisser la place à Juster mais il n'avait pas le choix.

— Vous n'aimiez pas l'agent Pitt, n'est-ce pas, Mr. Donaldson ? attaqua d'emblée Juster.

Il aurait été absurde de la part de Donaldson de le nier.

— Qui pourrait apprécier un homme qui rend votre travail impossible ? répliqua-t-il sur la défensive.

— Parce qu'il résolvait ses enquêtes d'une manière parfois peu orthodoxe ?

— Il ne respectait pas les règles, corrigea Donaldson.

— Il commettait des erreurs ?

Juster le fixait droit dans les yeux.

Les joues de Donaldson se colorèrent quelque peu. Il savait que Juster pouvait avoir accès aux archives et l'avait probablement fait.

— Eh bien, comme la plupart des hommes.

— À vrai dire, plutôt moins que la plupart des hommes, riposta Juster. Avez-vous connaissance d'un homme ou d'une femme qui, condamné sur la foi des conclusions de Pitt, a par la suite été innocenté ?

Le président du jury se détendit.

— Je n'ai pas suivi toutes ses enquêtes ! objecta Donaldson. J'ai autre chose à faire de mon temps que d'examiner à la loupe les affaires d'un petit policier ambitieux.

Juster sourit.

— Alors, laissez-moi vous le dire, puisque cela fait partie de mon travail de connaître les hommes en qui je place ma confiance, répondit-il. La réponse est non. Tout au long de sa carrière, personne n'a jamais été condamné à tort sur la foi des conclusions du commissaire Pitt.

— Parce que nous avons de bons avocats de la défense dans ce pays ! rétorqua Donaldson en adressant un regard à Gleave. Dieu merci !

Juster lui concéda ce point avec un sourire narquois.

— Pitt était ambitieux, dit-il.

C'était davantage une affirmation qu'une question.

— Je vous l'ai dit. Très ! aboya Donaldson.

— J'imagine qu'il doit l'être. Il a atteint le rang de commissaire en charge de Bow Street, un des postes les plus importants de tout Londres. Un rang où vous n'êtes vous-même jamais arrivé, n'est-ce pas ?

Cette fois, Donaldson rougit violemment.

— Je n'ai pas épousé une femme de la haute société qui possède des relations.

Juster parut surpris.

— Ainsi, il vous a donc surpassé y compris dans ce domaine ? Et j'ai entendu dire qu'elle n'est pas simplement de bonne naissance mais qu'elle est intelligente, charmante et séduisante. Je crois que nous comprenons au mieux vos sentiments, Mr. Donaldson, conclut-il en se détournant. Merci. Je n'ai plus de questions à vous poser.

Gleave était debout mais, comprenant qu'il ne pouvait rien faire pour redresser la situation, il se rassit.

Donaldson quitta la barre, le visage mauvais, les épaules voûtées, sans un regard vers Pitt.

Gleave appela son témoin suivant. L'opinion de cet homme vis-à-vis de Pitt n'était pas meilleure même si elle avait des causes différentes. Juster ne put l'ébranler aussi facilement. Sa haine de Pitt était née après une très ancienne affaire au cours de laquelle un de ses amis avait souffert de la suspicion publique avant d'être innocenté dans les derniers moments de l'enquête. Cette investigation n'avait pas été la plus habilement menée de la carrière de Pitt.

Un troisième témoin énuméra des circonstances qui pouvaient donner lieu à des interprétations peu flatteuses pour Pitt, le faisant paraître à la fois arrogant et empli de préjugés. Ses premières années furent décrites de façon peu charitable.

— Il était fils d'un garde chasse, disiez-vous ? demanda Gleave, d'une voix prudemment neutre.

Pitt serrait les dents. Il se souvenait de Gerald Slaley et il savait ce qui allait suivre mais il ne pouvait rien y changer. Il ne pouvait que rester assis là et endurer.

— C'est exact. Son père a été convaincu de vol, déclara Slaley. Si vous voulez mon avis, cet individu nourrit un grief contre l'aristocratie. Il nous en a toujours voulu ; c'est devenu pour lui une sorte de croisade personnelle. Vérifiez ses enquêtes et vous vous en rendrez compte. C'est la raison pour laquelle on l'a promu à son poste : afin de poursuivre les puissants et les nantis quand cela s'avère… profitable d'un point de vue politique. Et il n'a jamais trahi la confiance de ceux qui l'ont nommé.

— Oui, acquiesça Gleave. J'ai moi aussi examiné la carrière de Mr. Pitt, fit-il en regardant Juster. J'ai remarqué qu'il s'était fait une spécialité des enquêtes concernant les gens éminents. Si mon distingué collègue souhaite contester cette affirmation, je peux facilement en dresser la liste.

Juster secoua la tête. Il savait qu'il valait mieux éviter une telle énumération. Trop de ces affaires étaient devenues célèbres et leur rappel risquait de froisser des membres du jury. Certains d'entre eux pouvaient fort bien avoir eu des amis concernés ou plus simplement éprouver de la compassion pour des personnalités admirées qui s'étaient trouvées mises en cause.

Gleave était satisfait. Il avait dépeint Pitt comme un homme ambitieux et irresponsable, motivé non par l'honneur, mais par une très ancienne amertume et une soif de vengeance causée par la condamnation de son père pour un crime dont il le croyait toujours innocent. À cela, Juster ne pouvait rien changer.

Le procureur fit son réquisitoire.

La défense eut le dernier mot, insistant encore auprès du jury sur le fait que tout reposait sur les conclusions de Pitt.

Les jurés se retirèrent pour délibérer.

La nuit entière ne leur suffit pas.

Ils finirent par réapparaître le lendemain quatre minutes avant midi.

— Avez-vous rendu votre verdict ? demanda le juge.

— Oui, votre honneur, annonça le président sans un regard vers le box ni vers Juster qui était assis avec raideur, la tête légèrement inclinée, ou vers Gleave qui souriait avec confiance.

— A-t-il été rendu à l'unanimité ? demanda le juge.

— Oui, votre honneur.

— Déclarez-vous l'accusé, John Adinett, coupable ou non coupable du meurtre de Martin Fetters ?

— Coupable, votre honneur.

La tête de Juster se redressa vivement.

Gleave émit une exclamation outragée, se dressant à moitié.

Adinett resta figé telle une pierre, comme s'il ne comprenait pas.

La salle entra en éruption, les journalistes se ruèrent à l'extérieur pour prévenir leurs rédactions que l'impensable était arrivé.

— Nous irons en appel ! fit la voix de Gleave au-dessus de la mêlée.

Le juge réclama le calme et l'ordre revint peu à peu dans un terrible silence tandis qu'il ordonnait à l'huissier de lui apporter la coiffe noire qu'il devait porter pour rendre la sentence de mort à l'encontre de John Adinett.

Pitt resta un long moment sans réagir. Pour lui, ce succès constituait tout autant une défaite. Et pas simplement parce qu'il avait été traîné dans la boue en public. Le verdict était juste. Il n'y avait pas le moindre doute dans son esprit : Adinett était coupable même s'il n'avait aucune idée des raisons qui l'avaient poussé à commettre un tel acte.

Cependant, malgré tous les crimes sur lesquels il avait enquêté, toutes les vérités hideuses et tragiques qu'il avait mises au jour, jamais, dans aucune de ces affaires, il n'avait désiré faire pendre un homme. Il croyait au châtiment ; il le savait nécessaire, pour le coupable, pour la victime et pour la société. C'était le début de la guérison. Mais il n'avait jamais cru à la légitimité de la mise à mort d'un être humain, de n'importe quel être humain – pas simplement John Adinett.

Il quitta le tribunal et remonta lentement Newgate Street sans éprouver le moindre sentiment de victoire.

CHAPITRE II

— Lady Vespasia Cumming-Gould, annonça le valet sans lui demander son invitation.

Il n'existait pas dans tout Londres de domestique ayant un tant soit peu expérience qui ne la connût point. Elle avait été la plus belle femme de sa génération et la plus audacieuse. Peut-être l'était-elle encore. Aux yeux de certains, elle ne pouvait avoir d'égale.

Elle franchit la double porte et s'arrêta au sommet des marches qui descendaient dans un arrondi gracieux vers la salle de bal. Celle-ci était déjà aux trois quarts pleine mais la rumeur des conversations s'atténua un instant. Maintenant encore, malgré son âge, Vespasia forçait l'attention.

Elle n'avait jamais été esclave de la mode, préférant ce qui lui allait à la dernière folie. Les tailles fines et les bustes quasiment inexistants de cette saison-là étaient merveilleux, à condition de ne pas laisser les manches devenir extravagantes. Elle portait un satin gris perle avec de la dentelle de Bruxelles ivoire au corsage et aux manches et, bien sûr, des perles, toujours des perles, au cou et aux oreilles. Ses cheveux argentés formaient un diadème et ses yeux d'un étonnant gris clair parcoururent un instant la pièce avant qu'elle ne se décide à descendre. Il était temps de saluer et d'être saluée.

Bien sûr, elle connaissait la plupart des invités ayant dépassé la quarantaine et tous la connaissaient, au moins de réputation. Parmi eux se trouvaient autant d'amis que d'ennemis. Les convictions suscitent toujours l'envie ou la malice et, tout au long de sa vie, elle s'était battue pour ce qu'elle croyait juste ; pas toujours avec sagesse mais toujours avec tout son cœur… et une intelligence considérable.

Les causes avaient changé en un demi-siècle. La vie aussi. Comment la jeune Victoria dépourvue de la moindre imagination aurait-elle pu prévoir la belle et ambitieuse Lillie Langtry[1] ? Comment le si sérieux prince consort Albert aurait-il pu converser avec l'excentrique Oscar Wilde ?

Cela avait été une période de bouleversements, de guerres abominables fauchant d'innombrables victimes et d'affrontements des idées qui en avaient probablement fait davantage encore. Des continents s'étaient ouverts et des rêves de réforme s'étaient dissipés ou plutôt avaient été noyés dans des bains de sang. Mr. Darwin avait remis en cause les fondements de l'existence.

Vespasia inclina imperceptiblement la tête en direction d'une vieille duchesse mais sans s'arrêter pour lui adresser la parole : cela faisait très longtemps qu'elles n'avaient plus rien à se dire. Elle était même surprise de la trouver là. Cette réception diplomatique rassemblait un éventail de personnalités si formidablement éclectique qu'il lui fallut un instant de réflexion pour percevoir ce que tous ces invités avaient en commun : chacun était une curiosité en soi. Chacun, à l'exception de cette chère duchesse.

Dans cette foule, le prince de Galles se distinguait aisément. Bien sûr, elle le connaissait, l'ayant souvent

---

1. Lillie Langtry : fille de pasteur devenue actrice célèbre et scandaleuse, maîtresse « officielle » du prince de Galles, le futur Édouard VII. (*N. d. T.*)

rencontré, mais c'était surtout l'infime distance qui le séparait de son entourage qui le rendait encore plus repérable. Il fallait voir là une forme de respect. Aussi drôle soit la plaisanterie, aussi croustillant le ragot, on ne bousculait pas l'héritier du trône, on ne prenait pas le risque d'altérer sa bonne humeur.

Était-ce Daisy Warwick qui lui souriait ? Un peu effrontée, non ? Ou peut-être présumait-elle que personne ici ce soir n'ignorait plus leur relation et ne s'en souciait guère. L'hypocrisie était un vice que Daisy n'avait jamais pratiqué. De la même manière, la discrétion était une vertu qu'elle exerçait avec la plus grande parcimonie. Bien évidemment, elle était belle et possédait une certaine élégance.

Vespasia n'avait jamais envisagé de devenir courtisane royale. À ses yeux, les périls surpassaient les avantages et les – très – éventuels plaisirs. À ce sujet, le prince de Galles lui était plutôt indifférent mais elle appréciait la princesse, son épouse, pauvre femme. Atteinte de surdité, emprisonnée dans son propre monde, elle n'en était pas moins informée des excès de son mari.

La mort de son fils aîné quelques mois plus tôt était une tragédie bien plus grave. Le duc de Clarence, comme sa mère, avait été sourd lui aussi. Cette infirmité commune avait créé un lien très particulier entre eux, les rapprochant dans leur univers silencieux. Elle le pleurait seule.

Pour l'heure, le prince riait de bon cœur. Il se trouvait en compagnie d'un homme de haute taille au nez fort et quelque peu busqué. Celui-ci ne semblait nullement impressionné par son illustre interlocuteur ; dans son regard, l'intelligence rivalisait avec l'impatience, même si en cet instant elles étaient tempérées d'humour. Vespasia le connaissait de réputation : juge de cour d'appel, homme d'une profonde érudition, Charles Voisey était grandement respecté par ses pairs et parfois même un peu craint.

Dès qu'il aperçut Vespasia, le prince de Galles s'illumina. Elle était d'une génération précédant la sienne mais la beauté le charmait toujours et il gardait en mémoire le souvenir de ces années où lui-même, si jeune, nourrissait à son égard les espoirs les plus fous. À présent, l'espoir ne faisait plus partie de sa panoplie princière. Le règne de sa mère, Victoria, semblait ne jamais devoir s'achever ; il était fatigué d'attendre, d'assumer de multiples responsabilités sans bénéficier de la gratification d'être le souverain. Il s'excusa auprès de Voisey avant de se tourner vers elle.

— Lady Vespasia, dit-il avec une joie non déguisée. Quel bonheur de vous voir ici ! Sans vous, la soirée aurait perdu de sa qualité.

Elle croisa son regard avant d'effectuer une brève révérence, geste qu'elle maîtrisait encore avec une grâce et un équilibre parfaits.

— Merci, Votre Altesse. C'est une réception splendide.

L'adjectif s'attarda un instant dans son esprit. Splendide en effet, comme tant d'autres soirées par les temps qui couraient... pour ne pas dire extravagante. Rien ne manquait : les meilleurs vins, les mets les plus savoureux, les serviteurs innombrables, l'orchestre prodigieux et discret, les lustres scintillants, les centaines de fleurs fraîchement coupées.

Elle songea avec nostalgie à tant d'autres occasions par le passé où il y avait eu bien plus de rires, bien plus de joie, pour un coût bien moindre.

Mais le prince de Galles vivait largement au-dessus de ses moyens et ce, depuis des années. Nul ne s'étonnait plus de ses réceptions grandioses, de ses parties de chasse, des journées aux courses où des fortunes s'envolaient avec la boue soulevée par les sabots des chevaux, des dîners gargantuesques et des cadeaux inouïs offerts à ses favorites. Beaucoup n'y faisaient même plus allusion.

— Connaissez-vous Charles Voisey ? s'enquit-il par courtoisie avant de faire les présentations. Voisey, Lady Vespasia Cumming-Gould. Elle et moi nous fréquentons depuis trop longtemps pour nous soucier de nous en souvenir. Nous devrions compresser le temps, ajouta-t-il avec un geste éloquent à l'appui. Éliminer tous les moments déplaisants et ne garder que les rires, la musique, les bons dîners, les conversations et peut-être quelques danses. Ce qui devrait nous ramener à un âge décent, ne trouvez-vous pas ?

Elle sourit.

— C'est la meilleure suggestion que j'aie entendue depuis des années, dit-elle. J'oserai y ajouter quelques tragédies ou même certaines querelles… débarrassons-nous simplement de l'ennui, des moments de présence obligée, des échanges de mots auxquels nous ne croyions ni l'un ni l'autre, des mensonges polis. Cela nous enlèverait bien des années.

— Vous avez raison ! Vous avez raison ! approuva-t-il avec conviction. Ah, je me rends compte maintenant à quel point vous m'avez manqué. Je refuse que cela se reproduise. J'ai passé l'essentiel de ma vie à servir, c'est-à-dire à débiter des banalités en attendant des réponses tout aussi banales avant d'aller répéter ces mêmes banalités ailleurs.

— Je crains que cela ne fasse partie du devoir de votre charge, Votre Altesse, intervint Voisey. Aussi longtemps que nous aurons un trône, et donc un monarque, je ne vois pas comment il pourrait en être autrement.

— Voisey est juge d'appel, expliqua le prince à Vespasia. Ce qui, je suppose, en fait une sorte d'expert en précédents. Si cela n'a pas encore été fait, mieux vaut ne pas le tenter.

— Au contraire, rétorqua Voisey. Je suis en faveur des nouvelles idées, si elles sont bonnes. Ne pas progresser, c'est mourir.

Vespasia le dévisagea avec intérêt. C'était un point de vue assez inhabituel de la part de quelqu'un dont la profession consistait à examiner le passé.

Il lui rendit son regard mais sans sourire comme un homme moins sûr de lui l'aurait fait.

Le prince préférait déjà passer à autre chose. Son admiration pour les idées d'autrui était très limitée.

— Bien sûr, fit-il d'un ton léger. Nous sommes entourés d'un nombre incroyable de nouvelles inventions. Il y a dix ans, qui aurait pu concevoir ce qu'ils allaient faire avec l'électricité ?

Voisey sourit imperceptiblement.

— En effet, Votre Altesse. On se demande jusqu'où cela ira.

Le ton demeurait poli mais Vespasia décela avec surprise l'infime nuance de dédain. Voisey était, à n'en pas douter, un homme d'idées, de vastes concepts, de révolution des mentalités. Les détails ne retenaient pas son attention ; il préférait les laisser à des esprits inférieurs, à plus courte vue.

Ils furent rejoints par un célèbre architecte et son épouse et la conversation prit un tour plus général. Le prince adressa un dernier regard empli de regret, et d'un brin d'humour, à Vespasia avant de participer à ces « banalités ».

Elle put s'excuser et rejoindre un politicien de ses amis. Le visage profondément ridé, celui-ci semblait las et amusé. Par le passé, elle avait partagé avec lui plusieurs croisades, heureuses aussi bien que malheureuses, ou qui avaient même parfois tourné à la mascarade.

— Bonsoir, Somerset, dit-elle avec un plaisir sincère.

Elle avait oublié l'affection qu'elle lui portait. Ses échecs avaient été magnifiques, tout autant que ses succès, et il les avait tous assumés avec grâce.

— Lady Vespasia ! Ah, soudain, un souffle de bon sens !

Il prit la main qu'elle lui offrait, mimant un baiser.

— J'aimerais que nous trouvions une nouvelle cause mais je crains que tout ceci nous dépasse.

D'un geste, il embrassa la salle opulente et le nombre toujours croissant d'invités, de rires, de joyaux, de soies moirées et de peaux pâles. Son regard se durcit.

— Ils courent à leur perte… s'ils ne retrouvent pas le sens des réalités d'ici peu, reprit-il. Comment peuvent-ils ne pas s'en rendre compte ?

— Vous le pensez vraiment ? demanda-t-elle, surprise par tant de véhémence. Oui, murmura-t-elle en l'observant plus attentivement. Vous êtes sérieux…

Il se tourna vers elle.

— Si Bertie, dit-il en donnant son surnom familier au prince de Galles qui rugissait de rire à quelque distance de là, ne met pas un frein à ses dépenses… et si la reine ne revient pas à la vie publique et continue à se refuser à son peuple… nous connaîtrons des heures difficiles, Vespasia. Nous perdrons des choses que nous aimons. Ce pays est fait de quelques aristocrates, de centaines de milliers de médecins, de juristes et de prêtres, d'un million ou deux de boutiquiers, de commerçants et de propriétaires terriens. Et de dizaines de millions d'hommes et de femmes qui travaillent de l'aube à la tombée du jour pour nourrir ceux qui dépendent d'eux, enfants ou vieillards.

Quelque part au fond de la salle, de la musique s'éleva. Du verre tinta.

— On ne peut gouverner en restant trop loin du peuple, poursuivit-il. Elle ne fait plus partie de nous désormais. Quant à Bertie, il nous ressemble trop, au contraire, avec ses appétits… à cette différence près qu'il ne les satisfait pas avec son propre argent comme nous autres devons le faire !

Tout cela était vrai, Vespasia ne l'ignorait pas, mais elle n'avait encore jamais entendu quiconque le formuler aussi crûment. Somerset Carlisle n'avait rien d'un conformiste, elle était bien placée pour le savoir. Une infime hystérie la gagnait encore quand elle songeait à leurs combats passés et aux actes parfois grotesques qu'ils avaient accomplis afin de promouvoir des réformes. Il ne plaisantait pas.

— Si certaines personnes parviennent à leurs fins… dit-il presque dans un souffle, Victoria sera la dernière souveraine. Croyez-moi. Un trouble profond ronge ce pays. Nous n'avons rien connu de tel depuis plus de deux siècles. Dans certains endroits, la pauvreté est tout bonnement incroyable, sans parler du sentiment anticatholique, de la peur qu'inspirent ces Juifs libéraux venus du continent après les révoltes de 1848 et sans oublier, bien sûr, les Irlandais.

— Précisément, dit-elle. La plupart de ces éléments ont toujours été là. Qu'y a-t-il de si différent maintenant, Somerset ?

Il resta silencieux un moment. Des gens passèrent près d'eux, se contentant de les saluer sans les déranger.

— Je n'en suis pas certain, dit-il finalement. Un mélange de choses. Le temps, d'abord. Le prince Albert est mort depuis près de trente ans et Victoria ne semble toujours pas vouloir se remettre de sa disparition. Cela fait une très longue période pendant laquelle nous n'avons pas eu de souverain effectif. Une génération entière commence à comprendre que nous pourrions très bien nous en passer. Ce n'est pas mon avis. Je pense que la simple existence d'un monarque, qu'il gouverne ou pas, est une protection contre de nombreux abus de pouvoir, ce dont nous ne nous rendons peut-être plus compte dans la mesure où nous bénéficions de ce bouclier depuis si longtemps. Je parle d'un régime constitutionnel, bien sûr. Le Premier ministre doit être la tête de la nation et le souverain son cœur. Il est très sage que les deux ne se trouvent pas mêlés dans la même personne. Cela nous permet, ajouta-t-il avec un petit sourire désabusé, quand nous découvrons que nous nous sommes trompés, de changer d'avis sans pour autant devoir nous suicider.

— C'est aussi ce que nous sommes, dit-elle. Cela fait mille ans que nous avons un trône. Je ne crois pas être prête au changement.

— Moi non plus, dit-il avant de laisser échapper un petit rire. Je suis trop vieux pour cela !

Il avait trente-cinq ans de moins qu'elle.

Ils furent rejoints par un homme mince, de taille tout à fait moyenne, à l'abondante chevelure sombre teintée de gris aux tempes. Les yeux noirs, la bouche sensuelle, ourlée de profondes rides, semblaient marqués par une ironie perpétuelle, comme si une trop longue fréquentation de ses semblables le privait de toute compassion.

— Bonsoir, Narraway, le salua Carlisle en le dévisageant avec intérêt. Lady Vespasia, puis-je vous présenter Victor Narraway ? Il est à la tête de la Special Branch[1]. J'ignore si cela est censé être un secret ou pas. Lady Vespasia Cumming-Gould.

Narraway s'inclina et proféra les salutations d'usage.

— J'aurais cru que vous aviez bien trop de travail à débusquer des anarchistes pour gâcher votre temps en bavardages et danses de salon, ajouta Carlisle. L'Angleterre ne risque donc rien ce soir ?

Narraway sourit.

— Le danger ne rôde pas uniquement dans les ruelles sombres de Limehouse. Une menace sérieuse a besoin de bras bien plus longs.

Surprise par cette remarque, Vespasia l'observa avec attention sans pouvoir déchiffrer son expression. Dans son regard, l'amusement et la tristesse tenaient

1. Special Irish Branch : branche spéciale irlandaise, créée en mars 1883. À l'origine, petite unité chargée de combattre les activistes irlandais. Par la suite, ses attributions ont été élargies. Le qualificatif « Irish » a alors disparu. (N. d. T.)

une part égale. Peu après, il fit une remarque sur le secrétaire au Foreign Office[1] et la conversation devint plus triviale.

Une heure plus tard, avec les accents d'une charmante valse en fond sonore, Vespasia savourait un excellent champagne et un instant de solitude quand elle prit conscience de la présence du prince de Galles non loin d'elle. Il était en conversation avec un homme de forte stature, à la calvitie prononcée. Ils semblaient parler de… sucre.

— … vraiment, Sissons ? demandait le prince avec une politesse dépourvue du moindre intérêt.

— Essentiellement par le port de Londres, répondit le dénommé Sissons. Bien sûr, c'est une industrie qui exige une main-d'œuvre importante.

— Vraiment ? Je l'ignorais, ma foi. Pour nous, c'est tellement évident, n'est-ce pas ? Une cuillère de sucre dans notre thé…

— Oh, le sucre ne sert pas qu'à cela ! dit Sissons avec ferveur. Il se trouve partout. Dans les gâteaux, les pâtisseries, les tartes et même là où nous ne l'imaginerions même pas. Une pincée de sucre améliore plus qu'on ne le croit le goût des tomates.

— Vraiment ? dit le prince pour la troisième fois. J'ai toujours pensé qu'il fallait y ajouter du sel.

— Mieux vaut du sucre, assura Sissons. C'est essentiellement la main-d'œuvre qui fait monter les coûts, voyez-vous.

— Je vous demande pardon ?

— La main-d'œuvre, Votre Altesse. Voilà pourquoi Spitalfields convient. Des milliers d'hommes y ont besoin d'un emploi… c'est une source quasi inépuisable de main-d'œuvre. Mais volatile, bien sûr.

— Volatile ?

À l'évidence, le prince était perdu.

---

1. Équivalent du ministre des Affaires étrangères. (*N. d. T.*)

Vespasia remarqua que d'autres écoutaient cet échange assez vain. Parmi eux, Lord Randolph Churchill qu'elle connaissait vaguement, comme elle avait connu son père avant lui.

— Un grand mélange de populations, expliquait Sissons. De toutes origines, religions et j'en passe. Des catholiques, des Juifs et bien sûr des Irlandais. Beaucoup d'Irlandais. Le besoin de travailler est tout ce qu'ils ont en commun.

— Je vois.

Le prince commençait visiblement à se dire qu'il avait fait preuve d'assez de courtoisie et pouvait désormais être dispensé de poursuivre cette abrutissante conversation.

— Il faut en faire une source de rentabilité, poursuivit Sissons en élevant la voix, les joues roses.

— Eh bien, j'imagine qu'avec vos deux usines, vous êtes en bonne position pour cela, dit le prince comme pour clore la discussion.

— Non, trois ! s'exclama Sissons en s'avançant tandis que le prince reculait. J'ai trois usines. Mais ce que je voulais dire en fait, c'est que je n'ai pas le choix. Sans rentabilité, je courrais à la ruine et plus d'un millier d'ouvriers se retrouveraient sans emploi. Le chaos qui en résulterait serait effroyable. Je n'ose imaginer où cela pourrait nous mener. Dans cette partie de la ville ! Voyez-vous, ces gens n'ont nulle part où aller.

— Où aller ? fit le prince en fronçant les sourcils. Pourquoi souhaiteraient-ils aller quelque part ?

Vespasia se sentit frémir intérieurement. Elle avait une idée très précise de la pauvreté effroyable qui régnait dans certains quartiers de Londres, en particulier dans l'East End dont Spitalfields et Whitechapel formaient le cœur.

— Je veux dire pour trouver du travail.

Sissons était de plus en plus agité. Des gouttes de sueur perlaient sur son front.

— Sans travail, reprit-il, ils crèveront de faim. Dieu sait qu'ils sont déjà au bord de la famine.

Embarrassé, le prince ne dit rien. Aborder un tel sujet en ce lieu était tout à fait inconvenant. Il fallait un extrême mauvais goût pour rappeler à des hommes avec une coupe de champagne à la main et à des femmes ruisselantes de diamants qu'à quelques kilomètres de là à peine des milliers de personnes n'avaient ni nourriture ni abri pour la nuit.

— Il est nécessaire que je continue mon activité ! s'exclama Sissons dont la voix s'élevait à présent au-dessus de la rumeur des conversations voisines et de la musique plus lointaine. Je dois récupérer tout l'argent que j'ai prêté… afin de pouvoir continuer à les payer.

Le prince semblait abasourdi.

— Bien sûr. Oui… je vous comprends.

— Toutes les sommes… Votre Altesse.

— Oui… absolument.

Le prince paraissait très malheureux à présent. Son désir d'échapper à cette situation absurde était palpable.

Randolph Churchill prit la liberté d'intervenir. Vespasia n'en fut pas surprise. Il connaissait le prince de Galles de longue date. Ils s'étaient haïs lors de l'affaire Aylesford[1] en 1876 au point que le prince l'avait provoqué en duel au pistolet – duel qui avait eu lieu à Paris, ces pratiques étant illégales en Angleterre. Seize ans auparavant, le prince avait publiquement refusé de pénétrer chez quiconque recevait les Churchill. En conséquence, ceux-ci s'étaient retrouvés ostracisés.

Toute cette agitation s'était calmée et Jennie Churchill, l'épouse de Randolph, avait tant et si bien charmé le

1. Randolph Churchill avait fait savoir qu'il détenait des lettres compromettantes à propos d'une liaison entre Lady Aylesford et le prince de Galles. Il aurait, à cette occasion, prononcé une phrase devenue célèbre : « J'ai la couronne dans ma poche. » (*N. d. T.*)

prince – au point, semblait-il, de devenir une de ses maîtresses – qu'il avait volontiers accepté de retourner dîner chez eux à Connaught Place, les couvrant, madame surtout, de somptueux présents. Randolph était revenu en faveur. En tant que chef de parti à la Chambre des communes et chancelier de l'Échiquier[1], il était désormais le plus proche conseiller personnel du prince, partageant ses sorties mondaines, donnant avis et conseils et recevant louanges et confidences.

À présent, il tentait de l'extraire d'une pénible situation.

— Bien sûr, vous avez raison… Sissons, dit-il, enjoué. Comment conduire ses affaires, sinon ? Mais l'heure est aux réjouissances. Prenez donc un peu de champagne. Il est excellent. Je dois vous féliciter, Votre Altesse, dit-il en se tournant vers le prince. Un choix exquis. Je ne sais comment vous faites.

Le prince se rasséréna de façon très nette. Cet aristocrate faisait partie de son monde.

— Oui, je le trouve plutôt bon. Nous nous sommes bien débrouillés.

— Superbement, renchérit Churchill.

C'était un homme de taille moyenne, vêtu avec élégance, aux traits réguliers et à la large moustache retroussée qui lui donnait un air distingué.

— Un tel breuvage appelle un mets succulent. Puis-je aller vous chercher quelque chose à manger, Votre Altesse ?

— Non… non, je viens avec vous, dit le prince, saisissant l'occasion offerte. Je dois vraiment m'entretenir avec l'ambassadeur français. Un brave homme. Si vous voulez bien nous excuser, Sissons.

Là-dessus, il fila si vite en compagnie de Churchill que Sissons n'eut d'autre choix que de marmonner quelque chose dans sa barbe.

---

1. Équivalent du ministre des Finances. (*N. d. T.*)

— Un fou, dit à voix basse Somerset Carlisle derrière Vespasia.

— Qui donc ? L'homme au sucre ?

Il sourit.

— Non, pour autant que je sache. Ennuyeux à l'extrême, certes, mais si c'était là de la folie, il faudrait enfermer la moitié du pays. Je parlais de Churchill.

— Oh, bien sûr ! dit-elle. Mais vous n'êtes pas le premier à le dire. Au moins il sait maintenant dans quel camp résident ses intérêts, ce qui est une amélioration par rapport à l'affaire Aylesford. Qui est cet homme aux cheveux gris ? demanda-t-elle en indiquant discrètement à qui elle faisait allusion. Je ne me souviens pas de l'avoir déjà vu. Il a quelque chose de passionné, d'évangélique même.

— Thorold Dismore, répondit Carlisle. Il possède au moins un journal. Et je doute qu'il apprécie la description que vous venez de faire. C'est un républicain, un athée convaincu. Mais vous avez raison, c'est une sorte de prosélyte.

— Je croyais connaître tous les propriétaires de journaux de Londres.

— Je doute que vous ayez jamais lu le sien. Il est de bonne facture mais il ne rechigne nullement à clamer haut et fort ses opinions.

— Vraiment ? Et pourquoi cela devrait-il m'empêcher de le lire ? Je n'ai jamais imaginé que les gens rapportaient les nouvelles sans les avoir passées au filtre de leurs propres préjugés. Les siens sont-ils si puissants ?

— Je le pense. Et écrire ne lui suffit pas. Il veut agir.

Elle examina Dismore plus attentivement. Il donnait l'impression d'un homme qui ne cédait devant personne et dont la bonne humeur apparente masquait un caractère cassant. Mais les premières impressions pouvaient être trompeuses.

— Souhaitez-vous le rencontrer ? demanda Carlisle avec curiosité.

— Peut-être. Mais je ne désire pas qu'il le sache.

Carlisle sourit.

— Je ferai en sorte qu'il l'ignore, promit-il. Il croira que c'est mon idée et me sera profondément reconnaissant de lui avoir permis de vous rencontrer, ma chère.

— Somerset, vous êtes au bord de l'impertinence, répondit-elle, consciente de son affection pour lui.

Courageux, passionné, sous son apparence désinvolte, c'était un agréable original. Elle avait toujours eu un faible pour les excentriques.

Il était minuit passé et Vespasia commençait à envisager de quitter la réception, quand elle entendit derrière elle une voix qui anéantit le temps, la renvoyant près d'un demi-siècle en arrière à Rome au cœur d'un été inoubliable : 1848. L'année des révolutions en Europe. Pendant un bien trop bref moment de folie et d'euphorie, des rêves de liberté s'étaient propagés comme autant d'incendies à travers la France, l'Allemagne, l'Autriche-Hongrie et l'Italie. L'un après l'autre, ils avaient été éteints. Les barricades avaient été rasées, les peuples brisés et les papes et les rois avaient récupéré leurs pouvoirs. Le désir de réformes avait été piétiné par les bottes des soldats. À Rome, c'étaient les armées françaises de Napoléon III qui avaient été chargées de la besogne.

Elle faillit ne pas se retourner. Ce ne pouvait être qu'un écho. Sa mémoire lui jouait un tour, s'emparant d'une intonation semblable, celle de quelque diplomate italien, peut-être originaire de la même région ou de la même ville. Elle croyait l'avoir oublié ; avoir oublié le tumulte, la passion, l'espoir, le courage, la douleur et, finalement, la perte.

Elle était depuis retournée en Italie mais jamais à Rome. Elle avait toujours trouvé un moyen de l'éviter. C'était une partie séparée de sa vie, une existence autre que son mariage, ses enfants ou même que ses récentes aventures avec l'extraordinaire policier Thomas Pitt.

Mais elle se retourna.

Il se tenait là, à quelques mètres. Lors de leur première rencontre, il avait un peu plus de vingt ans ; il était mince, brun, souple comme un danseur, et sa voix emplissait ses rêves.

Maintenant, la chevelure grisonnait, le corps était un peu plus lourd mais pour l'essentiel il n'avait pas changé, le sourire non plus.

Comme s'il avait senti son regard, il se tourna vers elle, ignorant pendant un instant l'homme avec qui il discutait.

Il la reconnut sur-le-champ, sans le moindre moment de doute, sans la moindre hésitation.

Alors, elle eut peur. La réalité pouvait-elle rivaliser avec le souvenir ? S'était-elle autorisée à croire davantage que ce qu'il s'était réellement passé ? La femme qu'elle était dans sa jeunesse avait-elle encore quoi que ce soit en commun avec celle qu'elle était aujourd'hui ? Le temps et l'expérience ne l'avaient-ils pas trop assagie, éteinte ? Avait-elle besoin de le voir dans la passion de la jeunesse, le soleil romain illuminant son visage, un pistolet à la main, debout sur la barricade, prêt à mourir pour la république ?

Il venait vers elle.

La panique déferla en elle comme une vague, mais l'habitude, l'autodiscipline façonnée par toute une vie, et un espoir absurde, l'empêchèrent de fuir.

Il s'arrêta face à elle.

Son cœur battait dans sa gorge. Elle avait souvent aimé au cours de son existence, parfois avec feu, parfois avec des rires, généralement avec tendresse, mais elle n'avait jamais aimé personne comme elle avait aimé Mario Corena.

— Lady Vespasia.

Il mentionnait son titre, comme s'ils n'étaient que de simples connaissances, mais il avait prononcé ces deux mots avec une douceur infinie, comme une caresse. Il y avait si longtemps, il lui avait rappelé, un brin moqueur, qu'il s'agissait d'un nom romain. L'empereur Vespasien n'avait pas été un héros.

Devait-elle répondre tout aussi correctement ? Après tout ce qu'ils avaient partagé, l'espoir, la passion et la tragédie, cela aurait ressemblé à un déni.

— Mario…

Comme c'était étrange de dire à nouveau son nom ! Elle ne l'avait plus fait depuis cette nuit où elle l'avait murmuré, la gorge nouée de sanglots. Les troupes françaises marchaient dans Rome. Mazzini s'était rendu pour sauver le peuple. Garibaldi était parti au nord vers Venise, sa femme enceinte se battant à ses côtés habillée en homme et portant une arme comme tout un chacun. Le pape revenu avait abrogé toutes les réformes, annulant d'un seul geste les dettes et la liberté.

Mais tout cela, c'était le passé. L'Italie était unifiée à présent, cela au moins s'était réalisé.

Il fouillait ses yeux, son visage. Elle espérait ne pas l'entendre dire qu'elle était encore belle. Il était le seul pour qui cela n'avait jamais compté.

Devait-elle le devancer ? Une banalité en cet instant serait insupportable. Mais si elle parlait, elle ne saurait jamais. Ils n'avaient plus le temps de jouer.

— J'ai souvent imaginé vous revoir, dit-il enfin. Je n'ai jamais cru que cela arriverait… jusqu'à aujourd'hui. Je suis à Londres depuis une semaine. Il m'était impossible de ne pas penser à vous. Je me suis battu avec moi-même à me demander si je devais m'enquérir de vous ou s'il valait mieux laisser les rêves en paix. Puis quelqu'un a mentionné votre nom et tout m'est revenu comme si c'était hier. J'ai pensé que vous seriez ici.

Il embrassa du regard la salle magnifique avec ses colonnes lisses, ses lustres étincelants, ses flots de musique, de rires et de vin.

Elle savait ce qu'il voulait dire. Elle se trouvait dans son monde, celui de l'argent, des privilèges hérités. Ceux-ci avaient peut-être été gagnés mais dans un lointain passé, non par les convives qui se trouvaient là.

Il aurait été si facile de reprendre les vieilles querelles. Mais ce n'était pas ce qu'elle voulait. Elle avait cru aussi désespérément que lui dans la révolution. Elle avait œuvré pour elle, travaillé jour et nuit dans les hôpitaux durant le siège de Rome, apporté de l'eau et de la nourriture aux soldats, pour en fin de compte faire elle aussi le coup de feu aux côtés des derniers défenseurs. Et, au bout de tout cela, elle avait compris pourquoi, quand, déchiré entre son amour de la république et son amour pour elle, Mario avait choisi ses idéaux. La douleur ne l'avait jamais tout à fait quittée, même après toutes ces années, mais s'il avait fait un autre choix, cela aurait été pire. Elle savait ce en quoi il croyait. C'était pour cela qu'elle l'avait aimé à ce point.

Elle lui rendit son sourire.

— Vous aviez un avantage sur moi. Je n'aurais jamais cru, même dans mes rêves les plus fous, vous trouver ici, aux côtés du prince de Galles.

— *Touché*[1], reconnut-il. Mais le champ de bataille est partout désormais.

— Il en a toujours été ainsi, mon cher, répondit-elle. Ici, c'est juste un peu plus compliqué. Les problèmes sont rarement aussi simples qu'ils nous paraissaient à l'époque.

— Ils étaient simples, répliqua-t-il, imperturbable.

Elle pensa alors que peu de choses avaient vraiment changé, l'apparence extérieure bien sûr : la couleur de ses cheveux, les fines rides sur sa peau ; et, à l'inté-

1. En français dans le texte.

rieur, il était peut-être plus sage, il portait peut-être quelques cicatrices, mais le même espoir brûlait toujours en lui.

Elle avait oublié comme l'amour pouvait être bouleversant.

— Nous voulions une république, poursuivit-il. Une voix pour le peuple. Une terre pour les pauvres, une maison pour ceux qui n'avaient pas de toit, des hôpitaux pour les malades, un peu de lumière pour les prisonniers et les fous. C'était simple à imaginer et simple à réaliser, tant que nous avons eu le pouvoir... avant le retour de la tyrannie.

— Vous n'en aviez pas les moyens, lui rappela-t-elle.

Il ne méritait pas moins que la vérité. Au bout du compte, avec ou sans les troupes françaises, la république serait tombée parce que ceux qui possédaient l'argent n'en donnaient pas assez pour préserver sa fragile économie.

— Je sais, dit-il avec tristesse. Avec les diamants qui se trouvent ici ce soir nous aurions pu tenir plusieurs mois. Quelle quantité de nourriture est servie à ces gens au cours d'une seule semaine de banquets ? Combien en jettent-ils ?

— Assez pour nourrir tous les pauvres de Rome.

— Et ceux de Londres ?

— Pas assez pour eux, répondit-elle avec amertume. Ils sont trop nombreux.

Il fixa la foule, visiblement las de ce long combat contre l'aveuglement. Elle l'observait, sachant qu'il pensait à cette époque révolue, à Rome, et sentant qu'il n'avait rien perdu de ses convictions. À l'époque, c'étaient le pape et les cardinaux, maintenant c'étaient le prince et ses courtisans, ses parasites. Ici, c'était la Couronne d'Angleterre et son Empire, pas la tiare du pape, mais tout le reste était identique, la splendeur et l'indifférence, l'abus insouciant de pouvoir et de richesses, la fragilité humaine.

Pour quelle raison se trouvait-il à Londres ? Tenait-elle vraiment à le savoir ? Peut-être pas. Ce moment était doux. Ici, dans le luxe superficiel et bruyant de cette salle de bal, elle sentait la chaleur de plomb du soleil romain, elle revoyait la poussière... et imaginait sous ses pieds les pavés foulés par les légions qui avaient conquis tout l'univers connu et avaient crié « *Ave Caesar !* » en levant leurs aigles vers le ciel. Elle était de retour là où les martyrs chrétiens avaient été jetés aux lions, là où les gladiateurs avaient combattu, où saint Pierre avait été crucifié la tête en bas, où Michel-Ange avait décoré la chapelle Sixtine.

Elle ne voulait pas que le passé se dilue dans le présent. Il était trop précieux, trop mêlé à l'étoffe de ses rêves.

Non, elle ne le lui demanderait pas.

Puis le moment passa et ils ne furent plus seuls. Un certain Richmond les salua plaisamment, présentant son épouse et, l'instant d'après, Charles Voisey et Thorold Dismore se joignant à eux, la conversation prit un tour général. C'était insignifiant et assez amusant jusqu'à ce que Mrs. Richmond émette un commentaire à propos de l'antique Troie et des passionnantes découvertes d'Heinrich Schliemann. Vespasia tendit l'oreille.

— Remarquable, renchérit Dismore, l'obstination de cet homme.

— Et les choses qu'ils ont découvertes ! s'enthousiasma Mrs. Richmond. Le masque d'Agamemnon, le collier probablement porté par Hélène. Tout cela les rend, comment dire, si réels... de chair et de sang, comme de véritables individus. C'est très étrange de les extraire du royaume des légendes et d'en faire des mortels qui ont laissé derrière eux des objets tout simples.

— Disons que c'est probable, dit Voisey avec prudence. Rien ne prouve que ces objets soient bien ce que Schliemann prétend.

— Oh, le doute n'est plus permis ! protesta-t-elle. Avez-vous lu les articles fascinants de Martin Fetters ? Il est brillant, vous savez ? Il nous rend tout cela si proche.

Il y eut un silence.

— Oui, fit abruptement Dismore. Sa mort est une grande perte.

Mrs. Richmond s'empourpra.

— Oh ! J'avais oublié. C'est terrible. Je suis désolée. Il a fait… une chute…

Elle s'arrêta, ne sachant à l'évidence pas comment continuer.

— Bien sûr qu'il a fait une chute ! dit Dismore, acerbe. Dieu seul sait pourquoi ce jury en a jugé autrement. C'est absurde. Mais ils iront en appel et ce verdict sera cassé.

Il regarda Voisey.

Richmond se tourna lui aussi vers le juge, imité par Mario Corena qui semblait, quant à lui, perplexe.

— Désolé, Corena, je ne puis donner mon avis, dit sèchement Voisey, les lèvres pincées. Je serai certainement appelé à siéger si ce procès arrive en appel. Mais je sais une chose : ce satané policier, Pitt, est un ambitieux et un irresponsable plein de rancune à l'égard de ceux qui ont le malheur d'être plus fortunés ou de meilleure naissance que lui. Il n'a aucun scrupule à abuser du pouvoir que lui confère sa charge. Son père a été convaincu de vol et il ne s'en est jamais remis. Il cherche à se venger de la société. L'arrogance des ignorants quand ils se voient confier une once de responsabilité est terrifiante.

Vespasia eut l'impression de recevoir une gifle. Pendant un instant, elle resta sans voix mais sa colère ne tarda pas à la lui rendre.

— J'ignorais que vous le connaissiez si bien, dit-elle, glaciale. Mais je suis certaine qu'un serviteur de la loi tel que vous ne s'autoriserait pas à juger un

homme, quels que soient ses origines ou son statut,
sans preuves parfaitement établies. Vous ne vous lais-
seriez pas influencer par des médisances et encore
moins par vos propres sentiments. J'en déduis donc,
conclut-elle avec sarcasme, que vous le connaissez
bien mieux que moi.

Voisey blêmit. Il ouvrit la bouche mais sans prononcer le moindre mot.

— Il se trouve qu'il est mon parent, acheva Vespasia.

Un parent par alliance et très lointain mais il était
inutile de préciser ces détails.

Mrs. Richmond était ébahie. Pendant un instant, elle
parut trouver tout cela spirituel avant de sentir à quel
point tous les autres prenaient cet échange au sérieux ;
l'air était chargé d'électricité.

— C'est malheureux, dit Dismore. Ce type a probablement accompli ce qu'il croyait être son devoir.
Mais nul doute que l'appel renversera le verdict.

— Oui… dit Richmond. Sans le moindre doute.

Voisey, quant à lui, préféra garder le silence.

CHAPITRE III

Quelque trois semaines plus tard, Pitt, rentré de bonne heure, rempotait joyeusement des fleurs dans son jardin. Mai était un des plus beaux mois de l'année, avec ses bourgeons, l'éclat des tulipes et la senteur lourde des giroflées. Les lupins commençaient à sortir, grandes colonnes de rose, de bleu et de pourpre, et une bonne demi-douzaine de pavots orientaux s'ouvraient, aussi fragiles et éclatants que des pétales de soie colorée.

Il était en admiration plutôt qu'en plein travail même si les mauvaises herbes ne manquaient pas. Il espérait que Charlotte ne tarderait pas à le rejoindre et quand il entendit les portes-fenêtres s'ouvrir, il se retourna avec plaisir. Mais c'était Ardal Juster qui foulait la pelouse dans sa direction, l'air sombre.

La première pensée de Pitt fut que les juges d'appel avaient trouvé une faille quelconque dans la procédure et que le verdict avait été cassé. Il ne croyait pas à l'existence de nouvelles preuves, son enquête avait été extrêmement minutieuse.

Juster s'immobilisa. Il jeta un regard aux parterres de fleurs avant de lever les yeux vers le rayon de soleil qui traversait les feuilles du noisetier au fond du jardin. Il respira profondément, savourant le mélange des fragrances avec l'odeur de terre mouillée.

Puis il se décida à parler.

— L'appel d'Adinett a échoué. Ce sera dans les journaux demain. Un verdict à la majorité des juges d'appel[1] – quatre contre un. Voisey en a fait l'annonce. Il faisait partie des quatre. Abercombrie a été la seule voix discordante.

Il semblait apporter la nouvelle d'une défaite et non celle d'une victoire. Peut-être considérait-il lui aussi comme dégradante la solution qui consistait à pendre un homme. Bien sûr, Pitt était convaincu qu'Adinett avait commis un crime mais il était troublé de ne pas lui avoir découvert le moindre mobile, ceci lui laissant une impression d'inachevé.

Mais, quoi qu'il en soit, cette sentence contre Adinett diminuait davantage ceux qui la prononçaient que celui à qui elle était destinée.

Le visage de Juster dans le soleil couchant semblait anxieux.

— Ils vont le pendre, déclara finalement Pitt.

— Bien sûr. Mais ce n'est pas la raison de ma présence ici. Non, en réalité, je suis venu vous avertir.

Malgré la douceur de ce début de soirée, Pitt réprima un frisson.

— Nombreux sont ceux, reprit Juster, qui ne peuvent croire qu'un homme comme John Adinett ait assassiné Fetters. Si nous leur avions fourni un mobile, nous aurions peut-être pu les convaincre. Je ne parle pas de l'homme de la rue, ajouta-t-il en voyant l'expression de Pitt. Celui-là est tout à fait heureux que justice ait été rendue… qu'un homme dans la position d'Adinett soit soumis aux mêmes lois que n'importe qui. Non, je parle d'individus de son milieu, je parle d'hommes de pouvoir.

Pitt n'était pas certain de comprendre.

1. Les cours d'appel étaient formées de cinq juges qui votaient le verdict. (*N. d. T.*)

— S'ils n'ont pas cassé le verdict, cela signifie que le tribunal a reconnu à la fois sa culpabilité et la façon dont le procès a été mené. Ces gens peuvent le regretter mais quoi faire d'autre ?

— Vous punir de votre témérité, répondit Juster avec un sourire désabusé. Et moi aussi peut-être, s'ils considèrent qu'en tant que procureur j'avais le choix.

Le vent tiède agita les feuilles du noisetier et une dizaine d'étourneaux s'envolèrent.

— Je croyais qu'ils m'avaient déjà suffisamment sali quand j'étais à la barre des témoins, répliqua Pitt en songeant avec colère et tristesse aux accusations portées contre son père.

Il avait été surpris que cela le touche encore à ce point. Il croyait avoir fait la paix avec son passé.

— Je suis navré, Pitt, mais c'est loin d'être terminé.

— Comment cela ?

— Adinett avait des amis puissants… et ils ne vont pas apprécier d'avoir perdu. J'aimerais pouvoir vous dire précisément à quoi vous attendre mais je n'en sais rien, répondit Juster avec une détresse évidente.

— Nous ne pouvons pas nous laisser intimider, dit Pitt, inflexible. Si nous ne menons pas nos enquêtes à leur terme sous prétexte que l'accusé a des relations haut placées, c'est tout notre système judiciaire qui est remis en cause.

Juster sourit, les coins de sa bouche s'affaissant. C'était la vérité, il le savait, mais il savait aussi qu'il y avait un prix à payer pour cela.

— Si je peux vous aider, appelez-moi. Je sais défendre comme je sais accuser. Je suis sérieux, Pitt.

— Merci, répondit celui-ci avec sincérité.

Juster hocha la tête.

— Vos fleurs me plaisent. C'est ainsi qu'il faut s'y prendre : des couleurs à profusion. Je ne supporte pas les rangées trop bien alignées. On repère tout de suite les défauts.

Pitt se força à sourire.

— Je le crois aussi.

Ils restèrent un instant à savourer l'air du soir, le bourdonnement paresseux des abeilles, le chant des oiseaux et des rires d'enfants au loin. Le parfum des giroflées évoquait la douceur du velours.

Finalement, Juster s'en fut et Pitt retourna lentement vers la maison.

Ce qu'il avait redouté se trouvait à la une des journaux du matin. En gros caractères, tous annonçaient l'échec de l'appel d'Adinett et son exécution trois semaines plus tard.

La nouvelle était suivie par un long article de Reginald Gleave, l'avocat d'Adinett, toujours persuadé de son innocence, semblait-il. Pour lui, il s'agissait d'une des plus grandes erreurs judiciaires du siècle et il prédisait qu'un jour le peuple aurait honte de ceux qui avaient prononcé ce verdict ignoble en son nom.

Il ne fustigeait pas les juges d'appel mais avait des mots peu charitables pour le juge du premier procès. Il se montrait plus indulgent envers le jury, considérant qu'il s'agissait d'hommes peu au fait de la chose judiciaire induits en erreur par ceux qui étaient, à ses yeux, les véritables coupables. L'un d'entre eux était Ardal Juster. Mais le principal responsable restait Pitt :

> ... un homme dangereusement fanatique qui a abusé des pouvoirs conférés par sa charge pour mener à bien sa petite vengeance personnelle à l'encontre des élites ; un homme obsédé par le souvenir de son père coupable et condamné alors que lui, son fils, n'était pas en âge de comprendre la nécessité de la justice.
>
> Depuis, il n'a cessé de défier l'autorité de toutes les façons imaginables, risquant très souvent de perdre son emploi et du même coup ce pouvoir qui lui

tient tant à cœur. Mais, ne vous méprenez pas, le personnage est ambitieux, le train de son épouse lui revient cher et il aspire à passer pour un gentleman.

Les officiers qui font respecter la loi se doivent d'être impartiaux et justes, ne craignant ni ne favorisant personne. Telle est l'essence de la justice et telle est finalement la seule liberté…

Et cela continuait ainsi mais Pitt préféra ne pas lire la suite, se contentant de relever une phrase ici ou là.

Charlotte le dévisageait de l'autre côté de la table, une cuillère remplie de confiture à la main. Que dire ? Si elle voyait cet article, elle commencerait par se mettre en colère avant, sans doute, d'avoir peur pour lui. Et s'il le cachait, elle comprendrait qu'il tentait de s'esquiver.

— Thomas ?

Sa voix interrompit ses pensées.

— Reginald Gleave a écrit un papier assez écœurant sur l'affaire, répondit-il. Adinett a perdu son appel et Gleave l'a mal pris. Il était son avocat, si vous vous en souvenez. Peut-être le croit-il innocent.

Elle l'observait, les paupières plissées, essayant de déchiffrer son expression.

Il s'efforça de sourire.

— Y a-t-il encore du thé ?

Il replia le journal, hésitant. S'il l'emportait, elle était parfaitement capable d'aller en acheter un exemplaire. Il le posa sur la table.

Elle lui servit son thé sans un mot mais il savait qu'à la seconde où il aurait franchi le seuil de la porte, elle se mettrait à lire l'article.

Au milieu de l'après-midi, le préfet de police adjoint convoqua Pitt. Dès qu'il pénétra dans son bureau, ce dernier sut que le problème était grave, une affaire complexe et embarrassante sans doute, peut-être similaire au meurtre de Fetters et impliquant un personnage d'importance. C'était le genre d'enquêtes qu'il se voyait souvent confier ces derniers temps.

Cornwallis se tenait debout derrière son bureau comme s'il avait arpenté la pièce et rechignait encore à s'asseoir. Mince, de taille moyenne, il avait passé l'essentiel de sa vie dans la marine et il donnait encore l'impression qu'il aurait été plus à son aise sur le pont d'un navire à défier les éléments plutôt que là à surnager dans les remous de la politique.

— Oui, monsieur ?

Cornwallis serra les dents comme s'il n'avait pas encore trouvé ce qu'il voulait dire.

— S'agit-il d'une nouvelle enquête ? demanda Pitt.

— Oui… et non, dit Cornwallis en le regardant droit dans les yeux. Ah, Pitt, je déteste cela ! Je me suis battu toute la matinée et cela n'a servi à rien. C'est la pire situation dans laquelle je me sois trouvé. Si je pouvais faire quoi que ce soit d'autre, je le ferais. Mais j'ai la très nette impression, conclut-il en secouant tristement la tête, qu'insister ne ferait qu'empirer les choses.

— S'agit-il d'une enquête ? demanda à nouveau Pitt avec perplexité. Qui y est mêlé ?

— C'est dans l'East End, répondit Cornwallis. Et je n'ai pas la moindre idée de qui peut y être mêlé. La moitié des anarchistes de Londres, j'imagine.

Pitt se força à inspirer calmement. Comme tous les autres policiers, et le public d'une façon plus générale, il était conscient de l'activité anarchiste un peu partout en Europe ; un violent attentat venait de ravager un restaurant à Paris et plusieurs explosions avaient ébranlé Londres et d'autres capitales. Les autorités françaises avaient fait circuler un dossier contenant les photographies de cinq cents individus recherchés. D'autres étaient en attente de leur procès.

— Qui est mort ? demanda-t-il. Pourquoi font-ils appel à nous ? L'East End n'est pas de notre ressort.

— Personne n'est mort. C'est une affaire de la Special Branch.

Pitt tressaillit.

— Les Irlandais ?

Les troubles en Irlande avec leur cortège de mythes et de violences, de tragédies et de querelles, duraient depuis plus de trois siècles maintenant. Cette agitation avait gagné certains quartiers de Londres, raison pour laquelle une unité spéciale de la police métropolitaine avait été créée afin qu'elle se concentre sur les risques d'attentats, d'assassinats et même d'insurrection mineure. À l'origine, elle était connue sous le nom de Special Irish Branch et luttait essentiellement contre les Fenians, des activistes irlandais.

— Non, pas les Irlandais en particulier, corrigea Cornwallis. Il s'agit de troubles d'ordre général qu'ils préfèrent ne pas qualifier de politiques pour éviter d'alarmer le public.

— Pourquoi nous ? Je ne comprends pas.

— Vous feriez mieux de vous asseoir.

Pitt obéit.

— À vrai dire, ce n'est pas nous, annonça alors Cornwallis. Mais vous. Vous êtes relevé de votre poste à Bow Street et affecté à la Special Branch, à compter d'aujourd'hui.

Pitt était éberlué. Comment pouvait-il être relevé de son poste ? Il n'avait commis aucune faute, pas même la moindre incompétence ! C'était tellement énorme qu'il ne trouvait pas ses mots.

Cornwallis grimaça comme en proie à une douleur physique.

— L'ordre vient d'en haut, annonça-t-il. De beaucoup trop haut, même pour moi. Je m'y suis farouchement opposé mais je n'ai pas le pouvoir de l'annuler. Les hommes concernés se connaissent tous. Je ne fais pas partie de leur cercle. Je ne suis pas l'un d'entre eux.

Il scrutait Pitt, essayant de déterminer si celui-ci comprenait ce qu'il voulait dire.

— Pas l'un d'entre eux… répéta Pitt.

De lugubres souvenirs ressurgirent. Il avait déjà eu affaire à ces hommes unis par un pacte secret et capables des pires crimes. Cette organisation était connue sous le nom de Cercle intérieur. Ses tentacules l'avaient déjà emprisonné mais il avait peu pensé à elle depuis deux ans. À présent, Cornwallis était en train de lui dire qu'elle était l'ennemie.

Il n'aurait sans doute pas dû être aussi surpris. Il leur avait déjà porté de rudes coups. Ils avaient simplement attendu le bon moment pour se venger et son témoignage à la cour leur en fournissait la parfaite opportunité.

— Des amis d'Adinett ? dit-il.

Cornwallis acquiesça imperceptiblement.

— Je n'ai aucun moyen d'en être certain mais je serais prêt à le parier.

Lui aussi évitait de mentionner leur nom mais ni l'un ni l'autre ne doutait de qui il était question.

— Vous devez vous présenter devant Mr. Victor Narraway, à l'adresse que je vais vous indiquer. C'est le chef de la Special Branch dans l'East End. Il vous expliquera votre mission.

Il s'interrompit un instant avant de poursuivre avec un déplaisir évident :

— J'aimerais pouvoir vous en dire davantage sur Narraway. Mais la Special Branch est une sorte de livre fermé pour la plupart d'entre nous.

Il acceptait la nécessité de cette force clandestine mais elle offensait sa nature comme elle offensait celle de la plupart des Anglais.

— Je croyais que les Fenians s'étaient calmés, dit Pitt. Que pourrais-je accomplir de plus utile dans Spitalfields que leurs propres hommes qui sont rôdés à cette mission ?

— Pitt, cela n'a rien à voir avec les Fenians ou même avec les anarchistes. Ils veulent vous chasser de Bow Street, c'est tout. Ils sont bien décidés à vous briser. Au moins, ils n'ont pas réussi à vous priver de tout emploi. Nous avons pu vous obtenir ce poste, aussi dérisoire soit-il. Vous serez rémunéré. L'argent sera déposé et votre femme pourra en faire usage. Et si vous faites preuve de prudence, il est peu probable qu'ils vous retrouvent dans ces quartiers surpeuplés. Ici, vous êtes une cible trop visible. Croyez-moi, cela vaut beaucoup mieux pour le moment. Je… je le regrette.

Pitt voulut se lever mais ses jambes refusèrent de le soutenir. Combien de temps allait durer son bannissement ? Combien de temps allait-il courir après des fantômes dans l'East End, dépouillé de sa dignité, de son rang, et de la vie à laquelle il était habitué… et qu'il avait plus que gagnée ? Il n'était pas certain d'avoir envie d'entendre les réponses à ces questions. D'ailleurs, à regarder Cornwallis, il était clair que celui-ci n'avait aucune réponse à lui donner.

— Je vais devoir vivre dans l'East End ? demanda-t-il.

Il entendit sa propre voix : sèche, un peu enrouée comme s'il n'avait pas parlé depuis des jours. Il était sous le choc.

Il se secoua. Ce n'était pas si intolérable. Aucun de ceux qu'il aimait n'avait été blessé ou tué. Il allait perdre son foyer mais celui-ci demeurait pour Charlotte, Daniel et Jemima. Il était le seul à partir.

Mais c'était si injuste ! Il n'avait rien fait de mal, il avait juste accompli son métier. Adinett était coupable. Pitt avait présenté ses preuves avec honnêteté devant un jury qui les avait examinées en conscience et avait délivré un verdict.

Pourquoi avait-il tué Fetters ? Aux yeux de tous, ils avaient été les meilleurs amis du monde ; deux hommes qui partageaient non seulement la même passion pour les voyages et les objets chargés d'histoire mais aussi de nombreux idéaux. Tous deux voulaient une société plus juste, plus tolérante, qui offre une meilleure chance à chacun.

Juster s'était demandé si le mobile ne pouvait pas être lié à l'argent ou à une femme. Pitt avait enquêté et n'avait rien trouvé qui puisse corroborer l'une ou l'autre hypothèse. Personne n'avait jamais eu connaissance du moindre différend entre eux jusqu'à ce jour. Jamais, aucun des deux n'avait élevé la voix contre l'autre. Quand le majordome avait apporté le porto une demi-heure plus tôt, ils discutaient comme les meilleurs amis du monde.

Pourtant Pitt était certain de ne pas s'être trompé.

— Pitt…

Cornwallis, toujours penché vers lui, le fixait.

— Oui ?

— Je ferai tout ce qui est en mon pouvoir mais il vous faudra… être patient. Et surtout, très prudent. Je vous en supplie, ne vous fiez à personne. À personne. Si seulement je pouvais faire quelque chose. Mais je ne sais même pas contre qui je me bats…

Pitt se leva.

— Il n'y a rien à faire, dit-il d'une voix sourde. Où trouverai-je ce Victor Narraway ?

Cornwallis lui tendit un bout de papier sur lequel était inscrite une adresse : 14 Lake Street, Mile End New Town. C'était à la lisière de Spitalfields.

— Passez d'abord chez vous, rassemblez quelques affaires. Réfléchissez avec soin à ce que vous allez dire à Charlotte… Ne vous… fit-il avant de s'interrompre, hésitant. Ce sont des anarchistes, déclara-t-il finalement. Des vrais. Ils ont de la dynamite.

— Peut-être veulent-ils tenter quelque chose ici ?

— Je suppose que c'est possible. Après le Bloody Sunday[1] dans Trafalgar Square, plus rien ne m'étonnerait. Même si cela remonte à plusieurs années maintenant.

Pitt se dirigea vers la porte.

— Je ne doute pas que vous ayez fait tout votre possible, dit-il avec difficulté. Le Cercle intérieur est une maladie insidieuse. Je le savais… je l'avais juste oublié.

Et, sans attendre la réponse de Cornwallis, il sortit.

Il craignait de parler à Charlotte et donc le fit immédiatement.

— Que se passe-t-il ? demanda-t-elle dès qu'il entra dans la cuisine.

Elle se tenait près du grand poêle noir. La pièce était baignée de soleil et sentait bon le pain frais et le linge propre étendu sur les fils du séchoir près du plafond. De la porcelaine du pays de Galles garnissait le vaisselier et un plat de fruits trônait au centre de la vieille table en bois. Archie, le chat roux et blanc, faisait sa toilette dans le panier de lessive vide tandis que son frère Angus se faufilait, plein d'espoir, le long du rebord de la fenêtre en direction du pot de lait posé près de Charlotte.

Les enfants se trouvaient à l'école et Gracie devait être en haut ou bien en train de faire des commissions. C'était la maison qu'il aimait, tout ce qui embellissait sa vie. Après les longues heures passées au contact du crime, revenir là parmi les rires, la normalité et la certitude d'être aimé chassait le poison de la journée.

1. Bloody Sunday : Dimanche sanglant. Le 13 février 1887 une manifestation fut durement réprimée par la police à Trafalgar Square. Il y a eu par la suite deux autres Bloody Sunday, ceux-là en Irlande : en 1920, à Dublin (une trentaine de victimes) et en 1972, à Derry (14 morts). (*N. d. T.*)

Comment allait-il faire sans cela ? Comment allait-il faire sans Charlotte ?

Pendant un bref instant, une rage aveugle s'empara de lui. Ces hommes, à l'abri de leur anonymat, pouvaient le dépouiller des choses qui lui étaient les plus chères, ils pouvaient envahir sa vie et la réduire en miettes, sans en être redevables devant quiconque. Il aurait voulu en faire autant avec eux, mais face à face, pour qu'ils sachent pourquoi, pour voir dans leurs yeux qu'ils comprenaient.

— Thomas, que se passe-t-il ?

La peur s'était glissée dans sa voix. Elle avait abandonné le poêle et le fixait, un torchon à la main. Il avait vaguement conscience qu'Angus avait atteint le lait et commençait à le laper.

— Ils m'ont affecté à la Special Branch.

— Je ne comprends pas, dit-elle lentement. Qu'est-ce que cela veut dire ? Qu'est-ce que la Special Branch ?

— Ils travaillent contre les poseurs de bombes et les anarchistes. Au début, ils s'occupaient surtout des Fenians. Maintenant, de quiconque cherche à provoquer des émeutes ou pratique l'assassinat politique.

— Pourquoi est-ce si terrible ?

Elle scrutait son visage et ne s'y trompait pas.

— Je ne serai plus à Bow Street. Ni avec Cornwallis. Je vais travailler avec un certain Narraway… dans Spitalfields.

— Spitalfields ? Dans l'East End ? Vous voulez dire que vous allez devoir vous rendre tous les jours au poste de police de Spitalfields ?

— Non… je vais devoir vivre dans Spitalfields, comme un habitant ordinaire.

Charlotte ouvrit des yeux incrédules.

— Mais c'est… monstrueux ! s'exclama-t-elle. Ils ne peuvent pas faire ça ! C'est injuste ! De quoi ont-ils peur ? Ils s'imaginent que quelques anarchistes peuvent réellement mettre Londres à feu et à sang ?

— Cela n'a rien à voir avec les anarchistes. Ils cherchent à me punir parce que j'ai fourni les preuves qui vont mener John Adinett à l'échafaud. Il fait partie du Cercle intérieur.

— Comment peuvent-ils croire des gens comme ce Gleave et son ridicule article ? Adinett est coupable… vous n'y êtes pour rien !

Il demeura silencieux.

Elle se détourna, ravalant ses larmes.

— Oui, je sais… cela n'a rien à voir. Personne ne peut donc vous aider ? C'est si injuste. Peut-être que tante Vespasia… fit-elle en se tournant à nouveau vers lui.

— Non.

La douleur en lui était presque intolérable. Il regardait Charlotte bouleversée de colère et de désespoir, ses cheveux s'échappant de leurs épingles, les yeux brillants de larmes. Comment allait-il pouvoir vivre dans Spitalfields, seul, sans la voir à la fin de chaque journée, sans pouvoir échanger une plaisanterie ou une opinion avec elle et, surtout, sans la toucher, sans sentir la chaleur de ses bras ?

— Cela ne durera pas toujours, dit-il aussi bien pour lui que pour elle.

Elle renifla. Fouillant les poches de son tablier, elle trouva un mouchoir et se moucha farouchement.

L'indécision s'empara soudain de Thomas. Avant de pénétrer dans la cuisine, il s'était dit qu'il ferait ses bagages et partirait sur-le-champ, sans prolonger les adieux. Maintenant, il voulait rester le plus longtemps possible, la serrer contre lui et, puisque la maison était vide, l'emmener en haut et faire l'amour pour la dernière fois avant très longtemps.

Cela rendrait-il les choses plus faciles… ou plus dures, quand le moment viendrait ?

Finalement, il ne pensa plus et s'accrocha simplement à elle, l'embrassa et la serra si fort qu'elle cria ; il la relâcha mais à peine, juste assez pour ne pas lui faire mal. Puis il l'emmena en haut.

Après son départ, Charlotte resta devant le miroir de sa chambre à coucher à se brosser les cheveux. De toute manière, elle devait enlever les quelques épingles qui y restaient et se recoiffer. Elle avait une mine horrible. Ses yeux étaient rouges, encore brûlants de larmes.

Elle entendit le bruit de la porte d'entrée puis les pas de Gracie dans le vestibule. Après avoir remonté rapidement sa chevelure en chignon, elle descendit dans la cuisine.

Gracie était plantée au milieu de la pièce.

— Mais qu'est-ce qui se passe ici ? Le pain est tout gâché. Regardez.

Puis elle comprit que le problème était beaucoup plus grave.

— C'est Mr. Pitt ? Il est blessé ? demanda-t-elle en pâlissant.

— Non ! répondit vivement Charlotte. Il va bien. Je veux dire, il n'est pas blessé.

— Ben, quoi alors ? demanda Gracie.

Charlotte s'assit lentement.

— Il n'est plus à Bow Street. Ils l'ont affecté à la Special Branch dans l'East End.

Pas une seconde, elle n'aurait imaginé de ne pas se confier à Gracie. Elle était à leur service depuis l'âge de treize ans. Lorsqu'ils l'avaient engagée, c'était une enfant abandonnée, en état de malnutrition, illettrée, mais dotée d'une langue bien pendue et d'une farouche volonté d'apprendre. Pour elle, Pitt était le meilleur homme du monde et le meilleur dans son travail. Elle se considérait donc comme la meilleure des bonnes de Bloomsbury du simple fait qu'elle travaillait pour lui. Elle avait pitié de celles qui travaillaient pour des maîtres qui n'effectuaient rien d'utile. Leurs vies étaient tristes, sans but.

— C'est quoi, cette Special Branch ? demanda-t-elle, méfiante. Et pourquoi lui ?

— Au départ, ils traquaient les activistes irlandais, expliqua Charlotte, disant le peu qu'elle-même savait. Maintenant, ils s'occupent des anarchistes en général et des nihilistes, je crois.

— C'est quoi, ça ?

— Les anarchistes sont des gens qui veulent supprimer tous les gouvernements et créer le chaos…

— Pas besoin de supprimer le gouvernement pour ça, fit Gracie, dédaigneuse. Et les autres nilistes ?

— Les nihilistes ? Eux veulent tout détruire.

— C'est idiot ! À quoi ça servirait ? Après, on n'aurait plus rien pour personne.

— Oui, c'est idiot, approuva Charlotte. Je ne pense pas qu'ils aient beaucoup d'idées, juste de la rancœur.

— Alors, Mr. Pitt va les arrêter ?

— Il va essayer mais il doit d'abord les trouver. C'est pour cela qu'il va devoir vivre dans Spital-fields.

Gracie en resta pantoise.

— Vivre ! Ils vont quand même pas le faire vivre là-bas ? Ils savent pas ce que c'est ! Mince alors, c'est le dépotoir de l'East End. C'est crasseux et ça pue Dieu sait quoi ! Personne n'est à l'abri de rien, il y a des vols, des meurtres, des maladies. Et la nuit, c'est encore pire.

Sa voix montait au fur et à mesure.

— Ils ont les fièvres, la vérole et tout le reste. Si on dynamitait quelques baraques là-bas, ce serait une faveur qu'on leur ferait. Faut le prévenir tout de suite. Faut pas le laisser y aller. Ils le prennent pour qui ? Un petit policier de rien du tout ?

— Ils connaissent très bien la situation dans ces quartiers, dit Charlotte, accablée. C'est pour cela justement qu'ils l'envoient là-bas. C'est une sorte de punition parce qu'il a trouvé les preuves contre John Adinett. Il a été démis de ses fonctions à la tête de Bow Street.

Gracie se tassa sur elle-même comme si on venait de la frapper.

— C'est une honte, dit-elle à voix basse. C'est vraiment une honte. Mais si ces aristos lui en veulent pour de bon, vaut peut-être mieux qu'il disparaisse un moment. Là-bas ils risquent pas de le retrouver. Je suppose qu'ils vont continuer à le payer ?

— Oh oui, j'imagine. Mais je ne sais pas combien.

Charlotte n'avait pas songé à ce « détail ». On pouvait faire confiance à Gracie pour garder l'esprit pratique. Elle n'avait que trop connu la pauvreté. Elle avait enduré ces froids qui rendent malade ; cette faim qui fait manger les ordures des autres, quand une tranche de pain représente une fortune, quand personne n'imagine demain, et encore moins la semaine prochaine.

— Cela nous suffira ! déclara Charlotte avec force. Nous nous priverons du reste mais pas de nourriture. Et, avec l'été qui arrive, nous aurons moins besoin de charbon. Plus de nouvelles robes pendant un moment ni de nouveaux jouets ou de livres.

— Et pas de mouton, ajouta Gracie. Du hareng ! C'est très bon, le hareng. Et les huîtres, ça coûte pas cher. Et je sais où on peut trouver des os pour donner du goût à la soupe. On se débrouillera. Mais, ajouta-t-elle après un instant de réflexion, c'est quand même pas juste !

Il fut également difficile d'expliquer la situation aux enfants. Jemima à dix ans grandissait vite et son visage perdait de ses rondeurs. On devinait déjà la femme qu'elle allait devenir.

Daniel, huit ans, était plus massif et restait un enfant. Ses traits se précisaient mais sa peau était douce et ses cheveux bouclaient sur sa nuque tout comme ceux de Pitt.

Charlotte avait essayé de leur dire que leur père n'allait pas être à la maison pendant un long moment mais que cela n'avait pas été un choix de sa part et qu'ils allaient tous les deux terriblement lui manquer.

— Pourquoi ? avait aussitôt demandé Jemima. S'il ne veut pas partir pourquoi le fait-il ?

— Parfois, nous devons tous faire des choses que nous ne voudrions pas faire, répondit Charlotte.

Elle veillait à garder une voix calme, sachant que ses deux enfants captaient la moindre de ses émotions. Elle ne devait pas leur montrer sa propre détresse.

— C'est une question de devoir, reprit-elle. Il faut faire ce qui doit être fait.

— Mais pourquoi faut-il que ce soit *lui* ? demanda Jemima. Pourquoi pas quelqu'un d'autre ? Je ne veux pas qu'il s'en aille.

Charlotte lui caressa le bras.

— Moi non plus, mais si nous protestons, nous ne ferons que lui rendre les choses plus difficiles. Je lui ai dit que nous veillerons les uns sur les autres et qu'il allait nous manquer. Mais que tout ira bien jusqu'à ce qu'il revienne.

Jemima réfléchit un moment, ne sachant pas trop si elle allait l'accepter ou pas.

— Il est à la poursuite de méchants ?

C'était la première fois que Daniel prenait la parole.

— Oui, dit vivement Charlotte. Il faut les arrêter et votre père est le meilleur pour cela.

— Pourquoi ?

— Parce qu'il est très intelligent. D'autres personnes essaient depuis longtemps mais elles n'y sont pas parvenues, c'est pour cela qu'ils ont demandé à votre père.

— Je vois, dit Daniel.

Il réfléchit.

— C'est dangereux ?

— Il ne va pas se battre avec eux, dit-elle avec plus d'assurance qu'elle n'en éprouvait. Il va juste trouver qui ils sont.

— Ne va-t-il pas les arrêter ? demanda Daniel avec une logique impitoyable.

— Pas tout seul. Il le dira à d'autres policiers et ils iront ensemble.

— Vous êtes sûre ?

Il sentait qu'elle était inquiète même s'il en ignorait la raison exacte.

Elle se força à sourire.

— Tout à fait sûre.

Il hocha la tête, satisfait.

— Mais il va quand même me manquer.

— À moi aussi.

Pitt emprunta le métropolitain pour se rendre à l'adresse indiquée par Cornwallis, une petite maison située derrière la boutique d'un cordonnier. Victor Narraway l'attendait. Mince, les tempes grisonnantes, son regard perçant pouvait mettre mal à l'aise. En tout cas, dès qu'on le croisait, on ne pouvait plus l'ignorer.

Il examinait Pitt avec intérêt.

— Asseyez-vous, ordonna-t-il, indiquant la chaise en bois face à lui.

La pièce était modestement meublée d'une commode, d'une petite table et de deux chaises. À l'origine, il devait sans doute s'agir d'une arrière-cuisine.

Pitt obéit. Il avait revêtu ses plus vieux vêtements, ceux dont il se servait quand il souhaitait se rendre dans les quartiers pauvres sans se faire remarquer. Ce qui ne lui avait plus été nécessaire depuis longtemps. Il se sentait mal à l'aise, sale, dans un état de totale infériorité. Comme si ses années de succès avaient été soudainement balayées, comme si elles n'avaient été qu'un rêve.

— Je ne vois pas à quoi vous pourriez nous servir, dit d'emblée Narraway. Mais j'imagine que ça ne se fait pas de refuser un cadeau. Vous êtes ici, alors autant vous utiliser. Je croyais que vous étiez apprécié pour vos capacités à vous occuper des scandales dans l'aristocratie. Spitalfields ne semble pas être votre domaine.

— En effet, dit Pitt. Mon domaine, c'est Bow Street.

— Et où diable avez-vous appris à vous exprimer ainsi ?

Narraway haussa un sourcil. Lui-même s'exprimait tout aussi correctement ; sa diction était celle que donnent la naissance et l'éducation.

— J'ai suivi le même enseignement que le fils de la maison, répondit Pitt.

Il s'en souvenait encore très bien, revoyant la vaste pièce très claire, le tuteur avec sa canne et ses lunettes, les répétitions interminables jusqu'à ce que ce dernier soit enfin satisfait. Au début, Pitt détestait ces leçons puis elles l'avaient fasciné. À présent, il était reconnaissant au précepteur de sa patience.

— Tant mieux pour vous, dit Narraway avec un sourire narquois. Eh bien, si vous voulez être utile ici, vous feriez mieux d'oublier votre belle éducation et vite. Vous ressemblez à un clochard et vous vous exprimez comme un membre de la Royal Academy !

— Je peux m'exprimer comme un clochard si j'en ai envie, rétorqua Pitt. Mais pas comme quelqu'un du quartier. Je serais stupide d'essayer. Ils se reconnaissent entre eux.

L'expression de Narraway s'adoucit pour la première fois et une lueur d'acceptation passa dans ses yeux. C'était un premier pas, rien de plus. Il hocha la tête.

— Personne à Londres – je parle de l'autre Londres, celui d'où vous venez – n'a idée de la gravité de la situation ici, dit-il. Ils savent qu'il y a un problème mais c'est bien plus que cela. Nous ne sommes pas en train de parler de quelque lunatique en possession d'un bâton de dynamite, même si on doit aussi s'occuper de ceux-là.

Un bref sourire ironique étira ses lèvres.

— Il y a à peine un mois ou deux, nous avons eu un homme qui avait enfoncé de la dynamite dans la bonde de son lavabo, bouchant les canalisations. Sa propriétaire a fini par se plaindre. Les ouvriers qui l'ont retirée n'avaient pas la moindre idée de ce dont il s'agissait. L'un d'entre eux, un malheureux idiot, a cru que ce machin suintant pourrait lui être utile pour colmater des brèches et il l'a ramené chez lui pour le faire sécher. La moitié de la maison est partie en fumée.

C'était une farce, amère et tragique. On pouvait en rire mais les morts demeuraient.

— S'il ne s'agit pas de traquer un nihiliste quelconque, demanda Pitt, alors que cherchons-nous en réalité ?

Narraway sourit, se détendant. Il s'enfonça dans sa chaise et croisa les jambes.

— Nous avons toujours le problème irlandais et il ne risque pas de disparaître du jour au lendemain mais, pour le moment, ce n'est pas notre principal souci. Il reste encore quelques Fenians dans le coin mais nous en avons arrêté certains l'an dernier et ils se font plutôt discrets ces temps-ci. D'une manière générale, il règne un fort sentiment anticatholique.

— Dangereux ?

— Pas en lui-même, répondit Narraway. Dans un premier temps, il vous faudra surtout vous imprégner de l'ambiance. Trouvez un emploi pour justifier d'un moyen de subsistance puis traînez dans les rues. Ouvrez l'œil et tenez votre langue. Écoutez les conversations, entendez ce qui se dit et, plus encore, ce qui ne se dit pas. Il y a une colère dans l'air qui n'était pas là il y a dix ans. Vous vous rappelez le Bloody Sunday en 1887 et les meurtres de Whitechapel au cours de l'automne 1888 ? Cela fait quatre ans maintenant, mais pendant ces quatre années la situation n'a fait qu'empirer.

Bien sûr que Pitt se souvenait de ces meurtres. Qui aurait pu oublier les atrocités commises par Jack l'Éventreur ? Mais il ne se doutait pas que la crise fût si profonde. Il croyait plutôt à une de ces éruptions sporadiques qui arrivent parfois et meurent d'elles-mêmes. Il se demanda si Narraway n'exagérait pas, peut-être pour se donner de l'importance. La rivalité était forte entre les différents services chargés du maintien de l'ordre, chacun veillant jalousement sur son propre territoire et essayant de l'accroître au détriment des autres.

Narraway lut dans son esprit comme dans un livre ouvert.

— Pensez ce que vous voulez, Pitt. Soyez sceptique, si ça vous chante, mais faites ce qu'on vous dit. J'ignore si Donaldson avait raison à votre sujet lors de sa déposition au tribunal mais, tant que vous serez à la Special Branch, vous m'obéirez ou je vous briserai si vite que vous finirez par vivre dans Spitalfields de façon permanente, et votre famille avec vous ! Est-ce que je me fais bien comprendre ?

— Oui, monsieur, répondit Pitt, atrocement conscient d'être engagé sur un terrain des plus précaires.

Il n'avait pas d'amis et beaucoup trop d'ennemis. Il ne pouvait se permettre d'offrir à Narraway un prétexte pour s'en prendre à lui.

— Bien, fit celui-ci. Alors, écoutez-moi et rappelez-vous bien ce que je vais vous dire. Quoi que vous en pensiez, j'ai raison, et vous allez devoir me croire sur parole si vous voulez survivre. Et je dis bien survivre.

Je ne parle même pas de m'être d'une quelconque utilité.

— Oui, monsieur.

— Et cessez de faire le perroquet ! Si j'avais voulu d'un oiseau bavard, je m'en serais payé un ! L'East End est rongé par la pauvreté… une pauvreté telle que le reste de la ville ne peut même pas l'imaginer. Ici, les gens meurent de faim et des maladies provoquées par elle… des hommes, des femmes… des enfants.

Une colère rentrée assourdissait sa voix.

— Les gosses meurent plus qu'ils ne survivent. La vie est bon marché ici. Les valeurs ne sont pas les mêmes. Mettez un homme dans une situation où il a peu à perdre, vous aurez un problème. Mettez une centaine de milliers d'hommes dans cette même situation et vous vous retrouvez sur un baril de poudre. C'est là, ajouta-t-il en scrutant Pitt, que vos catholiques, vos anarchistes dynamiteurs, vos nihilistes et vos Juifs représentent un danger. Un seul d'entre eux pourrait être l'étincelle involontaire qui fait exploser toute la charge.

— Les Juifs ? demanda Pitt, curieux. Quel est le problème avec les Juifs ?

— Pas celui auquel nous nous attendions, reconnut Narraway. Nous avons ici pas mal de Juifs libéraux venus d'Europe. Ils ont débarqué après les révolutions de 1848 qui ont toutes été écrasées d'une manière ou d'une autre. Nous pensions que leur colère allait se répandre mais, pour l'instant, ce n'est pas le cas. Ce qui ne veut pas dire que cela n'arrivera pas. Par ailleurs, l'antisémitisme est très fort par ici, nourri essentiellement par la peur et l'ignorance. Quand la vie est dure, les gens cherchent toujours un bouc émissaire et ceux qui sont différents d'une manière visible sont les premières cibles parce qu'elles sont les plus faciles.

— Je vois.

— Probablement pas, dit Narraway. Mais cela viendra si vous êtes attentif. Je vous ai trouvé un logement dans Heneagle Street, chez un certain Isaac Karansky, un Juif polonais, très respecté dans son quartier. Vous devriez y être raisonnablement en sécurité et en bonne position pour observer et apprendre quelque chose.

Cela restait encore très général et Pitt ne voyait pas très bien ce qu'on attendait de lui. Il avait l'habitude d'enquêter sur un événement spécifique, quelque chose qui s'était déjà déroulé et qu'il devait déchiffrer de façon à établir qui était responsable, comment cela s'était passé et – si possible – pourquoi. Essayer de rassembler des indices sur un acte non spécifique qui pourrait ou non se produire dans le futur était complètement différent. Par où commencer ? Il n'y avait aucun fait à examiner, personne à interroger et, pire que tout, il ne possédait pas la moindre autorité.

Une fois encore, il se sentit accablé par un sentiment d'impuissance. Il ne serait d'aucune utilité dans cette mission qui nécessitait des talents et des connaissances qu'il ne possédait pas. Ici, il était un étranger. On l'y avait affecté non pour son éventuelle aptitude mais pour le punir d'avoir accusé Adinett. Peut-être Cornwallis espérait-il aussi lui procurer une certaine sécurité ainsi qu'un emploi, un revenu pour Charlotte et les enfants. Il lui était au moins reconnaissant de cela même si pour le moment sa gratitude restait profondément enfouie sous la peur et la rancune.

Non ! Ne pas se laisser abattre. Il devait en apprendre davantage de Narraway, même si pour cela il lui fallait ravaler sa fierté. Quand il quitterait cette lugubre petite pièce, il serait trop tard. D'un point de vue professionnel, il serait plus seul qu'il ne l'avait jamais été.

— Selon vous, demanda-t-il, quelqu'un tente-t-il délibérément de susciter des violences ou bien celles-ci risquent-elles de se produire à la suite d'incidents non provoqués ?

— Cette dernière éventualité reste possible, répondit Narraway. Elle l'a toujours été mais, cette fois, je crois que nous sommes face à la première hypothèse. Mais cela aura l'air spontané et Dieu sait s'il y a assez de pauvreté et d'injustice ici pour alimenter le feu dès qu'il aura pris. Et assez de haine religieuse et raciale pour faire éclater une guerre ouverte dans les rues. C'est notre travail d'empêcher que cela se produise, Pitt. En comparaison, un meurtre semble assez simple, n'est-ce pas ? Pour ne pas dire insignifiant… sauf pour ceux qui sont concernés. Et ne me dites pas que toutes les tragédies et les injustices prennent leur source chez des individus. Je le sais déjà. Mais même les meilleures sociétés du monde ne pourront éradiquer la jalousie, l'avidité et la rage. Ce dont nous parlons, c'est d'une sorte de folie généralisée où personne n'est en sécurité et où tout ce qui a de la valeur ou de l'utilité peut être détruit.

Pitt ne dit rien.

— Avez-vous jamais étudié la Révolution française ? lui demanda Narraway. Je parle de la grande, celle de 1789, pas de ce récent fiasco.

— Un petit peu, fit Pitt en pensant à nouveau aux leçons du tuteur quand celui-ci évoquait les rues de Paris charriant des flots de sang ou bien la guillotine qui ne cessait de tomber. La Terreur, murmura-t-il.

— Exactement, approuva Narraway. Paris est très proche de nous, Pitt. N'imaginez pas que cela ne pourrait pas se produire ici. Au chapitre des inégalités, nous n'avons rien à leur envier, croyez-moi.

À contrecœur, Pitt commençait à envisager la possibilité qu'il y ait du vrai dans les paroles de Narraway. Il exagérait à coup sûr mais même si une fraction de ce qu'il disait était vrai, c'était terrible.

— En quoi avez-vous besoin de moi, exactement ? demanda-t-il. Donnez-moi au moins une piste, un élément à chercher.

— Je n'ai pas besoin de vous ! s'exclama Narraway, écœuré. Quelqu'un là-haut vous a envoyé ici. Je ne sais pas exactement pourquoi. Mais puisque vous êtes ici, autant vous utiliser du mieux possible. En dehors du fait qu'il peut vous fournir un endroit potable où vivre dans Spitalfields, Isaac Karansky dispose de quelque influence dans sa propre communauté. Observez-le, écoutez-le, apprenez-en le plus possible. Si vous trouvez quoi que ce soit d'utile, prévenez-moi. Je passe ici une fois par semaine. Adressez-vous au cordonnier devant la maison. Il me transmettra le message. Ne tentez d'établir le contact que si c'est important et n'oubliez pas de le faire si ça pourrait l'être ! Si vous commettez une erreur, mieux vaut que ce soit par excès de prudence.

— Oui, monsieur.

— Bien. Alors, allez-y.

Pitt se leva et se dirigea vers la porte.

— Pitt !

Il se retourna.

— Oui, monsieur ?

Narraway l'observait.

— Soyez très prudent. Vous n'avez aucun ami par ici. Ne l'oubliez jamais, même pour une seconde. Ne vous fiez à personne.

— Non, monsieur. Merci.

Dans le couloir, une odeur aigre-douce de bois pourrissant flottait dans l'air confiné. Pitt eut l'impression qu'il faisait très froid.

Il demanda son chemin pour trouver Heneagle Street. La maison d'Isaac Karansky se dressait au coin de Brick Lane, une voie animée et de grande circulation qui longeait la masse imposante de l'usine de sucre en direction de Whitechapel Road. Il frappa à la porte. Rien ne se passa. Il recommença.

Le battant s'ouvrit sur un homme qui semblait proche de la soixantaine. Le teint sombre, les cheveux poivre et sel, il considéra Pitt. Il y avait de la douceur dans son regard mais surtout de la prudence.

— Oui ?

— Mr. Karansky ?

— Oui…

Sa voix était profonde, teintée d'un léger accent, et excessivement méfiante.

— Je m'appelle Thomas Pitt. Je viens d'arriver dans le quartier et je cherche un logement. Un ami a suggéré que vous pourriez avoir une chambre à louer.

— Comment s'appelle votre ami, Mr. Pitt ?

— Narraway.

— Oui, nous avons bien une chambre. Je vous en prie, entrez et voyez si elle vous convient. Elle est petite mais propre. Ma femme est très exigeante.

Il s'écarta pour le laisser passer. Le vestibule était étroit, l'escalier se trouvant à deux mètres à peine de la porte. Il faisait sombre et Pitt se dit qu'en hiver cette maison devait être humide et glacée mais elle sentait la propreté, une sorte de cire peut-être, et des odeurs d'épices qui lui étaient inconnues. Le tout offrait l'impression agréable d'un foyer où des gens menaient une vie de famille, où une femme cuisinait, faisait le ménage et la lessive.

— En haut, indiqua Karansky.

Pitt emprunta l'escalier, écoutant chaque marche craquer. Sur le palier, son hôte lui montra une porte qu'il ouvrit. La chambre était petite avec une seule fenêtre si sale qu'il était difficile de voir à travers mais peut-être valait-il mieux ne pas distinguer ce qui se trouvait de l'autre côté.

Le lit avec son cadre en fer était déjà fait ; les draps paraissaient d'une propreté impeccable. Il semblait y avoir plusieurs couvertures. Sur une grosse commode étaient posées une bassine et une aiguière surmontées d'un petit miroir fixé au mur. Il n'y avait pas de penderie mais deux crochets à la porte. Un tapis tissé ornait le sol près du lit.

— Elle me convient parfaitement, annonça Pitt.

Des années s'envolèrent et il se revit enfant dans la propriété ; quand son père avait été emmené par la police, sa mère et lui avaient dû quitter le cottage du garde-chasse pour emménager dans les quartiers des domestiques. À l'époque, ils s'étaient estimés chanceux. Sir Matthew Desmond les avait recueillis. Un autre les aurait jetés à la rue.

Ici, dans cette pièce, en se souvenant à nouveau de la pauvreté, du froid et de la peur, c'était comme si les années écoulées depuis n'avaient été qu'un rêve et que le moment était venu de se réveiller pour entamer la journée, faire face à la dure réalité. L'odeur était étrangement familière et il savait à quel point il aurait froid s'il marchait pieds nus sur le sol en hiver ; il imaginait déjà le givre sur la fenêtre, l'eau glaciale dans le pichet.

Keppel Street semblait issue de son imagination. Le confort matériel auquel il s'était habitué allait certes lui manquer. Mais ce qui lui manquerait surtout ce serait la chaleur, les rires, l'amour et la sécurité.

— Ce sera deux shillings par semaine, dit Karansky derrière lui. Un shilling et six pence de plus avec la nourriture. Vous serez le bienvenu si vous désirez vous joindre à notre table.

Se souvenant de ce que Narraway lui avait dit à propos de la position de Karansky dans la communauté, Pitt n'hésita pas à accepter.

— Merci, j'en serai ravi.

Fouillant dans ses poches, il lui donna l'équivalent de la première semaine de loyer. Comme le lui avait conseillé Narraway, il devait trouver un emploi pour ne pas éveiller les soupçons.

— Je suis nouveau par ici. Où vaut-il mieux s'adresser pour un travail ?

Karansky haussa les épaules.

— Nulle part. Ici, on se bat pour survivre. Vous semblez avoir le dos solide. Qu'êtes-vous prêt à faire ?

Pitt n'y avait pas réfléchi sérieusement jusqu'à cet instant. Cela faisait bien des années que les efforts pénibles lui étaient épargnés. Bien sûr, il marchait beaucoup, mais c'était surtout de sa cervelle qu'il se servait depuis qu'il était en charge de Bow Street.

— Je n'ai pas de préférence, répondit-il. Pourquoi pas la sucrière ? Je l'ai remarquée sur Brick Lane. On sent l'odeur d'ici.

Karansky haussa un sourcil.

— Vous tenez à aller là-bas ?

— Si j'y tiens ? Non. Je me disais juste qu'ils embauchaient peut-être. Ils doivent avoir besoin de main-d'œuvre, non ?

— Oh oui, énormément. Une famille sur deux ici a quelqu'un qui travaille chez eux. L'usine appartient à un certain Sissons. Il en a deux autres dans le quartier.

Quelque chose dans son expression éveillait l'attention de Pitt, une hésitation, une certaine réticence.

— C'est une bonne place ? demanda-t-il sur le ton le plus banal possible.

— Tout travail est bon à prendre. Ils paient correctement. Les horaires sont longs et ça peut être assez dur mais on gagne de quoi joindre les deux bouts, si on fait attention. Mieux vaut ça que crever de faim et, croyez-moi, ce n'est pas rare par ici. Mais ne comptez pas trop sur eux… à moins que vous connaissiez quelqu'un qui puisse vous y faire entrer.

— Je ne connais personne. Où puis-je m'adresser alors ?

— Vous n'allez pas tenter votre chance chez eux ?

— Si, bien sûr. Mais vous venez de dire de ne pas trop y compter.

Il y eut un mouvement sur le palier derrière la porte et Karansky se retourna. Derrière lui, une femme venait d'apparaître. Aussi âgée que son mari, elle gardait pourtant une chevelure épaisse et noire ; des rides de fatigue et d'anxiété creusaient son visage et ses yeux semblaient hantés comme si la peur ne la quittait jamais. Néanmoins, ses traits étaient magnifiquement réguliers et il y avait en elle une dignité que l'expérience ne faisait qu'accroître.

— La chambre vous convient-elle ? demanda-t-elle, hésitante.

— Tout va bien, Leah, la rassura Karansky. Mr. Pitt logera chez nous. Demain, il cherchera du travail.

— Saul a besoin d'aide, dit-elle en fixant Pitt. Pouvez-vous soulever des poids ? Mais rien de trop lourd.

— Il se renseignait sur la sucrière, lui dit Karansky. Peut-être préfère-t-il aller là-bas ?

Elle parut surprise, soucieuse même, comme si son mari venait de la décevoir.

— Ne serait-il pas mieux chez Saul ?

Il y avait des sous-entendus dans cette simple question que Pitt ne saisissait pas.

Karansky haussa les épaules en se tournant à nouveau vers lui.

— Vous pourriez essayer les deux, si vous voulez.

— Vous avez dit que je ne risquais pas d'être embauché à la fabrique de sucre si je n'y connaissais personne, lui rappela Pitt.

Karansky lui rendit son regard sans répondre. Il semblait hésiter.

Ce fut Mrs. Karansky qui brisa finalement le silence.

— Il vaut mieux éviter la fabrique, Mr. Pitt. Saul ne vous paiera pas autant mais vous serez bien mieux chez lui, croyez-moi.

— Que fait Saul ? demanda-t-il.

— Il tisse de la soie, répondit Karansky.

Pitt avait le sentiment que celui-ci s'attendait à ce qu'il tente sa chance à la fabrique de sucre en dépit de tous les avertissements. Il se souvint des mots de Narraway à propos de la confiance.

— Alors, je crois que j'irai le voir demain et, avec un peu de chance, il aura peut-être quelque chose à me proposer, répondit-il. Je ne peux pas me permettre de rester sans rien faire.

Leah Karansky sourit.

— Je lui parlerai. C'est un ami. Il vous trouvera une place. Ce n'est peut-être pas énorme mais c'est déjà ça et c'est bien tout ce qui compte dans cette vie. Mais vous devez avoir faim. Nous mangeons dans une heure. Venez dîner avec nous.

— Merci, accepta Pitt.

L'odeur en provenance de la cuisine lui revint subitement aux narines. Il n'avait aucune envie de sortir à nouveau dans les rues sordides qui empestaient la misère et la crasse.

CHAPITRE IV

Ce n'était pas la première nuit que Pitt ne passait pas à la maison mais, ce soir-là, Charlotte éprouvait un sentiment de solitude comme elle en avait rarement connu, peut-être parce qu'elle ne savait pas quand il serait de nouveau là.

Elle resta longtemps allongée sans pouvoir dormir, rongée de colère, tournant et se retournant, torturant draps et couvertures jusqu'à en faire une boule informe. Finalement, vers deux heures du matin, elle se leva et refit le lit avec des draps propres. Une demi-heure plus tard, elle s'endormait enfin.

Elle se réveilla au beau milieu de la matinée avec une migraine et la ferme intention d'agir. Cette situation n'était pas tolérable ; elle était profondément injuste, d'abord et surtout pour Pitt, mais aussi pour toute la famille.

Une fois habillée, elle descendit dans la cuisine. La porte de l'arrière-cuisine était ouverte et un rayon de soleil tombait sur le sol lessivé. Les enfants étaient déjà partis à l'école. Elle s'en voulut de ne pas avoir été là pour eux, surtout ce jour-là.

— Bonjour, madame, dit Gracie en s'emparant de la bouilloire qui sifflait sur le poêle. Je vous prépare un thé.

Elle versa l'eau dans un pot qu'elle ramena à la table où deux tasses attendaient déjà.

— Daniel et Jemima étaient en pleine forme ce matin et y a pas eu de problème mais j'ai un peu réfléchi. Faut qu'on fasse quelque chose. C'est pas normal, cette histoire.

— Je suis bien d'accord, dit Charlotte.

Le thé n'infusait pas assez vite à son goût.

— Des toasts ? proposa Gracie.

— Non, pas tout de suite. J'ai aussi réfléchi pendant une bonne partie de la nuit mais je ne vois toujours pas ce que nous pourrions faire. Selon le préfet de police adjoint Cornwallis, il vaut mieux qu'il en soit ainsi, ne serait-ce que pour la propre sécurité de Mr. Pitt, et puis cela lui permet de garder un emploi. Les gens qui lui en veulent seraient trop heureux de le dépouiller de tout moyen d'existence, sans parler du reste. Là-bas, au moins, ils ne savent pas où le trouver. Ils auront du mal à organiser un accident ou quelque chose du même genre...

Gracie ne fut pas choquée d'entendre cela ; son enfance dans l'East End ne lui avait guère laissé d'illusions sur la nature humaine mais elle était furieuse. Et elle ne le cachait pas.

— Tout ça parce qu'il a fait son boulot et fait pendre cet Adinett ? Mais qu'est-ce qu'ils voulaient à la fin ? Qu'il fasse semblant de croire que ce bonhomme avait le droit d'assassiner Mr. Fetters ? Ou qu'il fasse l'idiot comme s'il ne s'était rien passé ?

— Oui. Je crois que c'est exactement ce qu'ils auraient voulu, répondit Charlotte. Un médecin moins attentif n'aurait sans doute rien vu. Ils ont eu la malchance qu'Ibbs remarque tous ces détails et fasse appel à Thomas.

— Qui c'est, cet Adinett, au fait ? Et pourquoi ils tiennent tant à le sauver ?

— Il fait partie du Cercle intérieur, dit Charlotte avec un frisson. Le thé n'est pas prêt ?

Gracie la dévisagea un instant avant de le servir. Il était encore un peu léger mais son odeur familière avait quelque chose de rassurant.

— Et alors ? fit-elle. Ça veut dire que ces gens-là peuvent commettre des meurtres et s'en tirer ?

— Oui, à moins que quelqu'un soit assez téméraire pour se dresser en travers de leur route et, dans ce cas, ils cherchent à s'en débarrasser.

Charlotte grimaça, le thé était encore trop chaud et y ajouter du lait ne ferait que le gâcher.

— Bon, déclara Gracie, y a plus qu'une chose à faire. Faut qu'on prouve qu'il avait raison. On sait peut-être pas qui est dans ce fichu cercle mais on sait qu'il y a moins de gens dedans que dehors.

Pour elle, le fait que Pitt ait pu se tromper n'était tout simplement pas envisageable.

Charlotte sourit malgré elle. Ils pouvaient toujours compter sur la loyauté de Gracie.

— Ce qui a rendu ce procès si particulier c'est que personne n'avait la moindre idée des raisons qui ont poussé Adinett à agir ainsi, dit-elle. Ces deux hommes étaient amis depuis des années et on ne les a jamais entendus se quereller. Il semblait n'exister aucun mobile. Quant aux preuves, elles ne concernaient que des faits matériels qui, pris séparément, ne signifiaient pas grand-chose. C'est en les cumulant qu'ils devenaient accablants. Par ailleurs, certains témoins sont un peu revenus sur leurs dépositions devant le contre-interrogatoire de l'avocat de la défense qui les intimidait ou essayait de les faire passer pour des idiots.

— Alors, faut trouver son mobile, dit Gracie. Il devait bien avoir une raison. Il a pas fait ça pour rien.

Charlotte réfléchissait intensément. Les journaux n'avaient en fait pas révélé grand-chose sur les deux hommes, en dehors de leur position sociale et de l'estime générale dont ils faisaient l'objet. Il devait pourtant bien exister un élément qui avait conduit au meurtre de l'un d'eux et à la condamnation à mort de l'autre. Pourtant, rien, absolument rien n'était apparu ni au cours de l'enquête, ni au cours du procès.

— Pourquoi un homme qui risque la pendaison refuse-t-il de donner la moindre explication à propos de son geste ? marmonna-t-elle.

— Parce que ça l'aurait pas excusé, répondit aussitôt Gracie. Sinon, il l'aurait dit.

Hochant la tête, Charlotte continua à suivre son raisonnement.

— Et quelle raison peut conduire à tuer un ami ?

— Parce qu'on le hait ou parce qu'on a peur de lui. Ou alors, parce qu'il a quelque chose qu'on veut et qu'il ne veut pas lâcher. Ou alors parce qu'on est fou de jalousie.

Toujours pensive, Charlotte s'empara du pain et d'un couteau.

— Ils ne se haïssaient pas. Ils étaient amis de longue date et ne s'étaient jamais querellés.

— Une femme ? suggéra Gracie. Peut-être que Mr. Fetters l'a surpris avec Mrs. Fetters ?

— Oui, pourquoi pas ? dit Charlotte en tartinant du beurre et de la confiture. Il n'aurait pas pu s'en servir pour sa défense au procès parce que cela n'aurait fait qu'accroître la mauvaise opinion du jury à son égard. Mais il aurait pu dire que ce n'était pas vrai, que Fetters avait tout imaginé, qu'il l'a attaqué et qu'il n'a fait que se défendre.

Elle poussa un long soupir avant de mordre dans sa tartine. Elle avait très faim.

— Sauf qu'il aurait eu du mal à l'attaquer du haut de son marchepied, reprit-elle. En tant que juré, je n'y aurais pas cru une seconde.

— Vous ne pouvez pas être juré, fit remarquer Gracie. Vous êtes une femme. Et puis, faut gagner son propre argent et posséder sa propre maison.

Charlotte ne se donna pas la peine de répondre à cela.

— L'argent, alors ?

Gracie secoua la tête.

— J'imagine pas comment je pourrais me disputer avec quelqu'un en étant perchée sur un truc aussi bancal que ce machin avec des marches et des roulettes.

— À vrai dire, moi non plus, reconnut Charlotte. Ce qui implique que, quel qu'ait été son mobile, Adinett s'est donné beaucoup de mal pour le dissimuler. C'était donc quelque chose dont il avait honte.

Elles étaient revenues au point de départ.

— Faut qu'on en apprenne davantage, dit Gracie. Et vous feriez mieux de prendre un vrai petit déjeuner. Vous préférez pas quelque chose de chaud ? Je peux vous faire un œuf sur un toast, si vous voulez ?

— Non, ça ira, merci.

À compter d'aujourd'hui, se dit Charlotte, il valait mieux éviter les dépenses extravagantes et ne manger des œufs qu'une fois par jour, au repas principal.

— Je crois que je vais aller voir Mrs. Fetters, annonça-t-elle finalement après avoir avalé sa troisième tranche de pain. Thomas m'a confié qu'elle était très gentille et qu'elle était convaincue de la culpabilité d'Adinett. Elle doit avoir envie de savoir pourquoi son mari est mort.

Gracie rangeait déjà beurre et confiture.

— Bonne idée. Et puis, elle doit en savoir long sur cet Adinett, et encore plus sur son pauvre mari, la malheureuse. Ça doit être horrible de perdre quelqu'un qu'on aime. Si c'était moi, je supporterais pas de rester toute seule dans une maison en deuil avec les rideaux tirés, les miroirs couverts et toutes les horloges arrêtées, comme si c'était moi la morte !

Charlotte sourit malgré elle. Elle se leva pour verser un peu de lait dans une soucoupe à l'intention d'Archie et Angus puis fit tomber les restes de hachis parmentier de la veille dans leur plat. Les deux chats vinrent aussitôt se frotter contre ses chevilles en ronronnant de plaisir.

Après s'être assurée que Gracie disposait de tout ce dont elle avait besoin pour la journée, elle remonta à l'étage. Elle se changea, choisissant avec soin une robe dans les tons bleu marine, aussi flatteuse que discrète, qu'elle avait achetée en se disant qu'elle durerait plusieurs saisons ; elle convenait pour rendre visite à une veuve en période de deuil.

Refusant de prendre un cab, elle emprunta l'omnibus puis effectua le reste du trajet à pied. Il fallait économiser l'argent et la journée était très plaisante. La demeure des Fetters se trouvait sur Great Coram Street, une jolie maison semblable à ses voisines à l'exception des rideaux tirés. Si on avait répandu de la paille dans la rue pour étouffer les bruits des voitures au moment de la mort de Fetters, il n'y en avait plus trace maintenant.

Gravissant les marches sans la moindre hésitation, elle frappa à la porte en se demandant quel accueil lui réserverait Mrs. Fetters ; n'allait-elle pas considérer cette visite comme déplacée ?

La porte fut ouverte par un majordome à la mine sombre qui la détailla avec autant de politesse que de désintérêt.

— Oui, madame ?

— Bonjour, dit-elle en lui tendant sa carte. Auriez-vous l'obligeance de demander à Mrs. Fetters si elle veut bien me consacrer quelques minutes ? Il s'agit d'une affaire de la plus haute importance pour moi, et peut-être pour elle aussi. Cela concerne mon mari, le commissaire Thomas Pitt qui a enquêté sur la mort de Mr. Fetters. Il est dans l'impossibilité de venir lui-même.

100

Le majordome parut surpris. La détresse qui s'était abattue sur la maison ces dernières semaines le touchait visiblement.

— Oui, madame, dit-il enfin, je me souviens de Mr. Pitt. Il s'est montré très courtois envers nous. Si vous voulez bien attendre au petit salon, je vais demander à Mrs. Fetters si elle peut vous recevoir.

Il la mena dans une petit salon illuminé par le soleil matinal et décoré de gravures chinoises, de porcelaines et de chrysanthèmes dorés. Moins de cinq minutes plus tard, il était de retour pour la conduire dans une autre pièce, beaucoup plus féminine, dans les roses et verts, et qui donnait sur le jardin. Juno Fetters s'y trouvait déjà. Belle femme aux formes épanouies, elle possédait un maintien d'une grande dignité. Le châtain de sa chevelure soulignait son teint très pâle. Comme il convenait, elle était entièrement vêtue de noir et cela lui allait mieux qu'à la plupart des femmes.

— Mrs. Pitt ? fit-elle avec curiosité. Entrez, je vous prie, et mettez-vous à l'aise. J'ai laissé la porte ouverte car j'apprécie l'air frais mais si vous avez froid, je peux la fermer.

— Non, merci, dit Charlotte en prenant un siège face à elle. C'est délicieux. J'apprécie autant le parfum des fleurs que l'odeur d'herbe fraîche.

Juno la dévisageait.

— Buckland me dit que Mr. Pitt est dans l'impossibilité de venir. J'espère qu'il n'a pas d'ennuis de santé ?

— Pas du tout, la rassura Charlotte.

Juno possédait un regard franc et direct et des rides qui, à tout autre moment, auraient suggéré un sens de l'humour affirmé. Charlotte décida de lui dire la vérité.

— Mais il a été démis de ses fonctions à Bow Street, reprit-elle, et envoyé quelque part en mission secrète. Il s'agit d'une sorte de punition pour avoir témoigné contre Adinett.

La surprise se peignit sur les traits de Juno, bientôt remplacée par de la colère.

— C'est révoltant !

Elle observa un bref silence avant d'ajouter :

— À qui pourrions-nous nous adresser afin qu'il retrouve son poste ?

— À personne, je le crains. En menant cette enquête, il s'est fait des ennemis puissants. Il vaut probablement mieux qu'ils ne sachent pas où le trouver pour l'instant. Je viens m'adresser à vous car Thomas vous tient en très haute estime. Selon lui, vous êtes convaincue que votre mari a bien été victime d'un meurtre et non d'un accident.

En voyant la douleur qui ternit une fraction de seconde le regard de Juno, elle s'en voulut de se montrer si directe.

— Oui, je le suis, dit celle-ci avec calme. Il m'a fallu un moment pour me faire à cette idée. Au début, j'étais simplement sous le choc. Je ne pouvais accepter ce qui s'était passé. Martin n'est pas… n'était pas maladroit. Et je sais avec certitude qu'il n'aurait pas rangé ses livres sur Troie et la Grèce sur l'étagère du haut. Ensuite, il y a eu ces autres éléments relevés par Mr. Pitt : le fauteuil qui n'était pas à sa place habituelle, ce bout de peluche sur sa chaussure…

Elle cligna des paupières à plusieurs reprises, luttant pour ne pas céder à ses émotions.

Charlotte reprit la parole pour lui offrir un répit. En évoquant ainsi ses chaussures, elle devait s'imaginer son pauvre mari traîné à même le sol. Ce devait être insupportable.

— Si vous aviez su ce qui a conduit Adinett à agir ainsi, vous l'auriez sûrement dit au tribunal ou au cours de l'enquête. Mais avez-vous eu le temps d'y réfléchir depuis ?

— Je n'ai pas grand-chose d'autre à faire, dit Juno en tentant de sourire. Mais non, je ne vois rien.

— Je dois découvrir son mobile, dit Charlotte avec une colère qu'elle aurait voulu mieux contenir. C'est le seul moyen de prouver que le verdict était juste et que Thomas a agi en son âme et conscience.

— Comment comptez-vous faire ?

— Je l'ignore encore, mais il me faut d'abord en apprendre le plus possible sur Adinett et – si vous le permettez – sur votre mari, de façon à découvrir ce qui s'est réellement passé entre eux.

Juno prit une profonde inspiration et se redressa, la dévisageant avec gravité.

— Je veux moi aussi savoir ce qui s'est passé. Rien ne me rendra Martin… mais si je pouvais comprendre, cela me procurerait peut-être une sorte d'apaisement. Je suis tout à fait désorientée, perdue, tout cela semble n'avoir aucun sens. Cela me paraît si… inachevé.

Elle observa une courte pause.

— C'est absurde, n'est-ce pas, de dire une chose pareille ? Ma sœur ne cesse de me répéter que je ferais mieux de partir quelque temps pour essayer d'oublier les circonstances de sa mort. Mais je ne veux pas oublier. Je veux comprendre !

Dans le jardin, les oiseaux chantaient, la brise apportait les senteurs d'herbe.

— Connaissiez-vous bien Mr. Adinett ? Venait-il souvent vous rendre visite ?

— Assez souvent. Au moins une ou deux fois par mois, parfois davantage.

— Vous plaisait-il ?

Juno réfléchit un moment avant de répondre. La question semblait lui poser quelque difficulté.

— Je ne suis pas tout à fait sûre. Au début, oui. Il était très intéressant. Martin mis à part, je n'ai jamais entendu quelqu'un parler de façon aussi frappante de ses voyages. C'était une passion pour lui, expliqua-t-elle, et il décrivait les vastes étendues du Canada de telle sorte que l'on sentait à la fois leur beauté et la terreur qu'elles inspirent. On ne pouvait qu'admirer cette capacité chez lui. J'avais envie de l'écouter même si je n'avais pas toujours envie de croiser son regard.

C'était un choix de mots assez curieux et Charlotte le trouva très expressif. Elle n'avait pas été au procès, aussi ne disposait-elle que des photos parues dans la presse pour se forger une image d'Adinett, mais même ainsi elle avait été frappée par sa sévérité, une évidente capacité à contrôler, peut-être à masquer, ses émotions, dont elle pouvait parfaitement imaginer qu'elle mettait mal à l'aise.

Quelle sorte d'homme avait-il été ? Elle avait lu qu'il avait cinquante-deux ans mais elle ignorait par exemple s'il était petit ou grand.

— Comment le décririez-vous ? demanda-t-elle.

Juno réfléchit un moment.

— Il possédait une austérité, une dureté, très militaires, dit-elle finalement, une sorte de force intérieure comme si, ayant affronté les pires dangers, il avait découvert que cela ne l'intimidait pas. Il… il ne cherchait jamais à se rendre intéressant, si vous voyez ce que je veux dire. C'était un des traits que Martin admirait le plus chez lui.

À nouveau, ses yeux s'emplirent de larmes et elle voulut les chasser avec agacement.

— Je respectais cela, moi aussi, reprit-elle vivement. Cette force de caractère est si inhabituelle qu'elle est à la fois attirante et effrayante.

— Je crois comprendre, dit Charlotte. On a l'impression de se trouver face à des personnages invulnérables, très différents de nous-mêmes. Je me surprends souvent à trop parler et je sais que c'est dû à mon besoin de donner une meilleure image de moi.

Juno sourit avec une chaleur qui lui avait manqué jusque-là.

— Oui, n'est-ce pas ? Parce que nous connaissons nos propres faiblesses, nous pensons que les autres les voient aussi.

— Comment était-il physiquement ? Était-il grand ?

Charlotte se rendit subitement compte qu'elle parlait au passé comme s'il était déjà mort. Ce n'était bien sûr pas le cas, il était encore vivant quelque part, probablement à la prison de Newgate, attendant les trois dimanches légaux avant son exécution. Cette idée la rendit malade. Et s'ils se trompaient tous ? Et si cet homme était innocent ?

— Oui, répondit Juno, bien plus que Martin. Mais Martin n'était pas très grand, à peine plus que moi.

Cette dernière remarque étonna Charlotte. Pour une raison ou pour une autre, et sans avoir vu le moindre portrait de lui, elle s'était fait une image bien différente de Martin Fetters.

Juno remarqua sa surprise.

— Voudriez-vous le voir ? demanda-t-elle, hésitante.

— Oui… s'il vous plaît.

Juno se leva pour aller chercher une photographie dans un cadre d'argent rangée à l'intérieur d'un petit bureau. Sa main tremblait quand elle la tendit.

Conservait-elle cette photo dans ce bureau pour éviter de la draper de noir, comme pour se convaincre que son mari était toujours en vie ? Charlotte en aurait fait autant. Pendant un bref instant, l'idée intolérable de la mort de Pitt déferla sur elle avec une telle violence qu'elle en resta hébétée.

Puis elle examina le visage dans le cadre. Massif avec un nez large et des yeux sombres très écartés, on y sentait autant d'intelligence que d'humour mais aussi, et surtout, un caractère prompt à s'enflammer. C'était le visage d'un homme vulnérable, mû par des émotions intenses. Adinett et lui partageaient peut-être de nombreux centres d'intérêt mais leurs natures, pour autant qu'elle pouvait en juger, avaient été très différentes. Leur seul point commun semblait être ce regard direct. Si Martin Fetters avait mis des gens mal à l'aise, cela avait dû être par sa sincérité et son honnêteté.

Elle rendit le portrait à Juno avec un sourire compatissant. À n'en pas douter, son époux avait été un homme unique en son genre. Elle ne trouvait pas de mots qui auraient pu la soulager de la douleur de sa perte.

Juno rangea le cadre là où elle l'avait pris.

— Voulez-vous voir la bibliothèque ?

La question était lourde de sens. C'était là qu'il avait travaillé, là qu'il gardait ses livres, la clé de son esprit. C'était là aussi où il avait été tué.

— Oui, s'il vous plaît, répéta Charlotte.

Elle suivit son hôtesse dans le couloir puis dans l'escalier. Juno se raidit à l'approche de la porte mais tourna la poignée sans hésiter.

Elles pénétrèrent dans une pièce très masculine, véritable refuge consacré uniquement à la lecture et aux livres. Ce qui frappait, c'était moins leur nombre que la façon à l'évidence très méthodique avec laquelle ils étaient classés. Un seul mur leur échappait, occupé par une cheminée protégée par un pare-feu de cuivre capitonné de cuir vert.

Le regard de Charlotte se porta aussitôt sur le grand fauteuil dans le coin opposé de la pièce puis, à sa gauche, sur le marchepied verni adossé aux étagères. Muni de trois marches et d'une longue perche centrale pour se tenir, il s'avérait effectivement nécessaire pour atteindre la partie supérieure de la bibliothèque. Si Martin Fetters était à peine plus grand que Juno, il devait nécessairement y grimper afin de pouvoir lire les titres sur l'étagère du haut. Il semblait improbable qu'il y ait rangé ses ouvrages les plus souvent consultés.

Le fauteuil, quant à lui, était maintenant placé à deux bons mètres du coin, tourné vers le centre de la pièce. Étant donné la position de la fenêtre et des brûleurs à gaz sur le mur, c'était l'emplacement idéal et évident pour se livrer à la lecture.

Juno devinait le fil de ses pensées.

— Il se trouvait là, dit-elle en poussant le grand siège de tout son poids près du mur et des étagères. Martin gisait ici, à moitié caché, et le marchepied était là.

Pour atteindre l'endroit où avait dû se trouver la tête de Martin Fetters, Charlotte fut forcée de s'agenouiller derrière le fauteuil. Dans cette position, il était impossible de voir la porte. Elle se releva.

Juno l'observait. Elles échangèrent un regard éloquent : toutes deux étaient convaincues que le crime s'était bien déroulé comme Pitt l'avait dit.

Charlotte examina la pièce plus attentivement, déchiffrant les titres des livres. Tous ceux qui se trouvaient sur les étagères les plus accessibles portaient sur des sujets dont elle finit par comprendre les caractéristiques communes.

Les plus éloignés du fauteuil étaient des ouvrages techniques portant sur le travail de l'acier, les transports, les langues, les coutumes et la topographie de la Turquie en particulier et du Moyen-Orient en général. Ensuite venaient les études concernant d'anciennes cités fameuses : Éphèse, Pergame, Smyrne et Byzance.

D'autres abordaient l'histoire et la culture de l'islam turc sous tous ses aspects : croyances, littérature, architecture et arts. Toutes les périodes, depuis Saladin et l'époque des croisades, étaient traitées ; ainsi que tous les personnages majeurs, ses plus grands sultans, jusqu'à son précaire état politique actuel.

Juno ne la quittait pas des yeux.

— Martin s'est mis à voyager quand il a commencé à bâtir des chemins de fer en Turquie, dit-elle. C'est là qu'il a rencontré John Turtle Wood[1] qui l'a introduit à l'archéologie.

Il y avait de la fierté dans sa voix et de la douceur dans ses yeux.

— Il avait beaucoup de talent et il a mis au jour de véritables merveilles. Quand il les rapportait à la maison, il adorait me les montrer. Il se tenait là, dans cette pièce, avec ces objets dans les mains… Il avait de très belles mains, fortes et délicates. Il les faisait tourner lentement, les effleurant du bout des doigts, m'expliquant d'où ils venaient, de quelle époque, à quoi ils servaient et qui étaient les gens qui les utilisaient.

« Il me décrivait leur vie quotidienne. Je me souviens d'une pièce de poterie que j'avais prise pour une simple jarre alors qu'il s'agissait en fait d'un flacon pour un baume ou un onguent. J'ai peut-être trop d'imagination mais en l'écoutant parler avec une telle flamme, je croyais voir Hélène de Troie, une femme pour laquelle deux nations se sont livrées une guerre qui a duré dix ans, ici, dans cette même pièce, en train de s'apprêter.

Charlotte oublia un instant sa propre rage contre l'injustice faite à Pitt car s'imposait à elle la réalité de la perte d'un homme qui avait été si plein de vie, de rêves et d'ambitions et avait été si profondément aimé.

— Comment a-t-il rencontré Adinett ?

Juno fit un effort visible sur elle-même pour revenir au présent.

— C'est arrivé bien plus tard, je ne sais pas exactement dans quelles circonstances. Martin avait beaucoup appris de Wood mais cela ne lui suffisait pas. Il a voulu rencontrer Heinrich Schliemann et travailler avec lui. C'est avec les Allemands qu'il a appris toutes

1. Architecte et ingénieur anglais employé par le British Museum (1820-1890). Il a mis au jour le temple d'Artémis à Éphèse. (*N. d. T.*)

sortes de nouvelles méthodes, vous savez, dit-elle avec un soudain enthousiasme. Ils dressaient une carte méthodique de chaque site sans rien laisser de côté. Ils ne se contentaient pas de ramasser quelques pièces ici et là. Grâce à ce procédé, on peut se représenter la manière de vivre des gens qui habitaient là jadis. Martin adorait cela, conclut-elle d'une voix soudain plus sourde.

— Quand était-ce ? demanda Charlotte en prenant place dans un des fauteuils.

Juno s'assit face à elle.

— Oh… je ne connaissais pas encore Martin quand il a rencontré Mr. Wood, mais je sais qu'ils ont commencé à travailler à Éphèse en 1863. Je crois que le British Museum a acheté le site en 1869, quand ils ont enfin mis au jour le temple d'Artémis et ce doit être l'année suivante que Martin a rencontré Mr. Schliemann. C'est alors qu'il est tombé amoureux de Troie. Il était capable de réciter des pages et des pages d'Homère, dit-elle, les yeux perdus dans le vague. La traduction en anglais, bien sûr, pas le texte original. Au début, j'ai pensé que cela m'ennuierait mais… non. Cela lui tenait tant à cœur que j'ai fini par me passionner moi aussi. C'était plus fort que moi.

— Et Adinett étudiait les mêmes sujets ? demanda Charlotte.

Juno parut surprise.

— Oh, non ! Pas du tout. Je ne crois pas qu'il se soit jamais rendu en Asie Mineure et il n'avait, à ma connaissance, aucun intérêt pour l'archéologie, ni aucune connaissance particulière en la matière. Martin me l'aurait dit.

Charlotte était perdue.

— Je croyais qu'ils étaient très amis et passaient beaucoup de temps ensemble…

— Effectivement, confirma Juno, mais pas pour parler d'archéologie. En fait, ils partageaient les mêmes idéaux et la même admiration pour d'autres peuples et cultures. Adinett s'était intéressé au Japon car son frère aîné avait été envoyé en poste à la légation britannique à Edo, la capitale. Je crois qu'elle a été attaquée par une nouvelle faction réactionnaire qui essayait de chasser tous les étrangers du pays.

— Il a voyagé jusqu'en Orient ? s'enquit Charlotte.

Elle ne voyait pas en quoi une telle information pouvait lui être utile mais, pour le moment, elle s'intéressait à tout ce qui se présentait.

— Je ne le pense pas, dit Juno. Il était simplement fasciné par leur culture. Il a assez longtemps vécu au Canada et il avait un ami japonais dans la Hudson Bay Trading Company. Ils étaient très proches. Il l'appelait Shogun… j'ignore s'il s'agit d'un nom ou d'un surnom.

— Il parlait souvent de lui ?

— Oh oui ! C'était passionnant, je dois dire. Je buvais ses paroles. Je le revois à table nous racontant ses voyages à travers ces vastes étendues de neige, nous décrivant la lumière, le ciel polaire immense et glacé, les créatures étranges et par-dessus tout la beauté.

« Il y avait là-bas quelque chose qu'il aimait et cela s'entendait dans sa voix.

« Apparemment, il s'est produit un bref soulèvement dans le Manitoba en 1869 et en 1870 dirigé par un Canadien français, un certain Louis Riel. Ils reprochaient aux Britanniques de prendre le pouvoir et en avaient exécuté quelques-uns. Les Britanniques ont alors envoyé un corps expéditionnaire mené par le colonel Wolseley. Adinett et Shogun se sont portés volontaires pour servir de guides et ont retrouvé les soldats à Thunder Bay, à six cents kilomètres au nord-ouest de Toronto. Ils les ont conduits sur près de mille kilomètres. C'était surtout de cette expédition qu'il parlait.

Charlotte ne voyait rien d'utile dans tout cela, mais une telle conversation avait dû être bien plus intéressante que la plupart de celles qu'on tenait dans les dîners en ville.

— La rébellion a-t-elle été matée ?

— Oh, bien mieux que cela.

Devant l'air interloqué de Charlotte, Juno expliqua :

— En fait, Adinett a tissé des liens d'amitié avec les Canadiens français. Il parlait souvent d'eux avec beaucoup de verve. Il admirait les républicains français et leur passion pour la liberté et l'égalité. Il se rendait très souvent en France et jusqu'à il y a encore quelques mois. C'était cela qui le rapprochait de Martin, la passion pour les réformes sociales. Ils en discutaient pendant des heures, dit-elle en souriant. Sur la façon dont on pouvait s'y prendre. Martin avait tout appris de la Grèce antique, de la première démocratie ; Adinett, lui, s'inspirait plutôt de l'idéalisme révolutionnaire français, mais leurs espérances étaient similaires.

Les yeux de Juno s'emplirent à nouveau de larmes.

— Je n'imagine tout simplement pas ce qui aurait pu les amener à se quereller ! Et si nous nous trompions du tout au tout ? demanda-t-elle d'une voix tremblante.

Charlotte n'était pas prête à envisager cette éventualité.

— S'il vous plaît, essayez de vous souvenir si Mr. Fetters n'a pas exprimé une divergence d'opinion ou bien un mouvement de colère sur un sujet quelconque.

Cela semblait une piste bien mince. Qui, sinon un fou, irait jusqu'à la violence pour démontrer les mérites d'un système démocratique sur un autre ?

— Pas de colère, affirma Juno avec fermeté. Cependant, ces derniers temps, il semblait préoccupé. Mais il a toujours été très distrait quand son travail l'absorbait. Il était brillant dans son domaine, vous comprenez ? Il trouvait des pièces qui échappaient aux autres. Il discernait leur valeur. Dans les derniers temps, il écrivait davantage sur ce sujet dans différents journaux et il participait à des rencontres et des conférences. C'était un orateur très talentueux. Les gens aimaient l'écouter.

Charlotte n'avait aucun mal à l'imaginer. Elle avait été frappée par l'enthousiasme qui émanait de son visage sur la photographie.

— Je suis vraiment navrée…

Les mots lui échappèrent avant qu'elle ne songe à ce qu'ils allaient provoquer.

Juno parut se figer et il lui fallut quelques secondes avant de retrouver la maîtrise d'elle-même.

— Pardonnez-moi, dit-elle. Oui, quelque chose le troublait mais nous n'en parlions pas et je préférais ne pas l'interroger, cela n'aurait fait que l'agacer. Je n'ai aucune idée de ce dont il s'agissait. J'imagine que c'était en rapport avec l'une de ces sociétés historiques auxquelles il appartenait. Elles se chamaillent beaucoup entre elles. Il existe d'incroyables rivalités dans ce milieu, vous savez.

— Mais Adinett ne s'intéressait pas à l'Antiquité, n'est-ce pas ?

— Pas du tout. Il écoutait Martin se plaindre de ces controverses mais simplement parce que c'était son ami et parfois, je m'en rendais compte, cela l'ennuyait un peu. Tout cela ne nous aide pas, je le crains, fit Juno en la fixant.

— Pour le moment, non, admit Charlotte. Et pourtant, il y a forcément une raison. Nous ne savons pas par où commencer, voilà tout.

Elle se leva. Elle n'apprendrait rien de plus maintenant et elle avait déjà beaucoup abusé de l'hospitalité de Juno Fetters.

Celle-ci se leva à son tour, d'un mouvement très lent, comme écrasée de fatigue.

Charlotte sentait l'effroyable solitude de son deuil mais ne savait comment l'aider. Elle ne la connaissait que depuis deux heures à peine, il aurait été indélicat de proposer de lui tenir compagnie. Et puis, Juno préférait peut-être rester seule… ou, au contraire, peut-être désirait-elle par-dessus tout ne pas l'être. Les conventions qui exigeaient d'une jeune veuve qu'elle se retire de la société veillaient peut-être à préserver la décence mais elles ne faisaient qu'accentuer l'isolement et le chagrin.

— Pourrais-je revenir vous rendre visite ? demanda Charlotte.

Elle savait qu'elle risquait d'essuyer une rebuffade mais, au moins, par cette question elle laissait la décision à Juno.

— Je vous en prie… Oui… Je… Je veux savoir ce qui s'est réellement passé. J'ai besoin de…. faire quelque chose !

Charlotte lui rendit son sourire.

— Merci. Soyez sûre alors que je reviendrai.

Elle quitta la pièce, consciente que pour l'instant elle n'avait toujours rien trouvé qui puisse aider Pitt.

Gracie avait son plan, elle aussi. Immédiatement après le départ de Charlotte, elle abandonna ses tâches, mit son meilleur châle et son meilleur chapeau – elle n'en avait que deux – et sortit à son tour.

En prenant l'omnibus, il lui fallut un peu plus de vingt minutes pour arriver au commissariat de Bow Street que Pitt dirigeait jusqu'à hier. Elle y pénétra avec une farouche détermination comme pour le prendre d'assaut. Durant son enfance, les postes de police étaient des endroits qu'il fallait éviter à tout prix. Ce jour-là, elle s'y rendait délibérément. Pour cette cause-là, elle aurait été prête à aller en enfer s'il le fallait.

Elle marcha droit vers le bureau du sergent de garde qui la dévisagea avec un profond ennui.

— Oui, ma p'tite dame ?

Il ne prit même pas la peine de cesser de mâchonner son crayon.

— S'il vous plaît, je veux parler à l'inspecteur Tellman. C'est très urgent et ça a un rapport avec une de ses enquêtes. J'ai des renseignements à lui donner.

Il n'y avait, bien sûr, rien de vrai là-dedans.

Le sergent ne fut guère impressionné.

— Ah oui ? Et de quels renseignements s'agit-il ?

— De renseignements *très importants,* répliqua-t-elle. Et l'inspecteur Tellman sera pas content si vous me faites lambiner. Je m'appelle Gracie Phipps. Allez-lui dire et on verra s'il veut me voir ou pas.

Le sergent l'examina un moment avant de décider qu'en dépit de sa taille ridicule, cette jeune personne semblait suffisamment résolue pour provoquer très vite une gêne considérable.

— Bon, fit-il en soupirant, attendez ici. Je vais le prévenir.

Tellman apparut moins de cinq minutes plus tard. Toujours aussi svelte et austère, les cheveux impeccablement lissés en arrière, il portait un col si serré qu'on se demandait comment il respirait encore. Ses joues creuses étaient légèrement empourprées. Ignorant le sergent, il se dirigea droit vers Gracie.

— Qu'y a-t-il ? demanda-t-il à mi-voix. Que faites-vous ici ?

— Je suis venue voir ce que *vous* vous faites, répliqua-t-elle.

— Ce que je fais ? J'enquête sur des vols.

— Vous vous occupez de petits vols minables alors que Mr. Pitt a été renvoyé de son boulot et expédié Dieu sait où, que Mrs. Pitt a presque perdu la tête et que les enfants n'ont plus de père à la maison... Et vous, vous êtes après un vulgaire pickpocket !

114

— Ce n'est pas un pickpocket ! s'emporta-t-il tout en réussissant à ne pas hausser le ton. Mais un cambrioleur !

— Et c'est ça, votre raison ? fit-elle, sarcastique. Le magot d'un richard est plus important que ce qu'ils ont fait à Mr. Pitt ?

— Non ! Mais je n'ai pas les moyens de faire quoi que ce soit, s'indigna-t-il. Je n'existe même pas à leurs yeux ! Ils ont déjà envoyé quelqu'un d'autre le remplacer, alors que la place est encore chaude. Un certain Wetron, et il m'a expressément ordonné de laisser tomber, de ne même pas y penser. Ce qui est fait est fait, un point c'est tout.

— Et bien sûr, vous êtes l'obéissance faite homme, pas vrai ? Vous faites juste ce qu'on vous dit de faire ? le défia-t-elle, les yeux étincelants. Alors, j'imagine que je vais devoir m'occuper de ça toute seule. Ceci dit, je vous cache pas ma déception. Je comptais sur vous ; même si vous passez la moitié du temps à vous plaindre et à ronchonner, je croyais qu'au moins il y avait un peu de loyauté en vous… que vous étiez prêt à faire quelque chose pour ce qui est juste. Et ça, c'est pas juste !

— Bien sûr que ce n'est pas juste ! fit Tellman, rigide, la voix rauque. C'est même écœurant, mais certains ont le pouvoir d'agir ainsi. Vous ne les connaissez pas, vous ne savez pas qui ils sont, sinon vous ne parleriez pas ainsi. Il ne s'agit pas simplement de dire : « Ce n'est pas juste ce qui arrive à Mr. Pitt », en s'imaginant qu'ils vont répondre : « Bien sûr, vous avez raison ! » Mr. Wetron m'a ordonné de laisser tomber cette histoire et je sais qu'il va m'avoir à l'œil. Si ça se trouve, il est avec eux !

Gracie l'observa. La peur dans ses yeux était bien réelle et, pendant un instant, elle fut effrayée elle aussi. Elle savait qu'il était plus qu'attiré par elle – même s'il n'aurait jamais voulu le reconnaître – et que dévoiler ainsi ses émotions face à elle devait lui coûter. Elle décida de se montrer un peu plus gentille.

— Bon, mais faut pourtant qu'on fasse quelque chose ! On peut pas rester les bras croisés. Il est même plus à la maison. Ils l'ont envoyé à Spitalfields, et pas juste pour travailler mais pour y vivre.

Les traits de Tellman se durcirent comme s'il venait de recevoir une gifle.

— Je ne savais pas.

— Eh bien, maintenant, vous savez. Qu'est-ce qu'on va faire alors ?

Elle était en train de l'implorer, de lui demander une faveur, malgré tout ce qui les séparait. Pas plus que Tellman, Gracie n'était prête à admettre qu'il y avait quoi que ce soit entre eux. Pourtant, c'était vers lui qu'elle s'était spontanément tournée. Il était son allié naturel. Ce n'était que maintenant qu'elle s'interrogeait sur les raisons qui l'avaient poussée à venir le voir.

S'il avait remarqué le « on », il ne le montra pas. Il semblait très malheureux. Il jeta un regard par-dessus son épaule vers le sergent de garde qui les contemplait avec curiosité.

— Allons dehors ! dit-il sèchement, la prenant par le bras.

Il l'entraîna assez loin du commissariat pour être à l'abri des oreilles indiscrètes.

— Je ne sais pas ce que nous pouvons faire, répéta-t-il. Il s'agit du Cercle intérieur ! Au cas où vous ne le sauriez pas, c'est une société secrète, des gens qui ont le pouvoir de défier les lois et peut-être même de les transformer à leur guise. Ils auraient sauvé Adinett si Mr. Pitt n'était pas intervenu, et ils ne le lui pardonneront jamais. D'autant plus que ce n'est pas la première fois qu'il se met en travers de leur route.

— Mais qui sont ces gens ?

— Vous ne m'écoutez donc pas ? C'est bien là le problème, personne ne sait qui ils sont ! Des personnages très haut placés, ça c'est sûr, mais que personne ne connaît, sauf eux.

Elle frissonna malgré elle.

— Vous voulez dire que même le juge pourrait être avec eux ?

— Bien sûr ! Sauf que ce n'était pas le cas cette fois, sinon il aurait trouvé le moyen d'innocenter Adinett.

— Eh bien, fit-elle d'un air décidé, ça change rien. Il faut quand même qu'on fasse quelque chose. On ne peut pas le laisser pourrir dans un trou crasseux sans même pouvoir rentrer chez lui le soir. Si je vous écoute, c'est comme si Adinett n'avait rien fait à ce... comment il s'appelle déjà ?

— Fetters. Non, ce n'est pas ce que je dis. Il l'a tué, il n'y a aucun doute. Mais nous ne savons pas pourquoi.

— Alors, il faut trouver et vite, pas vrai ? C'est vous le policier. Par où on commence ?

Une étonnante succession d'expressions s'afficha sur le visage de Tellman : incrédulité, indécision, admiration, colère, fierté, peur.

Avec une pointe de honte, elle comprit soudain l'énormité de ce qu'elle lui demandait. Elle avait peu à perdre à côté de lui. Le nouveau commissaire lui avait formellement ordonné de ne plus s'occuper de cette affaire, s'il apprenait que Tellman lui avait désobéi, il le ferait chasser de la police. Et elle savait à quel point il avait travaillé dur pour parvenir à ce poste. Il n'avait jamais demandé, ni reçu, la moindre faveur. C'était un solitaire qui n'avait plus de famille et ne comptait qu'un tout petit nombre d'amis. C'était aussi un homme fier qui attendait peu de la vie et ne supportait pas l'injustice.

Il avait éprouvé de l'amertume quand Pitt avait été promu commissaire, un poste qu'il visait lui aussi. Pitt n'était pas un aristocrate, c'était un homme du commun, le fils d'un garde-chasse, et n'était donc pas mieux que Tellman et des centaines d'autres dans la police. Mais, à travailler côte à côte, ils avaient fini par éprouver l'un vis-à-vis de l'autre une réelle estime et une loyauté que Tellman aurait trouvé parfaitement indécent de trahir. Gracie le savait.

— Par où commençons-nous ? répéta-t-elle. S'il a fait ça, c'est qu'il avait une bonne raison. À moins d'être cinglé, on va pas tuer les gens pour le plaisir.

Tellman se tenait au milieu du trottoir, plongé dans ses pensées, tandis que voitures et attelages se bousculaient dans Bow Street et que les passants étaient obligés de descendre sur la chaussée pour les contourner.

— Je sais, dit-il. Nous avons tout fait pour trouver un mobile. Mais personne n'a entendu parler ne serait-ce que d'une dispute entre eux. Il n'y avait ni argent, ni femmes, ni rivalité en affaires entre eux. Et en politique, ils partageaient les mêmes opinions.

— Eh bien, ça veut dire que vous n'avez pas vraiment tout fait. Comment s'y prendrait Mr. Pitt, s'il était là ?

— Comme il s'y est déjà pris, répliqua-t-il. Il a examiné tout ce qu'ils avaient en commun pour voir s'ils avaient pu se quereller sur un sujet quelconque. Nous avons parlé à tous leurs amis, à toutes leurs connaissances, à tout le monde. Nous avons fouillé sa maison, lu ses papiers. Il n'y avait rien.

Debout dans le soleil, elle se mordait la lèvre, les yeux levés vers lui. On aurait dit une enfant au bord des larmes. Elle était bien trop maigre et, malgré son âge, devait encore raccourcir toutes ses robes.

— On ne tue pas quelqu'un pour rien, répéta-t-elle avec obstination. Et il a fait ça d'un coup, c'est donc qu'il s'est passé quelque chose juste avant. Faut trouver ce qu'il a fait pendant les jours qui ont précédé le meurtre. Il y a sûrement quelque chose !

Elle ne put se résoudre à ajouter « s'il vous plaît ».

Il hésitait, non par mauvaise volonté, mais simplement parce qu'il ne voyait pas quoi faire.

Mais Gracie attendait, le fixant avec une intensité douloureuse. Il devait lui donner une réponse et il ne supportait pas de lui dire non. Elle ne comprenait pas. Elle n'avait pas idée des difficultés, de tout ce que Pitt et lui-même avaient accompli au cours de l'enquête. Elle ne voyait que la loyauté, la nécessité de se battre pour ceux qu'elle aimait, ceux dont elle partageait la vie.

Bien sûr, Pitt était victime d'une injustice flagrante, mais l'injustice était la seule denrée inépuisable en ce monde. Parfois, on pouvait y changer quelque chose, parfois on ne le pouvait pas. C'était de la folie de perdre son temps et ses forces dans des combats perdus d'avance.

Gracie attendait toujours, refusant de croire qu'il ne serait pas de son avis.

Il ouvrit la bouche pour lui dire à quel point ce serait vain, qu'elle ne comprenait pas, et il s'entendit prononcer les mots qu'elle désirait entendre.

— Je vais essayer de découvrir ce qu'Adinett a fait durant les derniers jours avant le meurtre.

C'était ridicule !

— Je ne sais pas quand, continua-t-il sur la défensive. Je vais devoir prendre sur mon propre temps. Si Wetron me renvoie de la police, je ne serai plus utile à personne.

— Oui, acquiesça-t-elle, raisonnable, avant de lui adresser un sourire si soudain, si radieux qu'il sentit son cœur s'affoler et son visage se colorer violemment.

Il se détesta d'être aussi vulnérable.

— Je viendrai vous prévenir si je trouve quelque chose, aboya-t-il. Maintenant, allez-vous-en et laissez-moi travailler !

Et, sans même la regarder, il fit volte-face pour retourner au commissariat.

Tellman se mit à l'œuvre le soir même, tout de suite après son travail. Il acheta en guise de dîner à un vendeur ambulant une tourte chaude qu'il mangea tout en remontant Endell Street.

Qui pouvait être au courant des faits et gestes d'Adinett, juste avant et après la mort de Fetters ?

Il mordit sa tourte, veillant à ne pas faire gicler son contenu sur sa veste.

Adinett n'avait nul besoin de gagner sa vie. Il pouvait passer son temps comme il l'entendait. Apparemment, cela consistait à traîner dans des clubs, la plupart ayant un lien avec l'armée ou les voyages d'exploration comme la National Geographic Society et autres du même genre. Tel était le lot de ceux qui avaient hérité leur fortune et pouvaient se permettre le luxe de l'oisiveté. Tellman méprisait cela avec toute l'exaspération d'un homme qui avait vu trop de ses semblables s'épuiser au travail et pour qui le seul répit consistait à aller dormir en ayant encore faim et froid.

Il passa devant un vendeur de journaux.

— Un journal, m'sieu ? l'invita le gamin. Vous savez pour Mr. Gladstone[1] ? Il aurait insulté les travailleurs de ce pays, selon Lord Salisbury[2]. Certains vont avoir droit à une journée de huit heures seulement... avec de la chance.

1. William Ewart Gladstone (1809-1898) : homme politique, plusieurs fois Premier ministre, à l'origine de réformes sociales. (*N. d. T.*)
2. Robert Arthur Talbot Gascoyne Cecil, troisième marquis de Salisbury (1830-1903), leader conservateur, opposant de Gladstone. (*N. d. T.*)

Tellman lui prit la dernière édition, non pour les nouvelles politiques mais à cause des anarchistes.

Il accéléra le pas, réfléchissant à son problème. Retracer les allées et venues de suspects ou de témoins faisait partie de son travail. Mais le faire en toute discrétion, sans se servir de l'autorité conférée par son grade de policier, était très différent. Il allait devoir rappeler certaines faveurs accordées par le passé et peut-être en promettre d'autres pour le futur.

Il décida de commencer par les conducteurs de cab. Ceux-ci possédaient généralement des territoires de prédilection et si Adinett avait utilisé leurs services – ce qui était probable dans la mesure où il ne possédait pas son propre attelage –, il avait sans doute plus d'une fois fait appel au même cocher.

Par contre, s'il utilisait les omnibus ou, plus surprenant encore, le métropolitain, Tellman n'avait pratiquement aucune chance de retracer ses déplacements.

Les deux premiers cochers qu'il rencontra ne lui furent d'aucune aide. Le troisième lui indiqua certains de ses collègues mais sans la moindre certitude.

À neuf heures et demie, éreinté, les pieds en compote et s'en voulant amèrement d'avoir cédé à une impulsion aussi grotesque, Tellman aborda son septième cocher, un petit homme mal rasé, à la toux sèche, qui lui rappela son propre père ; celui-ci travaillait toute la journée comme porteur sur le marché aux poissons de Billingsgate avant de conduire un cab la moitié de la nuit, et ce quel que soit le temps, afin de nourrir sa famille et de lui garder un toit. Ce fut peut-être en raison de ce souvenir qu'il s'adressa à l'homme avec sympathie.

— Vous avez un peu de temps ?

— Vous voulez aller quelque part ?

— Pas exactement. J'ai besoin d'informations pour aider un ami dans le besoin. Et j'ai faim. Vous voulez bien me consacrer dix minutes en mangeant une tourte chaude et boire une bière ?

— Sale journée. J'ai pas les moyens de m'offrir une tourte.

— C'est moi qui régale, lui dit Tellman.

Il avait peu d'espoir d'apprendre quoi que ce soit d'utile mais il voyait le visage de son père sous les traits harassés de cet homme. En lui offrant un repas, il avait l'impression de régler une dette envers le passé.

Le cocher haussa les épaules.

— Si ça vous chante.

Mais il se dépêcha de laisser son cheval dans son box pour l'accompagner vers le vendeur ambulant le plus proche. Il accepta sa tourte sans discuter.

— Qu'est-ce que vous voulez savoir ?

— Vous ramassez souvent du côté de Marchmont Street ?

— Ouais. Pourquoi ?

Tellman avait veillé à emporter une photo d'Adinett qu'il lui montra.

— Vous l'avez déjà pris ?

Le cocher loucha sur le cliché.

— C'est pas le type qui a tué celui qui passait son temps à déterrer des poteries ?

— Oui.

— Vous êtes de la police ?

— Oui… mais je ne suis pas en service. Je cherche juste à aider un ami. Je ne peux pas vous obliger à me parler si vous n'en avez pas envie. Il ne s'agit pas d'une enquête et je me ferais sans doute virer si on apprenait ce que je fais.

Le cocher le dévisagea avec curiosité, surpris par une telle franchise de la part d'un policier.

— Pourquoi vous le faites, alors ?

— Je vous l'ai dit, un de mes amis a des ennuis, répéta Tellman.

Le cocher lui lança un regard en coin.

— Alors, si j'vous aide, vous m'aiderez… un jour où vous serez en service, par exemple ?

— C'est possible, concéda Tellman. Cela dépend de ce que vous me direz.

— Ouais, j'ai déjà pris ce type, plusieurs fois même. Un aristo bien sapé, genre ancien soldat. On a l'impression qu'il est toujours au garde-à-vous. Mais pas radin. Il laissait de bons pourboires.

— Où l'avez-vous conduit ?

— Dans des tas d'endroits. Le plus souvent, dans les quartiers chics. Des clubs pour snobinards…

— Quel genre de clubs ? Vous rappelez-vous les adresses ?

Tellman ne savait pas pourquoi il insistait. Même si le cocher lui donnait les adresses de ces clubs huppés, à quoi cela lui servirait-il ? Il n'avait pas autorité pour y enquêter. Mais au moins il pourrait dire à Gracie qu'il avait essayé.

— Pas vraiment. Mais y en avait un où j'étais jamais allé, un truc qui avait un rapport avec la France. Avec Paris, pour être précis. Son nom, c'était une année.

— Une année ? Que voulez-vous dire ? demanda Tellman, perplexe.

— Ben, il s'appelait 1700 quelque chose, dit le cocher en se grattant la tête. Ah, le 1789… voilà, c'est ça.

— Et nulle part ailleurs ?

— Je mangerais bien une autre tourte.

Tellman la lui paya, pour sa santé plutôt que par réel désir de le corrompre.

— Il y a eu aussi un journal, continua le cocher après avoir englouti pratiquement la moitié de la tourte en une seule bouchée. Celui qui parle sans cesse de réforme. Il en est sorti avec Mr. Dismore, le proprio. Je le sais parce que j'ai vu sa tête dans les journaux.

Cela n'avait rien de surprenant. Tellman savait déjà qu'Adinett connaissait Thorold Dismore.

Le cocher lui adressa alors un clin d'œil goguenard.

— C'est pour ça que j'ai trouvé vraiment bizarre qu'un gentleman comme lui me demande de le conduire en plein dans Spitalfields, à Cleveland Street pour être précis. Ça se trouve au-delà de Mile End Road. Après son tour là-bas, il était tout excité comme s'il avait trouvé quelque chose de merveilleux. Mais y a rien de merveilleux à Spitalfields, à Whitechapel ou à Mile End et ça je peux vous le dire pour rien.

— Vous l'avez conduit à Cleveland Street ? demanda Tellman, étonné.

— C'est bien ce que j'ai dit. Et pas une mais deux fois !

— Quand ?

— Juste avant qu'il aille voir ce Mr. Dismore au journal. Comme je vous disais, il était tout excité. L'autre fois, c'était un ou deux jours après qu'il a tué ce pauvre gars. Bizarre, hein ?

— Merci, dit Tellman avec une émotion soudaine. Merci beaucoup. Laissez-moi vous offrir une bière avant de reprendre votre travail.

— Ah ça, j'ai rien contre !

CHAPITRE V

Pitt trouvait la vie à Heneagle Street particulièrement pénible. Non qu'Isaac et Leah ne la lui rendissent pas aussi confortable que le permettaient leurs moyens. Leah était une excellente cuisinière, mais la nourriture était fort différente de celle à laquelle il était habitué, et puis ici, il ne pouvait manger qu'à heures fixes ; pas de tasse de thé quand l'envie lui en prenait, pas de pain fait maison avec du beurre et de la confiture, pas de gâteau. Tout lui était étranger et, s'il s'endormait épuisé à la fin de la journée, il ne trouvait pas le repos pour autant.

Charlotte lui manquait, les enfants aussi et même Gracie. C'était un réconfort certain de savoir que de l'argent continuait à être versé à Charlotte chaque semaine, mais voir Isaac et Leah ensemble, surprendre les regards qu'ils échangeaient et qui trahissaient des années de compréhension mutuelle, entendre parfois leurs rires, la façon dont elle le taquinait à propos de sa santé, remarquer la douceur de ses mains quand il la touchait, tout cela ne faisait qu'accentuer cruellement son sentiment de solitude.

Vers la fin de la première semaine, Pitt prit conscience que quelque chose le consumait, lui nouait le ventre et lui donnait ce mal de crâne quasi permanent.

Il avait accepté l'offre d'Isaac de l'aider à se faire embaucher chez Saul, le tisseur de soie. Bien sûr, il s'agissait d'un emploi qui ne demandait aucune qualification particulière : il suffisait de courber le dos pour soulever des caisses et des balles, de balayer le sol, d'aller chercher ceci ou cela dans l'atelier et d'effectuer des courses à travers le quartier. C'était la tâche la plus sommaire de l'établissement et la paie était en conséquence, mais c'était mieux que rien et sans doute physiquement moins dur que le travail à la fabrique de sucre. Cela lui permettait aussi de se retrouver assez souvent dans les rues, d'écouter et d'observer sans se faire remarquer. Cependant, l'arrestation récente de deux anarchistes, Nicoll et Mowbray, qui s'était déroulée le jour même de son témoignage au procès Adinett, démontrait clairement que les agents de la Special Branch n'avaient nul besoin de ses services pour mener à bien leur mission.

Il était en train de rentrer à Heneagle Street quand il entendit des cris devant lui. De fureur, à n'en pas douter. Les voix étaient fortes et, un instant plus tard, il y eut un fracas comme celui d'une bouteille se brisant sur le sol. Une exclamation de douleur fut suivie par un torrent de jurons. Une femme hurla.

Pitt se mit à courir.

D'autres cris retentirent puis ce fut le vacarme d'un chargement de tonneaux qui cascadaient et s'écrasaient à terre, plusieurs se fracassant sous le choc. Un hurlement de rage domina un instant le tumulte.

Arrivé au coin de la rue, Pitt découvrit une vingtaine de personnes massées un peu plus loin, certaines masquées par un chariot dont le hayon était ouvert. Les tonneaux roulaient dans la rue, bloquant la circulation. Une bagarre générale avait déjà éclaté, violente, vicieuse.

Des gens sortaient des boutiques et des ateliers, la moitié d'entre eux se jetant dans la mêlée. Des femmes sur le côté beuglaient des encouragements. L'une d'entre elles se baissa pour ramasser un pavé descellé et le lancer, son bras décrivant un arc de cercle, ses jupes déchirées virevoltant.

— Retourne chez toi, truie papiste ! hurla-t-elle. Retourne en Irlande !

— J'suis pas plus irlandaise que toi, morue ! rétorqua une autre avant de lui asséner un coup de manche à balai si puissant qu'il se fracassa sur son dos et l'expédia dans le caniveau où la femme resta un moment, le souffle coupé, avant de s'agenouiller lentement en proférant une lente litanie d'injures.

— Papiste ! mugit une autre. Putain !

De nouveaux venus, hommes et femmes, se mêlèrent à la rixe, y ajoutant leurs coups et leurs insultes. Plusieurs enfants dépenaillés trépignaient sur place, braillant, soutenant alternativement les uns et les autres.

Un sifflet de policier retentit soudain, aigre et perçant, provoquant une accalmie au cours de laquelle on entendit le bruit d'une course.

Pitt fit volte-face. Voyant un agent accourir, il recula sous l'arche d'un portail. Ce n'était pas son travail de mettre un terme à cette pagaille. Narraway attendait de lui qu'il reste en retrait et se contente d'observer. Ce n'était qu'une de ces innombrables et vilaines scènes de rue qui devaient se produire fréquemment et ne surprenaient plus personne.

D'autres policiers surgirent et tentèrent de séparer les belligérants ; ils furent récompensés de leurs efforts en devenant à leur tour les victimes. La haine de la police semblait la seule chose que la foule avait en commun.

— Maudits poulets ! hurla un homme en battant l'air de ses poings, cherchant à frapper tout ce qui passait à sa portée. Bande de crétins ! Salopards ! Porcs !

Un agent lui expédia un coup de matraque et le rata.

Resté dans l'ombre, Pitt regarda autour de lui les immeubles délabrés et repeints par la fumée de milliers de cheminées, les vitres brisées, les pavés descellés, les caniveaux qui débordaient, exhalant des relents de pourriture. Cette bagarre avait quelque chose de malsain ; ce n'était pas un simple accès de colère mais l'expression d'une rage accumulée depuis des années que la police écrasait encore une fois à coups de matraque...

Pitt se détourna et s'éloigna avant d'être remarqué et repéré. Tête baissée, le chapeau profondément enfoncé sur le front, il tourna au premier coin de rue. Dès son installation dans le quartier, il n'avait pas tardé à prendre conscience du ressentiment général, de l'exaspération toujours présente, de la rapidité avec laquelle les gens se sentaient offensés. Maintenant, il venait de voir la brutalité inouïe avec laquelle cette rage pouvait éclater à tout instant. Il suffisait d'un rien, d'une insulte réelle ou supposée, d'une remarque insignifiante.

Cette fois, la police était rapidement arrivée sur les lieux et un semblant d'ordre avait été restauré, mais rien n'avait été réglé. La virulence du sentiment anti-catholique le surprenait. Il ignorait qu'il existât autant de synonymes aussi péjoratifs au mot « papiste ».

L'antisémitisme l'étonnait moins car il y était habitué, il connaissait trop cette volonté de déshumanisation, ce ressentiment, ce blâme venu du fond des siècles.

Il pénétra dans le premier pub venu, prenant place à une table près du comptoir avec un pichet de cidre.

Dix minutes plus tard, un jeune homme aux épaules maigres entra, un doigt enveloppé dans un bout de tissu ensanglanté.

— Eh, Charlie ! fit le serveur. Qu'est-ce qui t'est arrivé ?

— M'suis fait mordre par un sale rat, rétorqua Charlie avec fureur. File-moi une pinte. Si on me payait la moitié du boulot que je fais, je me prendrais bien un whisky ! Mais y a personne à Spitalfields qui gagne ce qu'il mérite.

— C'est quoi, ton problème ? Au moins, t'as un travail, dit avec amertume un homme très pâle en levant les yeux de sa demi-pinte. Tu devrais t'estimer heureux.

Excédé, Charlie se tourna vers lui.

— Je devrais m'estimer heureux parce que je marne jour et nuit pour des porcs qui s'engraissent sur mon dos et sur le dos de tous les autres pauvres gars comme moi ? En fait, mon problème, c'est pas ces richards, mais les trouillards comme toi qui sont pas prêts à se battre pour leurs droits… le voilà, mon problème ! Et c'est le problème de tout le monde par ici ! Les types dans ton genre qui font le mort dès qu'on les regarde de travers !

— Vous allez tous nous faire massacrer, bande de malades ! rétorqua l'autre, s'accrochant à sa chope comme à un bouclier.

Dans son regard, la colère luttait contre la peur qui le tenaillait jour et nuit : la peur de la faim, la peur du froid, la peur d'être blessé ou la peur d'être exclu.

Un blond les dévisagea l'un après l'autre.

— Alors, vas-y… raconte un peu, Charlie, qu'est-ce que tu veux faire au juste ? On s'met tous derrière toi et après ? Vas-y, on t'écoute, dit-il.

Charlie le fixa, le visage toujours crispé par la fureur. Mais il était clair qu'il réfléchissait soigneusement à sa réponse.

— Crois-moi, Wally, y aurait de sacrés changements. On verrait le jour où un homme serait payé selon son mérite et pas selon ce que des cochons obèses choisissent de lui donner. Tout ce qu'ils veulent c'est éviter de nous faire crever de faim pour la simple raison qu'on peut pas faire trimer les morts !

— Tu rêves ! fit Wally.

À l'évidence, il avait trop souvent entendu ces paroles et les trouvait vides de sens.

Charlie cogna si violemment sa chope déjà vide sur le comptoir qu'elle laissa une entaille dans le bois.

— S'il y avait un peu plus de vrais hommes par ici, au lieu de ces papistes pleurnichards et de ces Juifs qui grouillent partout, on pourrait s'battre pour de bon !

Comme ces maudits Frogs[1] l'ont fait à Paris ! On n'a qu'à trancher quelques gorges et on verra vite si tous ces milords changent pas d'avis !

Un homme brun frissonna en se mordant les lèvres.

— Tu devrais pas dire des choses pareilles ! prévint-il. Tu sais pas qui t'écoute. Tu vas nous attirer des ennuis et ce s'ra encore pire.

— Comment ça pourrait être pire ? explosa Charlie. Qu'est-ce qu'il y a de pire que ça ? Tu crois qu'une bande de flics va se pointer ici pour tous nous embarquer à la Tour[2] ? Qu'ils vont tous nous mettre au trou ? On est des centaines et des milliers à se faire exploiter par une poignée de bâtards oisifs qui se pavanent dans les beaux quartiers, qui se gavent à s'en faire péter le pantalon. En plus, ils ont les cognes dans leurs poches, ajouta-t-il en regardant autour de lui, défiant quiconque de le démentir. C'est pour ça qu'ils ont jamais attrapé l'assassin de Whitechapel, celui qui a tué toutes ces pauvres filles en 1888. Croyez-moi, cet éventreur, c'est l'un d'entre eux… et ça, c'est la vérité du bon Dieu !

— Tu devrais pas dire des choses pareilles !

Un vieil homme aux cheveux gris avait été le premier à lui répondre.

— Je dis ce que je veux !

Quelqu'un, quelque part, se mit à rire avant de se taire tout aussi subitement.

Un autre, au dos voûté, leva sa chope.

— À la tienne, mon gars ! Et à hier, parce que demain tu risques de pas être là pour le voir !

Il avala son verre entier sans reprendre une seule fois son souffle.

— Ferme-la, crétin ! marmonna son voisin, les poings serrés sur la table.

---

1. Frogs : grenouilles, Français. (*N. d. T.*)
2. La Tour de Londres : a longtemps servi de prison, notamment pour certains souverains. (*N. d. T.*)

Le buveur battit aussitôt en retraite.

— J'ai rien dit ! fit-il. Notre jour viendra !

— Ouais, et on verra combien de sucre on pourra leur faire bouffer, ajouta son compagnon entre ses dents.

— Dis encore une fois sucre et je t'étale pour le compte ! menaça le premier, soudain enragé. Je m'entraînerai sur toi avant de m'occuper de tous ces étrangers qui pourrissent notre ville et nous volent ce qui nous appartient.

Cette fois, il n'y eut pas de réplique.

Pitt détestait tout dans ce pub – sa puanteur, la rancune qui y suintait, le sentiment de défaite, les reflets de la lumière au gaz sur les vieilles chopes en étain, la sciure maculée sur le sol –, mais son travail était d'écouter. Alors, il se tassa sur lui-même et continua à boire son cidre.

Une demi-heure plus tard, deux filles des rues, des gamines encore, firent leur apparition, visiblement à la recherche de clientèle. Elles semblaient fatiguées, sales, trop vieilles déjà et, pendant un instant, Pitt fut aussi furieux que l'avait été Charlie, à cause de la misère et du désespoir qui obligeaient des femmes à marcher seules dans les rues ou à entrer dans des pubs pour vendre leur corps à des inconnus. C'était une façon sordide et dangereuse de gagner un peu d'argent. C'était aussi – apparemment – plus facile que de s'échiner dans une usine ou dans un atelier et, à court terme, plus rentable.

Il y eut un rire, gras, sonore.

Un homme à la table voisine de celle de Pitt noyait son chagrin, terrifié à l'idée de rentrer chez lui pour annoncer à sa femme qu'il venait de perdre son emploi. Il était sans doute en train de boire le peu d'argent qui lui restait, le loyer de la semaine suivante, la nourriture du lendemain.

Un jeune homme nommé Joe disait à son ami Percy comment il comptait épargner assez d'argent pour acheter sa propre charrette à bras et aller vendre des balais et des seaux un peu plus loin à l'ouest, dans un quartier plus sûr où il pourrait augmenter un peu ses profits. Un jour, il déménagerait et s'installerait ailleurs, pour de bon.

Pitt se leva. Il n'apprendrait rien de plus et tout ce qu'il avait déjà entendu, Narraway le savait déjà. L'East End était un lieu de malheur où le moindre incident pouvait déclencher une émeute. Celle-ci serait matée par la force et des centaines de personnes y trouveraient la mort. La rage serait encore écrasée, jusqu'à la fois suivante. Il y aurait quelques articles dans les journaux. Les politiciens feraient part de leurs regrets avant de retourner aux affaires sérieuses : s'assurer que tout restait exactement comme avant, qu'absolument rien ne changeait.

Accablé, il prit la direction de Heneagle Street.

Les remarques sur le sucre avaient semblé hors de propos, et pourtant elles avaient été prononcées avec une telle amertume qu'elles restèrent plusieurs jours gravées dans son esprit. Il avait compris d'après les conversations surprises ici ou là que beaucoup de gens étaient dépendants d'une façon ou d'une autre des trois fabriques de sucre de Spitalfields. L'argent qui y était gagné était dépensé dans les boutiques, dans les tavernes et dans les rues du quartier.

Cette amertume ne s'expliquait-elle que par cette dépendance et la crainte de voir leur unique source de revenus disparaître ? Ou s'agissait-il de quelque chose de plus spécifique ?

Il repensa aux paroles de Narraway ; celui-ci redoutait un danger imminent, il ne s'agissait pas du ressentiment sous-jacent habituel. Les circonstances avaient changé ; le mélange de gens de diverses origines s'était accru et semblait créer une situation plus explosive que par le passé.

Mais qu'avait-il à lui dire ? Qu'il avait raison ? Si c'était le cas, la solution dépendait des politiques, des réformes qu'ils étaient prêts à entreprendre, et non de la police. La société avait cultivé sa propre destruction ; les anarchistes se contenteraient d'allumer la mèche.

Peut-être ferait-il bien de s'intéresser davantage à la sucrière de Brick Lane, afin de connaître l'endroit, de jauger l'ambiance qui y régnait.

Le meilleur moyen consistait à s'y faire embaucher. Il ne connaissait rien au processus de fabrication du sucre mais les tâches rudimentaires ne devaient pas manquer.

Le lendemain matin, très tôt, il se rendit à l'usine, immense immeuble de sept étages qui semblait peser sur la ville tout entière, comme l'odeur infecte de sirop de canne pesait sur l'atmosphère.

Il n'eut aucune difficulté à franchir le portail d'entrée. Dans la cour, devant d'impressionnants empilages de barriques, on déchargeait des chariots arrivant des quais. Des hommes braillaient et s'éreintaient, soulevant, arrachant et poussant sous les grues imposantes.

— T'es qui, toi ? demanda soudain un type au cou de taureau.

Il portait un gilet de cuir luisant à force de constants frottements. Debout devant Pitt, il lui barrait la route.

— Thomas Pitt. Je cherche du travail.

— Ouais ? Et qu'est-ce tu sais faire ? fit l'autre en le toisant de la tête aux pieds. T'es pas du coin.

C'était une accusation, pas une question.

— On a besoin de personne, conclut-il.

Pitt regarda autour de lui les murs du bâtiment, la cour pavée, les immenses portes ouvertes donnant sur le rez-de-chaussée et les ouvriers qui allaient et venaient.

— Vous travaillez aussi la nuit ? s'enquit-il, curieux.

— Aux chaudières, ouais. Faut pas qu'elles s'éteignent. Pourquoi ? T'es prêt à bosser de nuit ?

Pitt n'en avait aucune envie.

— Il y a de l'embauche ? demanda-t-il néanmoins.

L'homme le scruta d'un peu plus près encore.

— Peut-être bien. Tu veux qu'on te mette sur la liste d'attente au cas où un des veilleurs de nuit tomberait malade ?

— Oui, dit immédiatement Pitt.

— T'habites où ?

— Heneagle Street, au coin de Brick Lane.

— Bon, peut-être qu'on te fera signe… et peut-être que non. Laisse ton nom et le reste au bureau.

Il désigna une petite porte sur le côté du bâtiment.

— D'accord, merci.

Il ne reçut aucune nouvelle de la sucrière pendant plusieurs jours mais travailler à l'atelier de soie de Saul se révélait bien plus intéressant qu'il ne s'y était attendu. Il se surprenait à admirer les délicates fibres brillantes et, sans même s'en rendre compte, se passionnait pour le tissage, la façon dont le subtil mélange de couleurs formait des motifs.

Un jour, c'était un milieu d'après-midi au début du mois de juin, il se retrouva en compagnie de Saul ; celui-ci l'observait avec amusement et, pour une fois, semblait détendu.

— Qu'est-ce que tu fais ici avec nous ? lui demanda-t-il. Ce n'est pas ton domaine.

— Je gagne ma vie, répondit Pitt en détournant les yeux.

Il aimait bien Saul qui avait été plus que généreux envers lui, mais il gardait en tête l'avertissement de Narraway : ne faire confiance à personne.

— Isaac m'a dit que c'est dur d'entrer à la fabrique de sucre si on n'y connaît personne.

— C'est vrai, acquiesça Saul. Tout le monde veut du travail. Et c'est dur de vendre dans la rue. On se fait facilement des ennemis. Chacun a son coin et on peut se faire couper la gorge parce qu'on a empiété sur celui du voisin.

Pitt se demanda quelles pressions Narraway avait exercées pour persuader Isaac de le loger et Saul de l'embaucher. Il avait remarqué que la plupart des Juifs qu'il avait rencontrés employaient leurs semblables, comme le faisaient toutes les autres communautés identifiables.

— Oui, on est à Spitalfields, dit Pitt avec un petit sourire.

Saul grogna.

— Bah, il y a des endroits bien pires qu'ici.

Pitt lui lança un regard incrédule.

— Tu peux me croire ! dit Saul avec force. Ici, c'est peut-être sale et pauvre et ça pue comme dans un trou de l'enfer… mais on y est plus en sécurité que dans d'autres coins que j'ai connus… en tout cas, pour le moment. Ici, on peut dire ce qu'on pense, lire ce qu'on veut, marcher dans les rues sans se faire arrêter. D'accord, on peut se faire attaquer, agresser par des voyous ou des fanatiques religieux. Mais ce n'est pas pire qu'ailleurs. Et, au moins, ce n'est pas organisé par le gouvernement. Comme partout, il y a des policiers corrompus, et la plupart sont incompétents… mais ils ne sont pas méchants… à part les quelques exceptions qui confirment la règle.

— Corrompus ? ne put s'empêcher de demander Pitt.

Cela avait été plus fort que lui : il aurait dû garder le silence.

Incrédule, Saul secoua la tête.

— Mais de quel pays tu viens, toi ?

Pitt ne dit rien.

— Il se passe toutes sortes de choses par ici, poursuivit Saul, de plus en plus grave. Et crois-moi, mieux vaut baisser les yeux et t'occuper uniquement de tes affaires. Si des gentlemen des beaux quartiers viennent traîner dans le coin, tu ne les vois pas, tu ne les connais pas. Tu comprends ?

— Vous voulez dire qu'ils viennent chercher des femmes ?

Pitt était surpris : les prostituées de catégorie supérieure ne manquaient pas ailleurs dans Londres.

Pourquoi venir jusqu'ici, dans ces quartiers pouilleux et plus que dangereux ?

— Entre autres choses, dit Saul. Mais, crois-moi, laisse tomber tout ça. Comme je te l'ai dit, mieux vaut ne pas savoir.

Pitt réfléchissait à toute allure. Saul était-il en train de lui parler de mœurs dissolues ou bien des plans d'insurrection évoqués par Narraway ?

— Si cela risque de m'affecter, je préfère savoir, dit Pitt.

— Cela ne t'affectera pas si tu ne t'y intéresses pas.

L'avertissement était trop solennel pour être ignoré.

— Les dynamiteurs affectent tout le monde, dit doucement Pitt.

Saul parut surpris.

— Qui parle de dynamiteurs ? Il s'agit de gentlemen venus des quartiers chics qui se promènent dans Spitalfields la nuit dans de grands manteaux noirs, dit-il, la voix tremblante. Occupe-toi de ton travail, ne te mêle de rien et tout ira bien. Si la police t'interroge sur quoi que ce soit, tu ne sais rien. Tu n'as rien vu, rien entendu. Mieux encore, tu n'étais pas là !

Pitt n'insista pas. Le soir même, alors qu'il dînait à la table familiale, un ami d'Isaac se présenta, le visage ensanglanté et contusionné, les vêtements déchirés.

— Samuel, que s'est-il passé ? s'exclama Leah en se dressant d'un bond tandis qu'Isaac le faisait entrer. On dirait que tu es passé sous une voiture.

Elle l'examinait déjà, prête à lui porter les premiers soins.

— J'ai eu un petit problème avec des gars du quartier, répondit Samuel en se tamponnant les lèvres avec un mouchoir maculé de sang.

Il grimaça et tenta de sourire.

— Arrête ! Ne fais pas ça, ordonna Leah. Laisse-moi regarder. Isaac, va me chercher de l'eau et de la pommade.

— Ils t'ont volé ? demanda Isaac sans bouger.

Samuel haussa les épaules.

— Je suis vivant. Ça aurait pu être pire.

— Ils étaient combien ? demanda Isaac.

— Peu importe combien ils étaient, dit sèchement Leah. Nous nous occuperons de cela plus tard. Va me chercher de l'eau et de la pommade. Ce garçon souffre ! Et tout ce sang sur sa chemise ! Tu sais comme c'est difficile d'enlever les taches de sang !

Pitt savait où se trouvait la pompe et l'aiguière. Il sortit par la porte de derrière et revint peu après avec de l'eau. Il ignorait si elle était très propre.

Il trouva Leah et Isaac ensemble, têtes penchées, discutant à mi-voix. Samuel était assis sur une chaise, la tête renversée en arrière, les yeux fermés. La conversation cessa à l'instant où Pitt fit son entrée.

— Ah, bien, bien, dit Isaac, prenant l'aiguière. Merci beaucoup.

Il versa une pinte d'eau dans une casserole propre qu'il posa sur le poêle. Leah avait déjà la pommade.

— C'est beaucoup trop, déclara-t-elle soudain d'une voix sourde et décidée. Si tu donnes autant cette fois-ci, combien la prochaine fois ? Et il y aura une prochaine fois, ne te fais pas d'illusion !

— On s'occupera de la prochaine fois quand on y sera, dit fermement Isaac. Dieu y pourvoira.

Leah lâcha une petite exclamation impatiente.

— Il t'a déjà pourvu d'un cerveau, alors utilise-le ! Plus ça va, plus ça empire et tu le sais très bien. Avec les catholiques et les protestants qui veulent s'égorger mutuellement, avec ces terroristes un peu partout tous plus fous les uns que les autres, et maintenant cette histoire de faire sauter la fabrique…

Samuel, patient, restait assis sans rien dire. Pitt était adossé à un mur.

— Personne ne va faire sauter la sucrière ! dit vivement Isaac en lançant à sa femme un regard d'avertissement.

— Ah bon ? Tu en es sûr ? le défia-t-elle.

— Pourquoi feraient-ils une chose pareille ?

Il s'efforçait de garder un ton calme.

— Parce que tu t'imagines qu'ils ont besoin d'une raison ? Ce sont des anarchistes. Ils détestent tout le monde.

— Cela n'a rien à voir avec nous, fit-il remarquer. Nous ne nous mêlons pas de leurs affaires.

— S'ils font sauter la sucrière, ce sera l'affaire de tout le monde ! rétorqua-t-elle.

— Ça suffit, Leah !

Il n'y avait pas à s'y méprendre, c'était un ordre.

— Occupe-toi de Samuel. Je trouverai un peu d'argent pour le dépanner. Tous les autres nous aideront. Occupe-toi simplement de ce que tu as à faire.

Elle le dévisagea avec solennité pendant quelques secondes, hésitant visiblement à poursuivre la discussion, mais quelque chose dans l'attitude de son mari la dissuada. Sans un mot, elle lui obéit.

L'eau commençait à bouillir et Pitt la retira du poêle.

Une heure plus tard, dans la pièce où Isaac travaillait sur ses livres de comptes, il offrit une contribution de quelques shillings pour le fonds en faveur de Samuel. Il fut ravi, et surpris, de la voir acceptée.

Tellman ne dit rien à personne de sa conversation avec le cocher et il dut attendre encore trois jours avant de pouvoir reprendre son enquête sur John Adinett, Wetron l'ayant à nouveau convoqué pour le questionner sur son affaire en cours, exigeant un compterendu détaillé de son emploi du temps.

Tellman avait répondu avec précision mais en toisant le visage impeccablement rasé de son supérieur avec une insolence manifeste. Cet homme avait usurpé la place de Pitt. Il n'avait peut-être pas pris lui-même cette décision mais cela ne l'excusait en rien. Il avait depuis interdit à Tellman d'entrer en contact avec Pitt et de s'occuper d'Adinett. Cela, il l'avait décidé seul.

En fin d'après-midi le mardi, Tellman eut à nouveau du temps pour lui-même. En quittant Bow Street, il commença par acheter un sandwich au jambon à un revendeur et boire un peppermint frais avant de se diriger lentement vers Oxford Street, plongé dans ses réflexions.

Il avait jeté un nouveau coup d'œil aux notes qu'il avait prises durant l'enquête pour constater qu'il y avait plusieurs trous dans l'emploi du temps d'Adinett, avant et après le meurtre. Au moment de la première enquête, il n'avait pas paru essentiel de le reconstituer de façon exhaustive. Il n'avait désormais pas d'autre piste.

Il ralentit le pas, n'ayant aucune idée de ce qu'il devait faire.

Pourquoi un homme tel que John Adinett se rendrait-il à deux reprises dans Cleveland Street ? Dans quel but ? Était-il adepte de vices bizarres que Fetters aurait découverts ?

Non, c'était fort peu probable. Pourquoi Fetters s'en serait-il soucié ? Si ces mœurs n'avaient rien de criminel, cela ne regardait personne d'autre. Mais, dans le cas contraire, si Adinett avait effectivement commis un crime…

Tellman accéléra à nouveau le pas. La solution se trouvait peut-être à Cleveland Street.

Sur Oxford Street, il attrapa un omnibus se dirigeant vers l'est, changea à Holborn pour continuer vers Spitalfields et Whitechapel.

Cleveland Street n'avait rien d'extraordinaire : une rue raisonnablement lugubre, bordée de maisons fatiguées et de pauvres boutiques raisonnablement respectables. Qui Adinett était-il venu voir ici à deux reprises ?

Il pénétra dans la première échoppe, une quincaillerie.

— Oui, monsieur ? fit un homme à la calvitie naissante en levant des yeux éteints de la bouilloire qu'il réparait. Vous désirez ?

Tellman fit l'acquisition d'une cuillère dont il n'avait nul besoin.

— Ma sœur envisage d'acheter une maison dans le quartier, déclara-t-il. Alors, je suis venu jeter un coup d'œil. C'est tranquille par ici ?

L'autre réfléchit un instant, un morceau de métal dans une main, la bouilloire dans l'autre.

Tellman attendit.

Finalement, le quincaillier soupira.

— Avant, oui, dit-il avec tristesse. Mais depuis cinq ou six ans, ça devient bizarre. Elle a des gamins, votre sœur ?

— Oui.

— Vaudrait mieux qu'elle s'installe quelques rues plus bas, dit-il en indiquant la direction d'un coup de menton. Un peu plus au nord ou à l'est. Qu'elle reste à l'écart de la brasserie et de Mile End Road. Il y a un peu trop d'agitation par là-bas depuis quelque temps.

Tellman fronça les sourcils.

— Elle semble assez décidée pour Cleveland Street. Les maisons lui paraissent correctes. À un prix qui lui convient, je dirais, et plutôt bien tenues.

— Si ça lui chante, fit le quincaillier en haussant les épaules. Mais c'est pas ici que je viendrais m'installer si j'avais le choix.

Tellman se pencha en avant et baissa la voix.

— Il n'y a pas de maisons de mauvaise réputation, au moins ?

L'autre éclata de rire.

— Il y en a eu. Mais plus maintenant. Pourquoi ?

— Je me demandais, c'est tout. Comme vous avez parlé d'agitation ces derniers temps. C'est quoi, toute cette agitation ?

— Je sais pas trop, fit le commerçant, ayant visiblement décidé de se montrer moins candide. Juste des gens qui passent, c'est tout.

— Vous voulez dire des gens qui ne sont pas du quartier ?

Tellman essayait de prendre un air innocent.

Il ne dut pas y arriver car l'autre se ferma encore un peu plus.

— Pas plus qu'ailleurs, dit-il en baissant les yeux vers sa bouilloire pour éviter le regard de Tellman. C'est plus calme maintenant. Cette agitation, ça date un peu. Oubliez ce que j'ai dit. J'ai pas entendu parler d'une maison à vendre mais si le prix vous convient, prenez-la.

— Merci, dit poliment Tellman qui ne tenait pas à se faire un ennemi.

Une fois dehors, il marcha d'un pas lent dans la rue, l'examinant avec soin, tentant de deviner ce qui avait bien pu attirer Adinett.

Hormis les maisons d'habitation, il y avait quelques boutiques, un atelier d'artiste, une petite cour où on vendait des tonneaux, un fabriquant de pipes en terre, un cordonnier... Il existait un millier de rues semblables dans les quartiers pauvres de Londres. L'odeur de la brasserie toute proche flottait dans l'air, douce et fétide.

Il commençait à se faire tard quand il s'arrêta pour acheter une tourte à un jeune marchand ambulant au bout de la rue.

— Content de vous avoir trouvé, dit-il. Vous arrivez à gagner votre vie par ici ? J'ai pas croisé un chat depuis un bon moment.

— En général, j'suis sur Mile End Road. Là, j'retourne chez moi. T'es le dernier de la journée, mon gars, et c'est mon dernier sandwich.

Il sourit joyeusement, montrant des dents gâtées et ébréchées.

— J'ai la guigne ce soir, marmonna Tellman. Ça fait des heures que je traîne dans le quartier. Un ami de mon patron est venu par ici il y a quelques semaines et il a rien trouvé de mieux que de perdre sa montre gousset. « Va la chercher, qu'il me dit. J'ai dû l'oublier quelque part. » Il m'écrit l'adresse sur un bout de papier et voilà que je perds ce foutu papier moi aussi.

— Le nom ? demanda le revendeur en fixant Tellman de ses grands yeux bleus.

— Je sais pas. Je l'ai perdu avant de le lire.

— Une montre gousset ?

— C'est ça. Pourquoi ? Vous savez où elle pourrait être ?

L'autre haussa les épaules, toujours souriant.

— Aucune idée. Il est comment, l'ami de ton patron ?

Tellman décrivit aussitôt Adinett.

— C'est un gentleman à l'air militaire, grand, très bien habillé, une petite moustache. Il marche avec la tête haute, les épaules en arrière.

— Ah, je crois bien que je l'ai vu, dit le revendeur, content de lui. Mais pas depuis quelques semaines, ajouta-t-il.

Tellman essaya de ne pas montrer son excitation.

— Vous l'avez vu ?

— Qu'est-ce que je viens de dire ?

— Alors, vous savez peut-être dans quelle maison il est entré ? Mon patron, c'est pas un tendre. Si je rentre sans une bonne explication, il va dire que j'ai gardé la montre pour moi !

Le revendeur secoua la tête en signe de sympathie.

— Y a des moments où je suis bien content de pas avoir de patron. Y a pas que des bons jours mais, au moins, j'ai personne sur le dos.

Il montra la rue.

— Il est allé là-bas. Au numéro 6. Le marchand de tabac et de confiseries. Y a des tas de gens qui vont et viennent dans cette boutique. C'est là qu'y a eu tous ces problèmes, y a quatre ou cinq ans.

— Des problèmes ? s'enquit Tellman l'air de rien.

— Des voitures qui arrivaient à n'importe quelle heure du jour et de la nuit et des embrouilles. C'était peut-être pas grand-chose. Question embrouilles, on est gâtés à Spitalfields. Mais, à l'époque, ça semblait assez méchant. Des cris, des jurons, tu vois le genre.

Il grimaça.

— Le truc bizarre, c'est que c'étaient tous des étrangers ! Pas un seul qu'était du coin. T'imagines, toi, pourquoi un tas d'étrangers viendraient ici rien que pour se disputer ? Et après ça, pffuit, ils s'en vont, ils disparaissent.

Tellman sentait son cœur battre à toute allure.

— Chez le marchand de tabac ?

— C'est bien ce qu'y me semble, répondit le revendeur qui l'observait. En tout cas, c'est là qu'il est allé, ton milord. Il m'a même posé des questions sur ces embrouilles dont je te causais avant de filer comme un chien qu'a flairé un os.

— Je vois. Merci beaucoup. Tenez.

Tellman sortit une pièce de six pence de sa poche. Ses doigts tremblaient. C'était un peu extravagant mais il se sentait soudain beaucoup plus optimiste et très reconnaissant.

— Buvez une pinte à ma santé. Vous m'avez probablement sauvé la mise.

L'autre accepta la pièce qui disparut comme par magie.

— À la tienne, mon gars.

Tellman hocha la tête avant de filer vers la boutique indiquée. Elle était fermée. De prime abord, elle ne différait en rien de ses voisines : une petite officine où on vendait des confiseries et du tabac avec des logements à l'étage. Que diable John Adinett était-il venu y faire ? Il lui faudrait revenir aux heures d'ouverture. Dès le lendemain si possible, à condition de trouver un moyen pour que Wetron n'en sache rien.

Ce qu'il parvint à faire le lendemain après-midi au prix de difficultés considérables. Encore une fois, en franchissant le seuil, il constata que la boutique ressemblait à des milliers d'autres.

Il acheta pour trois pence de bonbons à la menthe et essaya d'engager la conversation avec le propriétaire mais sans trouver d'autres sujets à aborder que le temps qu'il faisait. Il commençait à perdre espoir quand il fit une remarque sur la chaleur, les fièvres et ce pauvre prince Albert qui était mort de typhoïde.

— Je suppose que personne n'est à l'abri, conclut-il en se sentant idiot.

— Pourquoi qu'ils seraient épargnés ? répliqua le marchand de tabac. Tous ces princes et ces rois, ils sont comme vous et moi. Ils mangent mieux, c'est sûr, et ils vivent dans la soie, mais ça les empêche pas de tomber malades et de mourir, les pauvres.

Il y avait une pitié dans sa voix que Tellman trouva extraordinaire pour un habitant de ce quartier qui, à l'évidence, travaillait beaucoup et gagnait peu. C'était bien le dernier endroit où il se serait attendu à tant de commisération à l'égard des puissants de ce monde.

— Vous estimez qu'ils ont les mêmes problèmes que nous ? demanda-t-il.

— On est libre d'aller où on veut, pas vrai ? fit l'autre en le regardant avec des yeux d'un gris étonnamment clair. On peut être ce qu'on veut, catholique, protestant, juif ou rien du tout. Ou même croire à un dieu à six bras si ça nous amuse. Et on peut aussi épouser une femme qui croit pas comme nous.

Le petit visage décidé de Gracie vint immédiatement à l'esprit de Tellman. C'était ridicule. Ils n'étaient d'accord sur rien. Elle aurait partagé l'avis de cet homme. Elle ne voyait rien de mal à être une domestique alors que Tellman se sentait outragé que quiconque, homme ou femme, soit au service d'autrui et doive accomplir ses commissions et lui donne du

« Monsieur » ou de la « Madame » après avoir nettoyé ses saletés.

— Bien sûr ! fit-il avec plus de chaleur qu'il ne l'aurait voulu, ayant complètement oublié son enquête. Mais je n'épouserai pas une femme qui ne croit pas aux mêmes choses que moi. Et je ne parle pas de religion mais de choses bien plus importantes. Le sens du bien et du mal et comment on doit se comporter dans la vie.

Le marchand sourit et hocha la tête avec patience.

— Quand on est amoureux, on se soucie pas de savoir d'où elle vient ni si elle croit au bon Dieu. On veut simplement être avec elle. Si vous passez votre temps à discuter de ce qui est bien et mal c'est que vous êtes pas amoureux. Faites-en votre amie mais ne l'épousez pas. À moins qu'elle ait de l'argent ou autre chose que vous voulez.

— Je n'épouserai jamais personne pour de l'argent ! s'offusqua Tellman. Je crois simplement que le sens de la justice est important. Si vous devez passer toute votre vie avec quelqu'un, avoir des enfants avec lui, il faut être en accord sur ce qui est décent et ce qui ne l'est pas.

L'autre poussa un long soupir et son sourire disparut.

— Vous avez peut-être raison. Dieu sait que tomber amoureux, ça peut apporter bien des tourments si vos croyances et votre milieu social sont trop différents.

À cet instant, la porte de la boutique s'ouvrit. Tellman se retourna instinctivement vers l'homme qui venait d'entrer. Il fronça les sourcils : celui-ci avait quelque chose de familier.

— Bonne après-midi, monsieur, dit alors le marchand à Tellman pour mettre un terme à leur conversation avant de s'adresser au nouveau venu. Que puis-je pour vous, monsieur ?

Celui-ci hésita, jeta un coup d'œil à Tellman avant de regarder à nouveau le marchand.

— Ce gentleman était avant moi, dit-il poliment.

— Il a déjà été servi. Que désirez-vous ?

L'homme dévisagea à nouveau Tellman d'un air perplexe avant de répondre.

— Eh bien, dans ce cas... Une demi-livre de tabac...

Le marchand haussa les sourcils.

— Une demi-livre ? Bien sûr, monsieur. Lequel désirez-vous ? J'en ai de toutes sortes... de Virginie, de Turquie...

— De Virginie, le coupa l'autre.

Ce fut la voix que Tellman reconnut. Il savait où il l'avait déjà entendue. Cet homme était un certain Lyndon Remus. Un journaliste qui n'avait cessé de harceler Pitt pendant l'affaire du meurtre de Bedford Square[1]. C'était lui l'auteur de cet article qui avait provoqué tant de dégâts et créé un tel scandale.

— Merci, dit Tellman au vendeur de tabac. Bonne journée à vous aussi.

Il sortit et s'éloigna de quelques dizaines de mètres pour se dissimuler sous une porte cochère d'où il pourrait voir sortir Remus sans être vu.

Au bout de dix minutes environ, il se demanda si la boutique ne possédait pas une autre issue. Que pouvait fabriquer Remus là-dedans qui lui prenait si longtemps ? Il ne voyait qu'une réponse à cette question : le journaliste était là pour la raison qui l'y avait amené lui-même ; il avait flairé une bonne histoire, un scandale peut-être, et il y avait de bonnes chances pour que cela ait un rapport avec John Adinett.

L'attente se prolongea. Des voitures circulaient avec bruit dans la rue, vers et en provenance de Mile End Road. Dix autres minutes passèrent avant que Remus ne surgisse enfin. Il tourna la tête à gauche puis à droite avant de traverser la chaussée en direction du sud, ce qui l'amena à un mètre à peine de Tellman. Soudain, il l'aperçut et sursauta, le reconnaissant enfin à son tour ; il se figea sur place.

1. Voir *Bedford Square*, 10/18, n° 3884.

Tellman sourit.

— On est sur la brèche, Mr. Remus ? Un article à sensation en vue ?

Celui-ci eut besoin d'un moment avant de recouvrer son sang-froid.

— Pas sûr, dit-il d'un ton prudent. J'ai des idées mais ça reste encore trop décousu. Mais si vous êtes là, cela signifie que je suis peut-être sur la bonne piste.

— Sur la piste de mes bonbons ? répliqua Tellman toujours souriant.

Cette réponse désarçonna le journaliste.

— J'étais venu acheter des bonbons à la menthe.

— Ah !

— Je préfère ça au tabac. D'ailleurs, je n'y connais rien en tabac. Et vous non plus, pas vrai ?

Remus ne se laissa pas démonter.

— Toujours sur l'affaire Adinett ? demanda-t-il, choisissant de passer à l'offensive. Intéressant personnage. Mais pourquoi une telle obstination ? Vous avez déjà obtenu votre condamnation. Que voulez-vous de plus ?

— Moi ? fit Tellman, affectant la surprise. Rien du tout. Pourquoi ? Que pourrait-il y avoir de plus, selon vous ?

— Un mobile, par exemple, dit Remus. Fetters est-il jamais venu ici ?

— Qu'est-ce qui vous le fait croire ? C'est le marchand de tabac qui vous l'a dit ?

Remus haussa les sourcils.

— Je ne le lui ai pas demandé.

— Donc, vous n'enquêtez pas sur Fetters, en déduisit Tellman.

Remus marqua le coup. Il en avait lâché plus qu'il ne l'aurait voulu. Mais il se reprit très vite, affichant un sourire en coin.

— Fetters et Adinett… c'est pareil, non ?

— Vous n'avez pas dit que vous enquêtiez sur Adinett, fit remarquer Tellman.

Enfonçant les mains dans ses poches, Remus repartit lentement en direction de Mile End Road, laissant Tellman lui emboîter le pas.

— C'est déjà une vieille affaire, non ? dit le journaliste, pensif. Pour vous comme pour moi. Il faudrait qu'il ait eu un mobile très intéressant pour que je me donne la peine d'écrire sur lui. Et il faudrait aussi que ce mobile ait un lien avec un autre crime, par exemple, un crime fichtrement important, pour que vous vous donniez encore la peine de poursuivre votre enquête... N'est-ce pas ?

Tellman n'avait aucune intention de lui parler de Pitt.

— Ça paraît logique, dit-il. Si, bien sûr, je n'étais pas là pour acheter des bonbons.

— Oui, bien sûr, des bonbons, fit Remus avec un sourire torve.

Ils marchèrent en silence pendant quelques instants, traversant une ruelle menant à la brasserie.

— Mais faites attention ! reprit Remus. Des tas de gens très importants risquent de ne pas apprécier votre insistance. Je suppose que c'est Mr. Pitt qui vous a envoyé ici ?

— Et vous, Mr. Dismore ? rétorqua Tellman, pensant à ce que lui avait dit le cocher : Adinett était allé trouver le propriétaire de journaux après avoir quitté Cleveland Street.

Un instant interloqué, Remus afficha à nouveau un air indifférent.

— Je suis indépendant. Je n'obéis à personne. Je pensais que vous le saviez... un grand détective comme vous !

Tellman émit un vague grognement.

Ils étaient arrivés sur Mile End Road. Remus en profita pour le saluer et plonger dans le flot de passants.

Tellman décida de le suivre. Cela s'avéra difficile, en partie en raison de la foule et de la circulation, mais surtout parce que Remus, ne souhaitant visiblement pas être pris en filature, s'était rendu compte de sa présence derrière lui.

Après quelques courses affolées, plusieurs pourboires exorbitants, et avec un peu de chance aussi, Tellman se retrouva à bord d'un fiacre traversant le Pont de Londres. Un peu plus loin, Remus faisait arrêter son propre cab avant de gravir les marches du Guy's Hospital.

Tellman l'imita peu après.

Et ne vit pas le moindre Remus dans la salle d'accueil de l'hôpital.

Se présentant au portier, il lui fit une description du journaliste, lui demandant où il s'était rendu.

— Il est allé aux bureaux. C'est par là, monsieur.

Il indiquait la direction.

Tellman le remercia mais il eut beau chercher, il ne le trouva nulle part ; finalement, après une trentaine de minutes d'errance dans des corridors immenses, il quitta l'hôpital et prit le train traversant la Tamise. Il arriva à Keppel Street un peu avant six heures du soir.

Il resta un bon moment planté devant la porte de service sans trouver le courage de frapper. Il espérait voir Gracie tout en évitant Charlotte. Pour le moment, il n'avait rien découvert qui puisse aider Pitt. Elle allait être désemparée et cette idée le troublait.

Mais s'il repartait maintenant, il pouvait être certain d'une chose : du mépris absolu de Gracie. Tôt ou tard, il faudrait bien l'affronter. Retarder l'échéance ne ferait qu'empirer les choses. Il respira un bon coup mais ne parvint toujours pas à se décider à frapper. Peut-être valait-il mieux attendre d'en avoir appris davantage, après tout, il n'avait pas grand-chose. Il ne savait même pas pourquoi Remus s'était rendu au Guy's Hospital.

La porte s'ouvrit brusquement et Gracie poussa un hurlement en évitant de justesse de lui rentrer dedans. La poêle qu'elle tenait lui échappa des mains et s'écrasa sur le sol dans un boucan infernal.

— Espèce d'andouille ! fit-elle, furieuse. Mais qu'est-ce que vous fabriquez, planté là comme un géranium ?

Il ramassa la poêle.

— Je venais vous dire ce que j'ai découvert, rétorqua-t-il d'un ton acerbe. C'est une honte de faire tomber une belle poêle comme ça.

— Je l'aurais pas fait tomber si vous m'aviez pas flanqué la frousse de ma vie. Pourquoi vous avez pas frappé, comme tout le monde ?

— J'allais le faire !

Ce n'était pas exactement un mensonge. Il aurait bien fini par frapper… un jour ou l'autre.

Elle le regarda de la tête aux pieds.

— On ferait mieux de rentrer. Je suppose que vous en avez assez à dire pour qu'on reste pas sur les marches ?

Elle fit volte-face dans un tourbillon de jupes et il la suivit dans l'office puis dans la cuisine, refermant les deux portes derrière lui.

Il se demanda si Charlotte était à la maison.

— Et ne parlez pas trop fort ! le prévint Gracie comme si elle avait lu dans son esprit. Mrs. Pitt est en haut en train de faire la lecture à Daniel et Jemima.

— Jemima sait déjà lire ? s'étonna-t-il.

— Bien sûr qu'elle sait ! dit Gracie prenant soin de se montrer patiente. Mais son papa n'est plus là et on a pas eu une seule nouvelle de lui. Personne sait ce qui se passe, si quelqu'un veille sur lui, ni rien ! Ça lui fait du bien qu'on lui lise des histoires.

Elle renifla et se détourna, bien décidée à ne pas lui montrer ses larmes.

— Bon, alors, qu'est-ce que vous avez trouvé ? Je suppose que vous voulez une tasse de thé ? Et du gâteau ?

— Oui, merci.

Il s'assit à la table tandis qu'elle s'affairait avec la bouilloire, la théière, deux tasses et plusieurs tranches de cake aux raisins de Corinthe, tout cela sans cesser de lui tourner le dos.

Il observait ses gestes vifs, ses menues épaules sous la robe de coton, la taille qu'il aurait pu entourer de ses mains. Il mourait d'envie de la réconforter mais elle était beaucoup trop fière pour le laisser faire. Et de toute manière, qu'aurait-il pu lui dire ? Que tout allait bien ? Cela faisait bien longtemps qu'elle ne se berçait plus d'illusions. Dans son enfance, les illusions avaient été aussi rares que les bercements.

Il devait dire quelque chose. L'horloge de la cuisine égrenait avec bruit chaque minute, la bouilloire commençait à siffler. C'était toujours la même pièce, remplie de bruits familiers et de bonnes odeurs. Il s'était senti ridiculement heureux ici, plus que n'importe où ailleurs.

Elle claqua le couvercle sur la théière au risque de l'ébrécher.

— Eh bien, vous me racontez ou pas ?

— Oui… oui ! répondit-t-il, furieux contre lui-même d'avoir autant désiré la toucher.

Il s'éclaircit la gorge et faillit s'étouffer.

— Adinett s'est rendu à deux reprises, au moins, du côté de Mile End, dans une rue qui s'appelle Cleveland Street. La première fois, ce qu'il a trouvé là-bas l'a énormément excité et il est ensuite allé tout droit trouver Thorold Dismore, ce type qui possède le journal qui en a toujours après la reine et qui proclame que le prince de Galles dépense trop d'argent.

Elle fronçait les sourcils, perplexe.

— Qu'est-ce qu'un gentleman comme Mr. Adinett irait faire à Mile End ? Si c'était pour une putain, il y en a plus près de chez lui, et de plus propres ! Il aurait pu se faire égorger là-bas.

— Je sais. Il n'allait pas chez une femme mais chez un marchand de tabac.

— Il allait à Mile End pour acheter du tabac ?

— Non. Il allait chez ce marchand de tabac pour une tout autre raison que je ne connais pas encore. Mais quand j'y suis retourné aujourd'hui, devinez qui j'ai vu entrer dans cette même boutique ? Lyndon Remus ! En personne. Vous vous rappelez ? C'était le journaliste qui cherchait à remuer la boue quand Mr. Pitt travaillait sur le meurtre de Bedford Square.

Il se pencha en avant, les coudes sur le bois usé de la table.

— Il y est resté vingt bonnes minutes. Je le sais parce que je l'ai attendu. Et après, je lui ai parlé.

Les yeux écarquillés, elle était fascinée, la théière depuis longtemps oubliée. Le sifflement strident de la bouilloire la rappela au présent. Elle l'écarta du feu avant de l'oublier, elle aussi.

— Et alors ? Qu'est-ce qu'il cherchait de si spécial dans Cleveland Street ?

— Je ne le sais pas encore, admit-il. Mais ce bonhomme ne court qu'après les scandales et il est évident qu'il est persuadé d'être sur un gros coup. Il a essayé de me tirer les vers du nez pour savoir ce que je faisais là. Il était tout excité de me voir. Il pensait que cela confirmait sa piste. Ça a un rapport avec Adinett, il ne l'a pas reconnu explicitement mais c'est tout comme.

Elle s'assit face à lui.

— Et ensuite ?

— Je l'ai suivi. Il a essayé de me semer mais je lui ai collé au train.

— Où est-il allé ?

— Sur la rive sud, au Guy's Hospital… dans les bureaux. Mais là-bas, je l'ai perdu.

— Le Guy's Hospital, répéta-t-elle lentement avant de se décider enfin à préparer le thé. Mais pourquoi qu'il voulait pas que vous sachiez où il allait ?

— Parce que ça a un rapport avec Adinett, répéta-t-il. Et Cleveland Street. Mais que je sois damné si je vois lequel.

— Eh bien, il va falloir que vous trouviez, dit-elle sans la moindre hésitation. Vous voulez un bout de cake ?

— Oui, s'il vous plaît.

Il choisit le plus gros morceau dans l'assiette qu'elle lui présenta. Il avait depuis longtemps renoncé à faire semblant d'être poli. Gracie faisait les meilleurs cakes au monde.

Elle ne le quittait pas des yeux.

— Vous allez trouver, hein ?… Je veux dire, ce qui s'est vraiment passé et pourquoi.

Tellman aurait voulu qu'elle ait pour lui ne serait-ce qu'un brin de l'admiration qu'elle avait pour Pitt. Mais, en cet instant, la foi qu'il lisait sur son visage était aussi merveilleuse que terrifiante. Serait-il à la hauteur ? Il avait très peu d'idées quant à la suite des opérations. Qu'aurait fait Pitt si les rôles avaient été inversés ?

Il aimait et appréciait Pitt, malgré tous leurs désaccords. Il avait violemment désapprouvé sa promotion mais, d'un autre côté, une fois devenu commissaire, il s'était montré raisonnable… le plus souvent. C'était un chef plutôt bizarre et il fallait un peu de temps pour s'y habituer.

Pour le meilleur ou pour le pire, Tellman faisait désormais partie de la vie de Pitt. Il avait partagé trop d'enquêtes avec lui, s'était trop souvent assis à sa table. Et puis, il y avait Gracie.

— Oui, bien sûr, je vais trouver, bafouilla-t-il, la bouche pleine.

— Vous allez suivre ce Remus ? insista-t-elle. Il a sûrement une piste. Mrs. Pitt essaie d'en apprendre davantage à propos de Mr. Fetters, mais pour le moment elle a pas grand-chose. Je vous tiendrai au courant. Vous allez pas arrêter, hein ? demanda-t-elle à nouveau. Personne ne peut rien faire à part nous.

— Je vous l'ai dit, lui affirma-t-il en soutenant calmement son regard. Je vais trouver ! Allez, mangez un peu de votre cake. Vous n'avez plus que la peau sur les os ! Et servez ce thé !

— Il a pas encore infusé.

Elle le servit néanmoins.

CHAPITRE VI

Charlotte déplia le journal du matin plus parce qu'elle se sentait seule qu'en raison d'un réel intérêt pour les affaires du monde. En politique, les commentaires étaient très durs envers Mr. Gladstone ; on lui reprochait d'ignorer tous les problèmes à l'exception du Home Rule[1] et d'abandonner apparemment tout effort pour faire adopter la journée de travail de huit heures. Mais elle ne s'attendait nullement à ce que les journalistes soient objectifs.

Un tragique accident de chemin de fer s'était produit dans le nord à Guiseley. Deux personnes avaient été tuées et plusieurs blessées. Les secours étaient en route.

La New Oriental Bank Corporation avait été contrainte de suspendre certains paiements. Le prix de l'argent avait dramatiquement baissé. Un ouragan à l'île Maurice achevait cette mauvaise série.

Elle ne lut pas le reste de l'article, ses yeux glissant vers le bas de la page et l'entrefilet annonçant que John Adinett serait exécuté à huit heures ce matin-là.

Instinctivement, elle jeta un regard vers l'horloge de la cuisine. Il était huit heures moins le quart. Elle regretta soudain d'avoir ouvert le journal si tôt.

1. Projet visant à accorder une certaine autonomie à l'Irlande. (*N. d. T.*)

Adinett avait tué Martin Fetters et plus Charlotte en apprenait sur ce dernier plus il montait dans son estime. C'était un enthousiaste, un homme qui saisissait la vie avec courage et joie, et qui l'appréciait dans toute sa variété. Il avait la passion d'apprendre et, à en juger par ses écrits, il semblait tout aussi désireux de partager ses connaissances et ses enchantements. Sa mort était non seulement une perte pour son épouse, et pour l'archéologie, mais pour le monde en général.

Cependant, mettre un terme à la vie d'Adinett n'améliorerait rien. Elle doutait que cela dissuade quiconque de commettre un crime à l'avenir.

Ces moroses pensées furent interrompues par l'arrivée de Gracie qui brandissait les harengs achetés à un jeune livreur.

— Voilà de quoi dîner, annonça-t-elle avant de ranger le poisson dans le garde-manger.

Puis, tout en s'activant, elle se mit à parler toute seule de la composition des repas ; restait-il assez de farine, de pommes de terre et surtout d'oignons dont elles faisaient grand usage ces derniers temps pour donner un peu de goût à des plats très simples ?

Cette agitation ne ressemblait guère à Gracie et Charlotte soupçonnait l'inspecteur Tellman de ne pas y être étranger. Même si elle ne l'avait pas vu, elle savait qu'il était venu à la maison l'autre soir ; en entendant sa voix, elle avait préféré ne pas se montrer. Le voir assis dans la cuisine, comme si tout était normal, comme si Pitt était toujours là, n'aurait fait qu'accroître son sentiment de solitude.

Elle était heureuse pour Gracie, car, elle en était convaincue, Tellman livrait un combat perdu d'avance contre ses sentiments envers elle. Mais en ce moment, il lui était difficile de s'en réjouir. L'absence de Pitt lui pesait. Les soirées semblaient interminables. Elle n'avait personne à qui raconter ses journées, avec qui bavarder de choses aussi insignifiantes que l'apparition d'une nouvelle fleur dans le jardin, avec qui partager un ragot ou une plaisanterie. Avec l'absence de Pitt, tout le bonheur de vivre avait disparu.

Mais plus encore que la solitude, l'anxiété la rongeait, l'inquiétude quotidienne de savoir s'il mangeait correctement, s'il n'avait pas froid, si quelqu'un lui lavait ses affaires – avait-il trouvé un endroit décent où loger ? – et par-dessus tout l'angoisse pour sa sécurité ; bien sûr à cause des anarchistes ou qui que soient ceux qu'il traquait mais surtout à cause de ses ennemis mystérieux et bien plus puissants du Cercle intérieur.

L'horloge sonna tandis que Gracie ouvrait le poêle pour y ajouter du charbon.

Charlotte essayait de ne pas penser, de ne pas laisser courir son imagination et, durant la journée, elle y parvenait assez bien. Mais, la nuit, quand son esprit se vidait, les peurs s'y engouffraient. Elle était émotionnellement épuisée. Elle ne s'était jamais rendue dans Spitalfields mais elle n'avait aucun mal à se représenter les ruelles étroites, les ombres tapies dans les encoignures de portes, les mouvements furtifs comme si une menace permanente guettait les insouciants.

Elle se réveillait trop souvent au milieu de la nuit, consciente du moindre craquement dans la maison, de l'espace vide dans le lit à ses côtés, se demandant où il se trouvait, ce qu'il faisait, s'il était éveillé lui aussi.

Parfois, prétendre que tout allait bien lui apparaissait comme une tâche surhumaine quand, à d'autres moments, c'était une discipline à laquelle elle s'accrochait avec soulagement. Combien de femmes au cours des siècles avaient dû agir de la sorte, alors que leurs hommes étaient à la guerre, exploraient des terres inconnues, traversaient des océans ou bien s'étaient simplement enfuis parce qu'ils étaient ineptes et déloyaux ? Au moins, elle savait que ce n'était pas le cas de Pitt et qu'il reviendrait dès qu'il le pourrait...

156

ou quand elle découvrirait pour quelle raison Adinett avait tué Fetters.

Elle referma le journal à l'instant où Daniel et Jemima pénétraient dans la pièce, impatients de prendre leur petit déjeuner avant d'aller à l'école.

Un unique tintement retentit. Huit heures et quart. Charlotte sursauta : elle n'avait pas entendu sonner huit heures. John Adinett devait être mort maintenant ; son corps au cou brisé – comme celui de Martin Fetters – avait dû être emporté, prêt à être enterré.

Elle se força à sourire à ses enfants et entama les préparatifs du déjeuner.

Il était un peu plus de dix heures et elle rangeait les draps dans le placard pour la deuxième fois de la semaine quand Gracie monta lui annoncer la visite de Mrs. Emily Radley, la sœur de Charlotte… ce qui n'était pas nécessaire dans la mesure où cette dernière se trouvait sur ses talons. Effroyablement élégante, Emily portait un habit d'équitation d'un vert sombre avec une petite toque et une veste à la coupe superbe qui flattait chaque courbe de sa mince silhouette. Les joues rosies par l'exercice, quelques mèches blondes s'échappaient de son chignon en boucles savantes.

— Mais que fais-tu donc ? demanda-t-elle en lorgnant les piles de draps et de taies d'oreiller.

— Je trie pour savoir ce qu'il faut recoudre, répondit Charlotte, soudain consciente de sa modeste apparence comparée à celle de sa sœur. As-tu oublié comment on fait ?

— Je ne suis pas certaine d'avoir jamais su, dit Emily d'un ton léger.

Si Charlotte avait épousé un homme de condition sociale et financière inférieure à la sienne, elle avait fait exactement le contraire. Son premier mari avait possédé titre et fortune avant d'être assassiné. Après un deuil difficile, elle s'était remariée avec Jack Radley, un garçon charmant et séduisant, mais qui ne possédait pas grand-chose ; l'ambition d'Emily l'avait poussé à viser un siège au Parlement qu'il avait fini par obtenir.

Gracie avait déjà disparu.

Tournant le dos à sa sœur, Charlotte se remit à plier les taies et à les empiler exactement comme elles l'étaient auparavant.

— Thomas est toujours absent ? demanda Emily en baissant la voix.

— Bien sûr, répondit Charlotte. Je te l'ai dit, cela risque de durer, je ne sais pas jusqu'à quand.

— En fait, tu ne m'as pas dit grand-chose, répliqua Emily en pliant une des taies à son tour. Tu étais très mystérieuse et tu semblais bouleversée. Je suis venue voir si tout allait bien.

— Que feras-tu si ce n'est pas le cas ?

Charlotte prit l'un des draps.

Emily s'empara de l'autre bout.

— Te donner une bonne occasion de passer tes nerfs sur quelqu'un. J'ai l'impression que tu en as bien besoin en ce moment.

Charlotte la fixa. Emily souriait mais il y avait de l'anxiété dans son regard.

— Je vais bien, dit Charlotte avec plus de douceur. C'est pour Thomas que je m'inquiète.

Elles avaient partagé nombre de ses enquêtes et Emily n'ignorait rien des périls qui les accompagnaient ; le Cercle intérieur avait déjà menacé son mari[1], elle savait de quoi ces gens étaient capables.

— Que se passe-t-il ?

Emily sentait que le problème était plus grave qu'elle ne l'avait cru.

— C'est le Cercle intérieur, dit Charlotte. Adinett en faisait partie. Ils ne pardonneront pas à Thomas de

1. Voir *Le Bourreau de Hyde Park*, 10/18, n° 3542.

l'avoir fait condamner. Il a été pendu ce matin, ajouta-t-elle dans un souffle.

— Je sais. Dans certains journaux, on posait encore la question de sa culpabilité. Personne ne semble avoir la moindre idée de son mobile. Thomas n'a-t-il donc pas un indice ?

— Non.

— Eh bien, n'essaie-t-il pas de le découvrir ?

— Il ne peut pas. Il a été relevé de son poste à Bow Street et envoyé dans… l'East End… pour poursuivre des anarchistes.

Emily était éberluée.

— Quoi ? C'est monstrueux ! À qui avez-vous fait appel ?

— À personne. Personne n'y peut rien. Cornwallis a déjà tout tenté. Par ailleurs, en vivant de façon anonyme là-bas, sans que personne ne sache où le trouver, Thomas est hors de leur portée.

— Anonyme dans l'East End ?

L'expression d'Emily montrait clairement son horreur et tous les dangers qu'elle imaginait.

Charlotte détourna les yeux.

— Je sais. Il peut lui arriver n'importe quoi et il se passerait des jours avant que je ne l'apprenne.

— Il ne lui arrivera rien, dit aussitôt sa sœur. Et il est évident qu'il est plus en sécurité là-bas qu'ici. Que pouvons-nous faire pour vous aider ?

— J'ai été voir Mrs. Fetters. Mais elle ne sait rien. Pourtant il y a forcément eu un désaccord, une querelle quelconque entre ces deux hommes, mais plus j'en apprends sur Martin Fetters, plus il m'apparaît comme quelqu'un de très bien. Je ne vois pas comment on aurait pu lui en vouloir.

— C'est que tu ne dois pas chercher là où il faut. Je présume que tu as exploré toutes les pistes évidentes : argent, chantage, femme, une rivalité quelconque ? Et, d'ailleurs, qu'avaient-ils en commun ?

— Le goût des voyages et des réformes politiques, dit Charlotte en achevant de plier la dernière paire de draps. Tu veux une tasse de thé ?

— Pas particulièrement. Mais je préfère être assise dans la cuisine que rester debout ici devant ce placard à draps, répondit Emily. Peut-on aller jusqu'au meurtre pour une histoire de voyages ?

— J'en doute. Et ils n'ont même pas visité les mêmes contrées. Mr. Fetters connaissait le Proche-Orient et Adinett surtout la France et le Canada.

— Alors, c'est la politique, déclara Emily avec fermeté avant de la suivre dans les escaliers puis dans la cuisine.

Elle salua à nouveau Gracie. Dans aucune autre maison, elle n'aurait adressé la parole à une domestique mais elle savait l'estime que Charlotte lui portait.

Celle-ci plaça la bouilloire sur le poêle.

— Tous deux voulaient des réformes.

Emily s'assit, lissant avec habileté ses jupes pour éviter qu'elles ne se froissent.

— Comme tout le monde, non ? Jack dit que la situation est plus que préoccupante.

Elle contempla ses propres mains posées sur la table, menues, élégantes mais étonnamment fortes.

— À vrai dire, elle n'a cessé de se détériorer depuis dix ans. Beaucoup d'étrangers, de réfugiés, viennent s'installer à Londres et il n'y a pas assez de travail pour tous. Je suppose qu'il y avait déjà des anarchistes auparavant, mais maintenant ils sont beaucoup plus nombreux et violents.

Charlotte ne l'ignorait pas, pourtant elle restait sceptique. Cette « situation » avait surtout, selon elle, servi de prétexte pour éloigner Pitt.

— Quoi ? demanda Emily en déchiffrant son expression. Qu'y a-t-il ?

— Représentent-ils vraiment un réel danger ? En dehors de quelques individus exaltés ?

Emily réfléchit un moment avant de répondre, ce qui alarma Charlotte ; sa sœur n'avait pas pour habitude de mâcher ses mots, si elle prenait le temps de les choisir c'était mauvais signe.

— À vrai dire, dit-elle une fois que Gracie leur eut apporté le thé, l'inquiétude de Jack est réelle... pas à cause des anarchistes qui ne sont que des fous sans réelle organisation mais plutôt en raison du sentiment général. La monarchie bat des records d'impopularité, tu sais, et pas seulement auprès de ceux qui ne l'ont jamais aimée. Je parle de personnalités très importantes auxquelles on ne songerait pas.

— Comment cela ? s'étonna Charlotte. Je sais que certains estiment que la reine devrait en faire davantage mais cela fait trente ans qu'ils le répètent. En quoi est-ce si différent maintenant ?

— Je ne sais pas si c'est si différent.

Emily était très grave.

— Mais Jack dit que c'est très sérieux. Le prince de Galles dépense des sommes faramineuses, qu'il emprunte pour l'essentiel. Il a des dettes un peu partout, auprès de toutes sortes de gens. Il ne semble pas capable de se refréner. Et s'il se rend compte du mal qu'il fait, il ne paraît pas s'en soucier.

— Tu veux dire, politiquement ?

— Oui, dit Emily en baissant la voix. Beaucoup pensent que la mort de la reine entraînera la fin de la monarchie.

Charlotte était ébahie.

— Vraiment ?

L'idée lui paraissait très déplaisante sans qu'elle sache trop pourquoi. La fin de la monarchie entraînerait celle de l'aristocratie ; la vie perdrait un peu de son éclat... même si la plupart des gens ne fréquentaient jamais les comtesses et duchesses, et encore moins les princesses. Les héros, vrais ou faux, étaient nécessaires. L'aristocratie, certes, n'avait rien de noble par essence, mais ceux qui la remplaceraient ne seraient pas nécessairement choisis pour leurs vertus ou leurs accomplissements ; on pouvait imaginer, par exemple, que la beauté ou la richesse suffiraient, ce qui ne constituerait en rien une amélioration.

Mais c'était là un débat ridicule. Ce qui comptait c'était le changement et un changement porté par la haine serait effrayant car il se ferait sans la moindre mesure.

— C'est ce que dit Jack, en tout cas.

Emily la fixait, son thé oublié.

— Ce qui l'inquiète par-dessus tout, c'est que de puissants intérêts royalistes sont prêts à tout pour que les choses restent en l'état… et je dis bien, prêts à tout ! Je l'ai pressé de questions afin qu'il me dise à quoi il pensait au juste mais il a refusé de me répondre. Il s'est tu et s'est refermé comme quand il ne se sent pas bien. Cela pourra te paraître bizarre mais je pense qu'il avait peur.

Elle s'interrompit brusquement, les yeux à nouveau baissés vers ses mains, comme si elle venait de prononcer des mots dont elle avait honte.

Charlotte frissonna. Elle aurait aimé en savoir davantage mais il était inutile d'insister. Si sa sœur avait pu lui en dire plus, elle l'aurait fait.

— Nous nous rendons compte à quel point nous tenons à notre vie présente, malgré toutes ses imperfections, uniquement quand quelqu'un menace de la détruire, dit-elle. Je n'ai rien contre certains changements, mais je ne veux pas d'un bouleversement. Crois-tu que nous puissions l'éviter ? Ou bien faut-il que ce soit tout ou rien ?

— Cela dépend, répondit Emily avec un petit sourire forcé. Si nous plions avec le vent de la révolte, peut-être que cela pourra suffire. Mais si on joue à Marie-Antoinette, alors l'alternative est simple : c'est la couronne ou la guillotine.

— Était-elle vraiment stupide à ce point ?

— Je n'en sais rien. Ce n'est qu'un exemple. Personne ne va décapiter la reine. Du moins, je n'imagine pas cela possible.

— Je suppose que les Français ne l'imaginaient pas non plus.

— Nous ne sommes pas français, rétorqua Emily avec force.

— Dis cela à Charles Ier[1], rétorqua Charlotte en se représentant le magnifique et triste portrait réalisé par Van Dyck de ce roi mené à l'échafaud par sa propre obstination.

— Ce n'était pas une révolution.

— C'était une guerre civile. Quelle différence ?

— Ah, ce ne sont que des parlottes ! Des cauchemars pour politiciens. Si ce n'était pas cela, ce serait autre chose : l'Irlande, les impôts, la journée de huit heures ou les égouts. S'il n'y avait pas de problème atroce à résoudre, pourquoi aurions-nous besoin d'eux ?

— Nous n'en avons probablement pas besoin... en général.

— C'est bien ce qu'ils redoutent, dit Emily en se levant. Tu veux venir avec nous voir l'exposition à la National Gallery ?

— Non, merci. Je vais rendre à nouveau visite à Mrs. Fetters. Tu as probablement raison... il doit s'agir de politique.

Charlotte arriva à Great Goram Street un peu après onze heures. Le moment n'était pas très convenable pour une visite, mais celle-ci n'avait rien de mondain et cet horaire offrait l'avantage qu'elle ne risquait

---

1. Charles Ier Stuart (1600-1649), roi d'Angleterre, convaincu de son autorité de droit divin. Il est décapité après avoir été vaincu par Cromwell. (*N. d. T.*)

guère de croiser quelqu'un d'autre à qui il faudrait expliquer sa présence.

Juno fut ravie de la voir et ne chercha même pas à le cacher.

— Entrez ! dit-elle avec enthousiasme. Avez-vous du nouveau ?

— Non, j'en suis navrée. J'ai beaucoup réfléchi mais sans grand résultat. Il m'est néanmoins venu quelques idées.

— Pourrais-je vous être utile ?

— Je l'espère.

Charlotte accepta le siège offert dans la même pièce agréable donnant sur le jardin que lors de sa précédente visite. Ce jour-là, en raison de la fraîcheur, la porte était fermée.

— Il semble que Mr. Fetters et John Adinett partageaient le même désir de réforme et qu'ils y étaient tous deux très attachés.

— Oh, pour Martin, c'était essentiel, acquiesça Juno. Il a écrit de nombreux articles sur ce sujet. Il connaissait beaucoup de gens qui partageaient son avis et il était convaincu qu'ils finiraient par obtenir quelques résultats.

— Auriez-vous certains de ces articles ?

— Ils devraient se trouver parmi ses papiers dans son bureau, dit Juno en se levant. Bien sûr, la police les a examinés. Je… je n'ai pas eu le cœur de les relire moi-même.

Plus petit que la bibliothèque, le bureau était une pièce agréable qui avait, à l'évidence, été très utilisée. Là aussi, des livres garnissaient tout un mur et deux d'entre eux reposaient sur le sous-main en cuir du bureau. Derrière celui-ci, des étagères débordaient de dossiers, de journaux et d'ouvrages.

Juno s'immobilisa, le visage fermé.

— J'ignore ce que nous pourrions découvrir ici, dit-elle. La police n'a rien trouvé sinon une note à propos

d'une réunion et deux ou trois autres prises par John…
Mr. Adinett, quand il se trouvait en France. Elles
n'avaient absolument rien de personnel ; il s'agissait
pour l'essentiel de descriptions de lieux de Paris ayant
eu un rapport avec la Révolution. Martin avait écrit
quelques articles sur ces endroits et Adinett disait à
quel point les descriptions qu'il en avait faites les
magnifiaient.

Sa voix était lourde d'émotion.

Elle se dirigea vers les étagères et y préleva un certain nombre de périodiques qu'elle feuilleta.

— Il y a toutes sortes d'articles ici. Voudriez-vous y
jeter un coup d'œil ?

— Oui, s'il vous plaît, accepta Charlotte.

Juno lui tendit les revues. Charlotte remarqua
qu'elles étaient publiées par Thorold Dismore. Elle
ouvrit la première et se mit à lire. L'article avait été
rédigé à Vienne par Martin Fetters alors qu'il déam-
bulait dans la ville, visitant les lieux où les révolu-
tionnaires de 1848 s'étaient soulevés pour forcer le
gouvernement de l'empereur Ferdinand à réformer
certaines lois terribles, à soulager le peuple d'impôts
écrasants et à réduire les inégalités.

Charlotte pensait survoler ces écrits, pour se faire
simplement une idée des convictions de Fetters mais,
dès la première phrase, elle fut captivée. Le ton général était empreint de passion et de tristesse, les mots
prenaient vie avec une telle force qu'elle ne tarda pas
à oublier le bureau dans lequel elle se trouvait et Juno
assise tout près d'elle. Elle croyait entendre la voix de
Martin Fetters célébrer le courage de ces hommes et
de ces femmes dans leur lutte. Elle sentait sa réaction
de refus outragé devant leur défaite finale et son espé-
rance qu'un jour leurs buts seraient atteints.

Elle passa à l'article suivant écrit à Berlin. Dans son
essence, il était semblable. Marqué par l'amour de
cette ville et de la singularité de ses habitants, il

165

évoquait en détail leurs tentatives pour faire plier le pouvoir militaire prussien et, au bout du compte, leur échec.

De Paris provenait sans doute l'un des articles auxquels s'était référé John Adinett. Celui-ci était plus long, nourri de la fascination pour cette ville glorieuse qui avait subi la Terreur, et vibrant d'un espoir si intense qu'il en était douloureux. Fetters s'était rendu là où avait vécu Danton, il avait emprunté son dernier trajet jusqu'à la guillotine, là où il s'était montré le plus grandiose, alors qu'il avait tout perdu et vu la Révolution décapiter ses propres enfants.

Fetters avait été rue Saint-Honoré devant la maison du charpentier chez qui avait logé Robespierre ; il avait arpenté les rues où les étudiants avaient dressé les barricades de la révolution de 1848 qui avait gagné si peu et coûté tellement. Une boule douloureuse s'était formée dans la gorge de Charlotte et elle eut beaucoup de mal à poursuivre sa lecture.

Fetters trouvait, dans l'article suivant, que, même sous le joug autrichien, Venise restait la plus belle ville du monde. Celle qui avait été le berceau d'un nouveau concept de démocratie – longtemps après Athènes, la première république – n'était plus à présent qu'une coquille vide, dépouillée de son esprit et de son ancienne gloire.

Son dernier article portait sur Rome et toujours sur la révolution de 1848. Elle avait permis l'avènement d'une nouvelle république romaine dont la brève existence avait été étouffée par les armées de Napoléon III – et le retour du pape avait suivi. Il évoquait Mazzini, vivant dans une seule pièce du palais papal et mangeant du raisin. Il rappelait la bravoure de Garibaldi et de sa femme, fière et passionnée, morte après la fin du siège, et celle de Mario Corena, le soldat et le républicain prêt à céder tout ce qu'il possédait pour le bien commun : son argent, ses terres, sa vie si besoin était.

S'il y en avait eu davantage comme lui, ils n'auraient jamais perdu.

Charlotte reposa la publication sur le bureau, l'esprit empli d'héroïsme et de tragédies, et plus encore de la voix exaltée et exaltante de Martin Fetters.

Si John Adinett l'avait connu aussi bien que tout le monde le disait, seule une raison écrasante avait pu le pousser à assassiner un tel homme, un motif si puissant qu'il avait balayé l'amitié, l'admiration et les idéaux partagés. Elle était incapable de deviner ce qu'il pouvait être.

Puis un doute infime naquit en elle, comme une ombre qui passe devant le soleil. Et s'ils s'étaient tous trompés au sujet de ce meurtre ? Et si Adinett avait dit la vérité depuis le début ? Et s'il ne s'était agi que d'un accident ?

Elle garda les yeux baissés pour ne pas montrer son trouble à Juno. Comme si le simple fait d'envisager cette idée constituait une trahison envers Pitt.

— C'est merveilleusement écrit, finit-elle par dire. J'ai l'impression d'avoir moi-même visité ces villes, d'avoir vécu ce qui s'y est déroulé. Et, plus encore, tout cela me paraît aussi essentiel que cela l'était pour votre mari.

Juno esquissa un sourire.

— Il était ainsi… Il a toujours su communiquer ses enthousiasmes. Il était si plein de vie que je n'imaginais même pas qu'il puisse la perdre.

Sa voix était douce, lointaine. Elle semblait presque surprise.

— Le fait que le monde continue sans lui me paraît… insensé. J'ai parfois envie de descendre dans la rue pour dire aux gens de rouler doucement, de faire moins de bruit. Et parfois, j'ai envie de faire comme si rien ne s'était passé, comme s'il était encore là quelque part et qu'il n'allait pas tarder à revenir.

Charlotte la dévisagea. Elle n'avait aucune peine à comprendre son déchirement. Sa propre solitude ne représentait qu'une fraction des souffrances que Juno endurait. Pitt allait bien ; il se trouvait à quelques kilomètres. Il pouvait démissionner de la police et, dans la seconde, rentrer à la maison. Mais cela ne résoudrait rien. Non, il fallait prouver qu'il ne s'était pas fourvoyé à propos d'Adinett et le prouver aux yeux de tous.

— Il y a sûrement autre chose, dit-elle. Nous ferions bien de chercher encore. Il se peut que cela ne se trouve pas dans cette pièce mais autant commencer par ici.

Obligeante, Juno se pencha pour ouvrir les tiroirs du bureau. L'un d'eux étant verrouillé, elle envoya chercher un couteau à la cuisine dont elle se servit pour forcer la serrure, éraflant le bois.

— Quel gâchis ! Mais je n'ai pas la clé.

Elles fouillèrent d'abord ce tiroir, le seul protégé contre une éventuelle intrusion.

Il contenait plusieurs documents. À leur lecture, une idée ne tarda pas à se former dans l'esprit de Charlotte. Il s'agissait essentiellement de lettres à la formulation très soignée où un regard inattentif n'aurait rien relevé de remarquable. Rédigées sans la moindre emphase, elles semblaient surtout d'ordre théorique : la réforme politique dans un pays hypothétique. Il n'y avait là ni drame, ni passion, seulement des considérations ; cela ressemblait à un exercice intellectuel.

La première était de Charles Voisey, le juge d'appel.

Mon cher Fetters,

J'ai lu votre article avec le plus grand intérêt. Vous soulevez nombre de points avec lesquels je suis en accord et certains que je n'avais pas encore envisagés mais qui, à la réflexion, me semblent tout à fait justes et pertinents.

Dans d'autres domaines, je ne puis aller aussi loin que vous le faites mais je comprends les influences qui vous ont guidé et, à votre place, j'aurais sans doute pensé de même mais peut-être pas jusqu'à une telle extrémité.

Merci pour la poterie qui m'est parvenue en parfait état et maintenant orne mon bureau personnel. Il s'agit d'une pièce absolument exquise, un rappel constant des splendeurs du passé et de la grandeur de ces hommes à qui nous devons tant. Comme vous le dites si bien, c'est une dette dont l'histoire nous tient comptables et que nous oublions trop souvent.

En attendant de converser davantage avec vous,

Votre allié dans la cause,
Charles Voisey

La suivante était d'une tonalité similaire ; elle émanait de Thorold Dismore, le propriétaire de journaux. De date récente, elle aussi faisait largement état de son admiration pour les travaux de Fetters et lui demandait la rédaction d'une nouvelle série d'articles.

La main tremblante, Juno lui tendit alors une lettre de la pile qu'elle avait choisie. Elle était d'Adinett.

Mon cher Martin,

Quel merveilleux article ! Digne d'éloges que j'aimerais savoir trouver. Celui que tes paroles n'enflamment pas ne peut être qu'un barbare, dépourvu de tout de qui fait un être civilisé.

Je l'ai montré à de nombreuses personnes que je ne nommerai pas, pour les raisons que tu sais, et qui partagent toutes ma profonde admiration.

J'ai le sentiment qu'un réel espoir existe. L'heure n'est plus simplement aux rêves.

Je te verrai samedi.

John

Charlotte leva les yeux.

Juno la fixait, accablée, puis elle se força à reprendre ses recherches.

Charlotte parcourut de nouvelles lettres avec une inquiétude croissante. Les mentions de changements nécessaires se faisaient de plus en plus claires, les références à la révolution romaine de 1848 de plus en plus ferventes. La royauté ouvrant nécessairement la voie à la tyrannie, la république de la Rome antique était tenue pour une sorte d'idéal. La volonté d'instituer une république, après abolition de la monarchie, était indubitable.

Et ce n'était pas tout. Ici et là, quelques allusions, qu'on avait voulues imprécises, suggéraient l'existence d'une autre société secrète dont les membres se vouaient à la perpétuation de la maison royale et étaient prêts, dans ce but, à utiliser tous les moyens, y compris à verser le sang. Une terrible lutte de pouvoir et d'influence semblait à l'œuvre, chaque clan paraissant tout aussi impitoyable. Le recours à la violence ne semblait pas simplement admis mais, à mots couverts, préconisé.

Charlotte reposa la dernière feuille et regarda Juno qui, depuis un moment, ne bougeait plus, pâle, les épaules basses.

— Est-ce possible ? demanda celle-ci d'une voix rauque. Pensez-vous qu'ils comptent réellement établir une république ici en Angleterre ?

— Oui.

La réponse semblait brutale mais nier la réalité n'aurait servi à rien.

— Après… après la mort de la reine ? demanda Juno.

— Peut-être.

Juno secoua la tête.

— Cela pourrait se produire d'un jour à l'autre. Elle a plus de soixante-dix ans. Et le prince de Galles ? Que vont-ils faire de lui ?

— Il n'est pas fait mention de lui, répondit Charlotte. Ils évitent, sûrement par prudence, de coucher ce genre de choses par écrit… À condition, bien sûr, qu'un tel plan existe, qu'il ne s'agisse pas uniquement d'un rêve. Et que, surtout, cette autre société secrète existe réellement.

— Je comprends la nécessité de réformes, dit Juno qui, à l'évidence, cherchait ses mots. Je les désire moi aussi. Il règne une pauvreté et une injustice terribles. C'est curieux mais ils ne parlent même pas des femmes.

Elle essaya de sourire sans y parvenir.

— Ils ne disent rien à propos du fait que nous devrions avoir plus de droits et participer davantage aux prises de décisions qui engagent l'avenir de nos propres enfants.

Elle s'interrompit et secoua la tête.

— Mais je ne veux pas de ceci ! s'exclama-t-elle, les lèvres tremblantes. Je sais que Martin admirait la république. Il y voyait la seule garantie d'égalité, cependant jamais je n'ai pensé que c'était ce qu'il désirait pour nous ! Je ne… je ne veux pas du changement décrit ici. Pas au prix d'une telle violence. Il y a tant de choses que j'aime actuellement. C'est ce que nous sommes… ce que nous avons toujours été.

Elle dévisagea Charlotte comme pour la supplier de la comprendre.

— Mais nous sommes les plus fortunés, répondit Charlotte, et nous ne sommes qu'une très petite minorité.

Juno posa alors la question qui la torturait depuis un moment.

— Est-ce pour cela qu'il a été tué ? Adinett aurait donc été un membre de cette autre société et il a assassiné Martin à cause de… ce plan pour instaurer une république ?

— Cela expliquerait pourquoi il n'a rien dit de ses mobiles.

L'esprit de Charlotte fonctionnait à toute allure. Le Cercle intérieur était-il monarchiste ? Était-ce là la solution de l'énigme : Adinett avait découvert ce que préparait son ami, que son idéalisme ne se limitait pas à l'évocation de gloires passées. Martin Fetters comptait mettre en œuvre des mesures bien plus immédiates et drastiques…

Même si cela était vrai, en quoi cela pourrait-il aider Thomas ?

Juno n'avait toujours pas bougé, le regard perdu dans le vide. Quelque chose en elle avait cédé. Le mari qu'elle avait aimé pendant tant d'années avait subitement changé, se révélant très différent de celui qu'elle croyait connaître, un homme tout à fait autre, dangereux sans aucun doute… et peut-être même hideux.

Charlotte était navrée, désespérément navrée et elle aurait aimé le dire mais, en manifestant sa pitié, elle n'aurait fait que reléguer Juno au rôle de spectatrice de sa propre vie.

— Possédez-vous un coffre ? demanda-t-elle.

— Pourquoi ? Vous pensez qu'il s'y trouve encore autre chose ? demanda Juno, bouleversée.

— Ce n'est pas à cela que je pensais mais plutôt que vous devriez y enfermer ces documents. Ce tiroir ne ferme plus. Vous ne devriez pas les détruire car nous ne savons pas encore avec certitude ce qu'ils signifient. Nous pouvons nous tromper.

— Vous ne le pensez pas vous-même et moi non plus, répliqua Juno. Martin tenait énormément aux réformes. Maintenant, je comprends mieux certaines de ses diatribes quand il critiquait la reine et le prince de Galles. Il disait que si elle avait dû répondre de ses actes devant le peuple de Grande-Bretagne, comme n'importe quel élu, elle aurait été démise de ses responsabilités depuis très longtemps. Il trouvait inadmissible qu'elle délaisse les devoirs de sa charge sous prétexte qu'elle a perdu son époux. Qui d'autre peut se permettre un tel laxisme ? disait-il.

— Personne, reconnut Charlotte. Et il n'était pas le seul de cet avis. Moi aussi, d'une certaine manière, je trouve cela inadmissible. Cela ne signifie pas pour autant que je préférerais une république… ni même, si c'était le cas, que je ferais quoi que ce soit pour qu'elle soit instaurée.

Juno rassembla les papiers.

— Il n'y a aucune preuve dans tout ceci, dit-elle d'une voix heurtée comme si les mots lui faisaient mal et qu'elle devait les forcer à sortir.

Charlotte attendit, incertaine des implications de cette remarque.

— Il doit y en avoir d'autres, dit alors Juno. Quelque part… Je dois les retrouver. Il faut que je sache ce qu'il comptait faire.

— En êtes-vous certaine ? demanda Charlotte.

— Ne voudriez-vous pas savoir ?

— Oui… Je… je crois que oui. Mais je voulais dire : êtes-vous sûre qu'il y a autre chose à trouver ?

— Oui.

Il n'y avait pas le moindre doute dans sa voix.

— Il n'y a là que des bribes éparses, des notes, de vagues projets. Je me suis peut-être trompée sur l'objet du travail de Martin mais je sais comment il travaillait. Il était extrêmement méticuleux. Il ne s'en remettait jamais uniquement à sa mémoire. Il consignait absolument tout.

— Où cela pourrait-il être, selon vous ?

— Je ne…

Elle n'acheva pas sa phrase, interrompue par une domestique venant annoncer Reginald Gleave. Il implorait le pardon pour cette visite à une heure aussi inconvenante mais des obligations auxquelles il ne pouvait se soustraire lui rendaient impossible de se présenter à un autre moment.

Juno parut étonnée. Elle se tourna vers Charlotte.

— J'attendrai où vous le souhaitez, dit vivement celle-ci.

Juno reprit son souffle, soulagée.

— Je le recevrai dans le petit salon, dit-elle à la bonne. Donnez-moi cinq minutes avant de le faire entrer.

Dès que la domestique fut partie, elle se tourna à nouveau vers Charlotte.

— Que diable peut-il bien vouloir ? Il a défendu Adinett !

— Rien ne vous oblige à le recevoir. Je peux aller lui dire que vous ne vous sentez pas bien, si vous le désirez.

— Non… non. Mais je vous serais reconnaissante de m'accompagner. Cela me semble tout à fait bienséant, n'est-ce pas ?

Charlotte sourit.

— Bien sûr.

Gleave parut surpris de découvrir deux femmes présentes dans la pièce. À l'évidence, il n'avait encore jamais rencontré Juno et ne savait à qui s'adresser.

— Je suis Juno Fetters, se présenta celle-ci avec froideur. Voici mon amie, Mrs. Pitt.

Il y avait du défi dans sa voix car elle était consciente que le nom de Pitt devait rappeler à Gleave des souvenirs cuisants.

Charlotte vit passer une lueur de colère dans les yeux de l'avocat.

— Comment allez-vous, Mrs. Fetters ? Mrs. Pitt. Je ne me doutais nullement que vous fussiez amies.

Il s'inclina très légèrement.

Charlotte l'examina avec intérêt. Ses épaules massives et son cou épais donnaient l'impression qu'il était plus grand qu'il ne l'était en réalité. Les traits n'avaient rien de séduisant mais on ne pouvait nourrir le moindre doute quant à sa perspicacité et à l'immense volonté qui l'animait. N'était-il rien de plus qu'un avocat passionné persuadé d'avoir injustement perdu un procès ? Ou bien faisait-il partie d'une société secrète prête à commettre des assassinats ou à provoquer des émeutes ?

— Que puis-je pour vous, Mr. Gleave ? demanda Juno.

Le regard de Gleave abandonna Charlotte pour revenir sur elle.

— Avant toutes choses, je tiens à vous présenter mes plus sincères condoléances, Mrs. Fetters. Votre mari était un homme d'une grande qualité. Nul ne souffre de sa disparition autant que vous, mais cette perte nous affecte tous. Nous étions nombreux à admirer sa haute moralité et ses immenses talents intellectuels.

— Je vous remercie, dit-elle poliment, mais on sentait une pointe d'impatience dans sa voix.

Ils savaient tous les deux qu'il n'était pas venu lui dire cela ; une lettre aurait été plus appropriée et moins importune.

Gleave eut soudain l'air gêné.

— Mrs. Fetters, je tiens à ce que vous sachiez que j'ai défendu John Adinett parce que je le croyais innocent ; s'il avait été coupable, je n'aurais jamais pu lui trouver la moindre excuse. Il me paraît encore inimaginable qu'il ait pu commettre un tel geste. Il n'aurait eu pour cela... aucune... raison !

Charlotte se rendit compte avec une certaine appréhension qu'il scrutait Juno avec attention, afin de surprendre le moindre battement de cil, le moindre changement d'expression. On aurait dit un prédateur guettant sa proie. Il était là parce qu'il cherchait à savoir ce qu'elle avait découvert ou bien si elle soupçonnait quelque chose.

Intérieurement, Charlotte supplia Juno de rester impassible ou, mieux, de jouer les idiotes.

— Non, dit celle-ci avec lenteur. Il n'en aurait pas eu. Je l'admets, je ne comprends pas, moi non plus.

Elle se massa les mains comme pour essayer de se détendre. Elle s'autorisa même un petit sourire contrit.

— À mes yeux, ils ont toujours été les meilleurs amis du monde.

Elle n'ajouta rien de plus.

Ce n'était pas la réponse qu'il attendait. Pendant un moment, son visage refléta l'incertitude.

— À vos yeux également ? dit-il en lui rendant son sourire. Je me demandais si peut-être vous aviez perçu quelque chose qui aurait pu expliquer cette tragédie... non pas des éléments précis, bien sûr, sinon vous en auriez sûrement fait part aux autorités, mais des pensées, des intuitions même, nées de votre connaissance intime de votre mari.

Juno ne répondit pas.

La voix de Gleave était onctueuse, cependant Charlotte vit à nouveau l'ombre du doute se glisser dans ses yeux. Il n'avait pas prévu le tour que prenait cette conversation. Il ne la contrôlait pas. Juno le forçait à parler plus qu'il n'aurait aimé le faire. Maintenant il devait expliquer les raisons de son intérêt.

— Je vous prie de m'excuser de vous poursuivre ainsi, Mrs. Fetters. Cette affaire me trouble parce qu'elle me paraît... irrésolue. Je... j'ai le sentiment d'avoir échoué.

— Je crois que nul d'entre nous ne comprend, Mr. Gleave, répondit Juno. J'aimerais pouvoir vous fournir des éclaircissements mais j'ai bien peur d'en être incapable.

— Cela doit être aussi très troublant pour vous, dit-il avec sympathie. Dans la douleur, on a besoin de comprendre.

— Votre sollicitude me touche, se contenta-t-elle de dire.

Une lueur d'intérêt passa dans les yeux de Gleave, si infime qu'elle en était presque indiscernable, mais Charlotte savait que Juno venait de commettre une erreur. Elle s'était montrée prudente plutôt que franche.

— Je le confesse, reprit soudain Juno. J'aimerais savoir pourquoi... ce qui...

Elle secoua la tête, les yeux emplis de larmes, avant de poursuivre :

— … pourquoi Martin est mort. Cela n'a aucun sens !

— Je suis tout à fait navré, Mrs. Fetters, dit Gleave. Je ne cherchais nullement à accroître votre détresse. Il était maladroit de ma part d'évoquer ce sujet. Pardonnez-moi, je vous prie.

Elle secoua la tête.

— Je comprends, Mr. Gleave. Vous aviez foi en votre client. Vous aussi devez être désemparé. Il n'y a rien à vous pardonner. En vérité, j'aurais aimé vous demander si vous connaissiez le mobile mais, bien sûr, même si vous l'aviez connu, vous n'auriez pas eu la liberté de me l'avouer. Maintenant, au moins, il est évident que vous n'en savez guère plus que moi. Et c'est une sorte de soulagement. Désormais, peut-être, vais-je enfin pouvoir cesser de ressasser tout cela et penser à autre chose.

— Oui… oui, cela vaudrait mieux, approuva-t-il avant de se tourner vers Charlotte.

Pour la première fois, il la dévisagea ouvertement, ses yeux sombres fouillant les siens ; elle crut percevoir un avertissement dans son regard avant de prendre conscience que cette dureté était délibérée. Il ne l'avertissait pas, il la menaçait !

— Ravi de vous avoir rencontrée, Mrs. Pitt.

Il n'ajouta rien de plus mais il régna pendant une fraction de seconde un silence glacial.

— Moi de même, Mr. Gleave.

Dès que la porte fut refermée derrière lui, Juno se tourna vers elle. Elle tremblait de tout son corps.

— Il voulait savoir ce que nous avions découvert, dit-elle d'une voix heurtée. C'est pour cela qu'il est venu, n'est-ce pas ?

— Oui. Ce qui signifie que vous aviez raison de penser qu'il existe d'autres documents sur lesquels il aimerait lui aussi mettre la main… et il doit s'agir de documents importants !

Juno frémit.

— Alors, nous devons les trouver ! Voulez-vous m'y aider ?

— Bien sûr.

— Merci. Ah ! Voudriez-vous une tasse de thé ? Pour ma part, j'en meurs d'envie !

Charlotte n'avait pas révélé à Vespasia ce qui était arrivé à Pitt, préférant ne pas parler de la sanction qui le frappait à quelqu'un dont l'opinion comptait tellement aux yeux de Pitt.

Cependant, maintenant que cette affaire s'avérait impossible à mener seule, elle ne voyait personne d'autre vers qui se tourner, à qui demander conseil.

Elle se présenta donc à la porte de Vespasia dès le lendemain de sa visite à Juno. La cameriste la fit entrer. Vespasia en était à son petit déjeuner et elle l'invita à se joindre à elle dans la pièce jaune et or réservée à cet usage.

— Vous semblez tourmentée, ma chère, observat-elle avec gentillesse, tout en étalant sur son toast une noix de beurre et une bonne cuillerée d'abricots confits. Auriez-vous quelque chose à me dire ?

— Oui. À vrai dire, cela s'est passé il y a trois semaines, mais je n'ai saisi la gravité de la situation qu'hier seulement. Je ne sais pas du tout quoi faire.

— Thomas n'a-t-il pas une opinion ? demanda Vespasia, délaissant son toast.

— Thomas a été muté, il n'est plus à Bow Street et travaille avec la Special Branch dans Spitalfields.

Charlotte s'autorisa enfin à montrer toute sa détresse, toute sa peur et ses doutes qu'elle devait cacher à ses enfants et même en partie à Gracie.

— Pire que tout, il doit vivre là-bas. Je ne l'ai pas vu depuis lors.

— Je suis désolée, ma chère, dit Vespasia avec sincérité.

— On lui fait subir cela en partie pour lui faire expier son témoignage contre John Adinett... et, en partie, pour le protéger du Cercle intérieur.

— Je vois.

Vespasia mordit avec délicatesse sa tartine tandis que la bonne apportait du thé frais pour Charlotte.

Celle-ci attendit son départ pour reprendre son récit. Elle raconta sa visite à Juno, rapportant le plus fidèlement possible ce qu'elle avait lu dans les papiers de Fetters, puis l'arrivée inopinée de Gleave et ce qui s'était alors passé.

Quand elle eut terminé, Vespasia resta longtemps silencieuse.

— Tout ceci est tout à fait déplaisant, dit-elle enfin. Et vos craintes me paraissent justifiées. Il s'agit d'une affaire très dangereuse. Je suis encline à partager votre avis quant à la raison de la visite de Reginald Gleave à Mrs. Fetters. Vous devez en conclure qu'il porte à tout cela un intérêt très particulier et qu'il est sans doute prêt à user de tous les moyens qui lui sembleront nécessaires.

— Y compris de violence ?

C'était à peine une question et Vespasia y répondit sans détour.

— Assurément, si cela lui paraît indispensable. Vous devez faire preuve de la plus extrême prudence.

Charlotte sourit malgré elle.

— N'importe qui d'autre m'aurait conseillé d'abandonner.

Une étincelle brilla dans les yeux gris de Vespasia.

— Et l'auriez-vous fait ?

— Non.

— Bien. Si vous aviez dit oui, cela aurait été soit un mensonge, et je ne supporte pas les mensonges, soit la vérité et, dans ce cas, vous m'auriez déçue. Mais j'étais tout à fait sérieuse en vous avertissant, Charlotte. Je ne suis pas tout à fait certaine des enjeux mais je pense qu'ils sont énormes. Le prince de Galles est, au mieux, mal conseillé. Au pire, c'est un dépensier qui ne se soucie guère de sa réputation. Victoria a depuis longtemps perdu tout sens du devoir. À eux deux, ils ont attisé le sentiment républicain qui s'est considérablement développé. Je dois avouer que, jusqu'à présent, je n'avais pas senti que nous étions si proches de la catastrophe ni que des hommes aussi respectés que Martin Fetters pouvaient y être impliqués. Mais ce que vous avez découvert fournit enfin une explication plausible à sa mort.

Charlotte se rendit compte qu'elle avait plus ou moins espéré que Vespasia lui dirait qu'elle se trompait, qu'il existait une autre réponse, plus personnelle, et que la société telle qu'elles la connaissaient n'était pas en danger. Cette confirmation balayait ses derniers doutes.

— Est-ce le Cercle intérieur qui soutient la monarchie ? demanda-t-elle.

— Je l'ignore, admit Vespasia. J'ignore quels sont leurs buts, cependant je ne doute pas qu'ils soient prêts à les poursuivre par tous les moyens. Il vaut mieux que vous gardiez le silence. Je dirais même : ne parlez à personne ! Cornwallis est sans doute un homme d'honneur, mais je n'en suis pas absolument certaine. Si ce que vous suggérez est vrai, nous nous trouvons face à un formidable pouvoir occulte pour qui le meurtre n'est qu'un outil parmi d'autres. J'espère que Mrs. Fetters en est consciente et saura se taire.

Charlotte était hébétée. Ce qui avait démarré comme la réparation d'une injustice faite à Pitt se muait en une lutte contre une conspiration menaçant l'équilibre du pays tout entier.

— Qu'allons-nous faire ? demanda-t-elle, fixant Vespasia.

— Je n'en ai pas la moindre idée. Pour l'instant.

Après le départ de Charlotte, Vespasia resta long-temps assise dans la pièce dorée, contemplant la pelouse à travers la fenêtre. Elle avait vécu tout le long règne de Victoria. Quarante ans auparavant, l'Angleterre semblait le pays le plus stable du monde, le seul où les valeurs demeuraient certaines, où l'argent ne se dévaluait pas, où les cloches d'église sonnaient tous les dimanches, où les pasteurs prêchaient le bien et le mal, et rares étaient ceux qui mettaient leur parole en doute. Chacun connaissait sa place et la plupart l'acceptaient. Le futur semblait s'étaler indéfiniment devant eux.

Ce monde avait disparu comme les fleurs d'été.

Elle était surprise de la colère qu'elle éprouvait à l'idée de savoir Pitt privé de sa situation et de son foyer, condamné à vivre dans Spitalfields. Mais si Cornwallis était bien celui qu'elle jugeait être, au moins Pitt était-il à l'abri de la vengeance du Cercle intérieur.

Elle ne recevait plus autant d'invitations que par le passé, mais il y en avait encore assez pour lui laisser le choix. Ce jour-là, elle avait prévu de ne pas se rendre à une garden-party à Astbury House où sa présence était sollicitée, mais elle savait que de nombreuses per-sonnalités s'y trouveraient… Randolph Churchill et Ardall Juster, entre autres. Elle allait donc s'y rendre. Peut-être verrait-elle Somerset Carlisle. Lui était digne de confiance.

Il faisait un temps idéal, doux et tiède, pour une réception en plein air. Les jardins étaient en pleine flo-raison. Vespasia arriva tard, comme à son habitude désormais, pour trouver les pelouses scintillantes de soie et de mousseline, de voilettes et de tulles ; seule la pointe d'une ombrelle manipulée sans précau-tion constituait ici une menace.

Elle portait une robe lavande et gris et un chapeau dont le bord remontait audacieusement d'un côté telle une aile, manifestant ainsi combien elle se moquait de l'opinion d'autrui.

— Merveilleux, ma chère, commenta avec froideur lady Weston. Et absolument unique, sans aucun doute.

Ce qui, dans sa bouche, signifiait qu'aucune femme sensée n'accepterait de porter un accessoire aussi démodé.

— Merci, dit Vespasia avec un sourire éblouissant. C'est très généreux de votre part.

Elle détailla la morne robe bleue de lady Weston avec dédain.

— Et quel don merveilleux ! ajouta-t-elle.

— Je vous demande pardon ?

— Que la modestie d'admirer les autres, expliqua Vespasia avant, dans un dernier sourire, de la planter là.

Elle repéra le propriétaire de journaux, Thorold Dismore, plongé dans une discussion animée avec le fabricant de sucre, Sissons. Cette fois, celui-ci semblait aux anges et plein d'énergie. On ne reconnaissait pas l'affligeant personnage qui s'était montré si barbant avec le prince de Galles.

Vespasia observa avec intérêt le changement opéré chez cet homme, se demandant quel sujet de conversation les passionnait autant. Dismore était un original, toujours engagé dans une croisade quelconque en dépit de sa naissance et de sa situation sociale. C'était un brillant orateur, parfois doué d'esprit, à condition qu'il n'aborde pas la politique de réforme.

Sissons, contrairement à lui, s'était fait tout seul. Il ne paraissait pas doué d'une grande vivacité d'esprit quand il s'était retrouvé face à un grand du royaume. Peut-être faisait-il partie de ces gens qui se pétrifiaient en présence d'un membre de la famille royale. Certains étaient terrifiés par le génie, d'autres par la beauté, quelques-uns l'étaient par le rang.

Néanmoins, elle était curieuse de savoir ce qu'ils avaient en commun et qui les exaltait autant.

Elle n'en eut pas l'opportunité car elle se retrouva soudain face à Charles Voisey. Les yeux plissés en raison du soleil, il semblait impénétrable. Aucune émotion ne se lisait sur son visage tandis qu'il la fixait sans rien laisser filtrer de son opinion à son égard, la mettant mal à l'aise.

Il laissa le moment se prolonger imperceptiblement avant de prendre enfin la parole.

— Bonne après-midi, Lady Vespasia, dit-il avec politesse. Beau jardin, n'est-ce pas ?

Il montra autour de lui la profusion de couleurs et de formes, les haies sombres impeccablement taillées, les bordures de plantes herbacées, le guéridon d'iris pourpres dont les pétales recourbés capturaient les rayons de soleil. Tout paressait dans la chaleur, les parfums étaient entêtants.

— Si anglais, ajouta-t-il.

Il avait raison. Vespasia repensa alors à une autre chaleur, aux cyprès, au bruit de l'eau dans les fontaines, musique née de pierres. Durant la journée, ses yeux souffraient de l'ardeur du soleil mais le soir la lumière se faisait douce, ocre et rose, baignant Rome d'une beauté qui voilait la violence.

Cependant tout cela était lié à Mario Corena et non à l'homme qui se trouvait en face d'elle. C'était un lieu différent, une époque différente. Un combat différent. Maintenant, elle devait penser à Pitt et à la monstrueuse conspiration dont il était une des victimes.

— En effet, dit-elle avec la même courtoisie distante. Mais de telles journées durent si peu et sont si incertaines… Demain, il pourrait pleuvoir.

— Cela semble vous laisser très pensive, Lady Vespasia, un peu nostalgique, même.

Ce n'était pas une question.

Elle le dévisagea sous le soleil impitoyable. Avait-il souffert de la pendaison d'Adinett ? Elle se souvenait de sa violente sortie contre Pitt lors de la réception avant le procès en appel. Il avait pourtant fait partie des juges qui avaient choisi la condamnation… mais dans la mesure où le scrutin avait été de quatre contre un, s'il avait voté contre, cela n'aurait fait que trahir sa préférence sans en altérer l'issue. Comme cela avait dû l'exaspérer !

— Bien sûr, reprit-elle, une part de la joie que suscitent les beaux jours est due au fait que l'on sait qu'ils se termineront très vite et qu'ils reviendront, même si certains d'entre nous ne seront plus là pour en jouir.

Il l'observait avec attention maintenant.

— Certains d'entre nous n'en jouissent pas en ce moment même, Lady Vespasia.

Elle pensa à Pitt dans Spitalfields, à Adinett dans sa tombe et aux millions qui ne se trouvaient pas au milieu d'un jardin baigné de soleil. L'heure n'était pas aux divertissements.

— Très peu d'entre nous en jouissent, Mr. Voisey. Mais, au moins, cette beauté existe et c'est un espoir. Mieux vaut que les fleurs s'épanouissent pour quelques-uns que pas du tout.

— Tant que nous faisons partie des quelques-uns ! répliqua-t-il aussitôt et, cette fois, sans prendre la peine de masquer son amertume.

Elle se contenta de le fixer, amusée plutôt que fâchée par son impolitesse.

Le doute passa dans ses yeux comme s'il réalisait son erreur : elle l'avait conduit à se révéler. Il lui en coûta un effort – il n'était pas homme à sourire facilement – mais son visage se détendit et il lui montra des dents parfaites.

— Cependant, vous avez raison car sinon les fleurs ne pousseraient que dans les rêves. Je sais cependant que, tout comme moi, vous avez œuvré pour des réformes et que l'injustice vous outrage tout autant.

Maintenant, c'était au tour de Vespasia d'être incertaine. Cet homme était peut-être d'une rare intégrité. Ce n'était pas impossible.

Elle lui rendit son sourire, cette fois avec sincérité.

Un moment plus tard, ils furent rejoints par Lord Churchill et la conversation aborda des sujets plus généraux. Bien entendu, à l'approche des élections, la politique prit le dessus : Gladstone et les problèmes apparemment insolubles soulevés par l'Irish Home Rule, la montée de l'anarchie en Europe et la présence de dynamiteurs à Londres.

— L'East End est un véritable baril de poudre, dit Churchill à Voisey, ayant apparemment oublié la présence de Vespasia. À la moindre étincelle, ce sera l'explosion !

— Qu'allez-vous faire ? demanda Voisey, les sourcils froncés.

— J'ai besoin d'abord de savoir en qui je peux avoir confiance, répliqua Churchill d'un ton amer.

Voisey afficha une expression prudente.

— Il faudrait aussi, dit-il, que la reine sorte de sa réclusion et recommence à penser au peuple. Et que le prince de Galles paie ses dettes et cesse de vivre comme si le futur n'existait pas.

— Dans ce cas, reconnut Churchill, ce serait la fin de mes problèmes.

Voisey sourit.

Un groupe de jeunes femmes passa près d'eux, toutes riant aux éclats et jetant des regards de côté en adoptant des postures avantageuses. Jolies, vêtues de dentelles pastel et de mousseline, elles avaient le teint pâle et sans défaut.

Vespasia n'avait aucun désir de retrouver leur âge avec ses espérances et son innocence. Sa vie avait été riche, ses regrets étaient rares ; il y avait bien eu quelques actes stupides ou égoïstes mais jamais elle n'avait reculé par lâcheté… même si parfois il aurait mieux valu.

Elle ne trouva pas Somerset Carlisle. À cette déception ne tarda pas à s'ajouter la fatigue. Elle était sur le point de s'excuser pour partir quand elle entendit à nouveau la voix de Churchill qui s'élevait derrière un massif de roses. Il parlait précipitamment et elle distinguait à peine les mots.

— … y faire à nouveau référence ! Cela a été réglé. Cela n'arrivera plus.

— Il vaut sacrément mieux ! chuchota une autre voix rendue méconnaissable par l'émotion. Une autre conspiration comme celle-ci signifierait la fin… et je ne dis pas cela à la légère !

— Dieu nous garde, elles sont toutes mortes, murmura Churchill. Que vouliez-vous que nous fassions… céder au chantage ? Où croyez-vous que cela nous aurait menés ?

— Dans la tombe, fut la réponse.

Les voix s'éloignèrent. Vespasia n'avait aucune idée de ce que pouvait signifier cet échange mais il lui laissa une impression sinistre.

Un peu plus loin, Lady Weston parlait à un admirateur de la dernière pièce d'Oscar Wilde, *L'Éventail de Lady Windermere*. Ils riaient tous les deux.

Vespasia se joignit à eux, s'immisçant pour une fois dans une conversation. Elle avait désespérément besoin de légèreté, de trivialité et de drôlerie. Les répliques étaient pleines d'esprit et familières. Elle s'en satisferait le plus longtemps possible.

CHAPITRE VII

Tellman était à bout de patience, excédé de devoir se limiter à la série de cambriolages sur lesquels il était chargé d'enquêter. Tout en interrogeant suspects et témoins ou en passant ses dossiers au crible, il ne cessait de penser à Pitt, à Adinett et à Lyndon Remus.

Il savait que s'il ne se consacrait pas entièrement à cette affaire de vols, il ne la résoudrait pas, ce qui ne ferait qu'ajouter à ses ennuis. Mais son imagination vagabondait et, de façon fort peu caractéristique chez lui, il quittait son travail dès que cela lui était possible pour partir en quête, à l'insu de tous, d'informations sur Remus. Il cherchait à connaître ses habitudes : où il vivait, ce qu'il mangeait, les pubs qu'il fréquentait, à qui il vendait la majorité de ses articles. Dans ce domaine, un changement s'était produit dans l'année en cours puisque Thorold Dismore était pratiquement devenu son unique commanditaire.

Ce soir-là, aux alentours de minuit, après l'heure de fermeture des pubs, il estima en savoir assez pour pouvoir retrouver Remus quand et où bon lui semblerait. Dès le lendemain, il le prendrait en filature… et il mentirait à son supérieur hiérarchique, chose qu'il n'avait encore jamais faite.

Malgré le confort de son lit, il dormit très mal mais se réveilla de bonne heure, l'esprit fourmillant d'idées plus ou moins extravagantes à propos des vices qui auraient pu conduire Adinett du côté de Mile End. Mais aucune de ces hypothèses ne semblait convenir à cette petite boutique de marchand de tabac perdue dans une rue si ordinaire.

Il prit une tasse de thé dans sa cuisine et acheta un sandwich au premier vendeur ambulant qu'il croisa avant de se poster dans un recoin sombre sur le trottoir faisant face à la résidence de Remus.

Selon ses prévisions, il avait près de deux heures à attendre et ce fut bien le cas. Quand enfin le journaliste émergea, rasé de près, les cheveux encore humides soigneusement coiffés en arrière et arborant un col propre et raide, Tellman était partagé entre la frustration et l'abattement. Sans la moindre hésitation, Remus se mit en marche d'un pas rapide : il savait où il se rendait et était impatient d'y arriver.

Tellman le suivit, restant avec prudence à une quinzaine de mètres derrière lui mais prêt à se rapprocher au cas où la foule se ferait plus dense.

Quelques minutes plus tard, il dut effectuer une course folle pour embarquer à bord du même omnibus. Il s'écroula sur un siège sous le regard goguenard d'un passager obèse. Essayant de recouvrer son souffle, Tellman se maudit pour son excès de précautions. Pas une seule fois, Remus n'avait jeté un regard derrière lui.

Il descendit à St Pancras et Tellman reprit sa filature. En ce milieu de matinée, la circulation étouffait les rues.

Remus traversa la chaussée, gratifiant d'un pourboire distrait le gamin qui balayait les crottes. Un instant plus tard, il gravissait les marches du St Pancras Infirmary.

Encore un hôpital ! Cela devenait une habitude. Tellman ne savait toujours pas pourquoi il s'était rendu au Guy's Hospital, sur l'autre rive de la Tamise.

Il courut derrière lui, baissant sa casquette pour masquer son visage. Remus posa quelques questions au portier avant de se diriger, toujours aussi pressé, vers les bureaux de l'administration. Que cherchait-il ? Ce qu'il avait déjà cherché au Guy's Hospital ?

Les pas de Remus résonnaient dans le couloir et ceux de Tellman derrière lui leur répondaient, tel un écho moqueur. Pas une seule fois pourtant, il ne se retourna pour voir de qui il s'agissait.

Ils croisèrent deux infirmières, des femmes d'âge mûr visiblement exténuées. L'une portait un seau fermé par un couvercle qui, à en juger par l'angle de son corps, était très lourd. L'autre se débattait avec une boule de draps souillés, s'arrêtant fréquemment pour rattraper les bouts qui pendaient.

Remus bifurqua, gravit quelques marches et frappa à une porte. Une petite pancarte annonçait qu'il s'agissait des archives.

Tellman le suivit aussitôt. Il n'apprendrait rien en restant dans le couloir.

Il pénétra dans une sorte de salle d'attente avec un employé chauve posté derrière un comptoir. Au-delà, s'élevaient des étagères ployant sous les dossiers. Trois personnes patientaient déjà ; deux hommes en costume bon marché, des frères à en juger par leur ressemblance ; et une dame âgée avec un chapeau de paille qui avait connu des jours meilleurs.

Remus prit sa place dans la file, se balançant d'un pied sur l'autre avec nervosité.

Tellman resta près de la porte, essayant de ne pas se faire remarquer, gardant les yeux baissés vers le sol de façon à ce que la visière de sa casquette cache ses traits.

Il apercevait néanmoins Remus, ses mains croisées dans le dos qui se serraient et se desserraient. Son excitation était palpable. Que cherchait-il de si important ?

Les deux frères reçurent leur renseignement et s'en furent. La femme s'avança.

Il fallut encore plusieurs minutes avant que sa demande fût satisfaite et vint enfin le tour de Remus.

— Bonjour, monsieur, dit-il d'un ton enjoué. On m'a dit que vous étiez la personne à qui m'adresser à propos d'une demande concernant les patients de l'hôpital et que vous en savez plus que quiconque ici.

— Ah, on vous a dit ça ? répondit l'autre qui ne semblait pas du genre à se laisser facilement amadouer. Et qu'est-ce que vous voulez au juste ?

Si Remus fut désarçonné, il ne tarda pas à se reprendre.

— J'essaie de retrouver un homme qui s'est peut-être livré à la bigamie, du moins c'est ce qu'une certaine dame m'a dit. Je n'en suis pas sûr.

L'employé parut sur le point de faire une remarque avant de changer d'avis.

— Et vous pensez qu'il est chez nous ? Vous savez, ici, c'est les archives, on n'a pas encore les dossiers des malades qui sont hospitalisés en ce moment.

— Non, pas en ce moment. Je pense qu'il est peut-être mort ici, je tiens juste à m'en assurer. De sombres histoires d'héritage, vous comprenez…

— Comment qu'il s'appelle, votre bigame ?

— Crook. William Crook, répondit Remus d'une voix légèrement tremblante. Sa mort remonterait à la fin de l'an dernier.

— Ouais ? fit l'autre décidément peu coopératif.

Remus se pencha au-dessus du comptoir.

— Est-il mort ici ? Je… il faut que je le sache !

— Oui, il est mort, le pauv'gars, répondit l'autre avec un respect aussi soudain qu'inattendu. Comme pas mal de monde. Vous auriez pu l'apprendre en cherchant dans les archives publiques.

— Je sais ! Quel jour est-il mort ?

L'employé ne broncha pas.

Remus posa une demi-couronne sur le comptoir.

— Si vous pouviez regarder dans les dossiers et me dire quelle était sa religion…

— Sa religion ?

— Oui... Et m'en dire un peu plus sur sa famille : qui est venu le voir, qui lui a survécu.

L'autre regarda la pièce – une somme considérable pour lui – avant de décider qu'il serait idiot de laisser filer l'occasion. Il pivota vers les étagères pour s'emparer d'un grand registre bleu. Remus ne le quittait pas des yeux. Il n'avait toujours pas conscience de la présence de Tellman près de la porte et il ne réagit pas davantage à l'entrée d'un nouveau venu.

Tellman se creusait la tête. Qui était ce William Crook et en quoi sa mort dans un hôpital avait-elle une importance ? Pourquoi s'intéresser à sa religion ? Dans la mesure où il était mort depuis l'année précédente, qu'avait-il à voir avec John Adinett ou Martin Fetters ? Était-il envisageable qu'Adinett l'ait assassiné et que Fetters l'ait appris ? Cela aurait pu constituer un mobile de meurtre.

L'employé leva les yeux.

— Il est mort le 4 décembre. De causes naturelles. Catholique, selon sa veuve, Sarah, qui l'a enregistré.

Remus se pencha encore davantage. Il contrôlait sa voix, mais celle-ci montait dans les aigus.

— Catholique. Vous en êtes certain ? C'est ce qui est inscrit dans le registre ?

— Qu'est-ce que j'viens de vous dire ? rétorqua l'autre.

— Et son adresse avant son séjour ici ?

L'employé baissa les yeux vers la page et hésita.

Remus comprit et sortit un shilling qu'il fit claquer sur le comptoir.

— St Pancras Street, au 9.

— St Pancras Street ! s'exclama Remus, stupéfait et incrédule. Vous êtes sûr ? Pas Cleveland Street ?

— St Pancras Street, répéta l'archiviste, imperturbable.

— Combien de temps est-il resté ici ?

— Comment le saurais-je ?

— Au numéro 9, donc ?

— C'est ça.

— Merci.

Remus se détourna et s'en fut, la tête basse, perdu dans ses pensées. Il ne remarqua même pas Tellman qui lui emboîta aussitôt le pas.

Les réponses qu'il avait obtenues le décevaient visiblement et l'emplissaient de confusion, mais il n'hésita pas à plonger dans la foule pour se diriger aussitôt vers St Pancras Street et y trouver le numéro 9. Il frappa à la porte.

Celle-ci fut ouverte par une femme d'une taille gigantesque – Tellman estima qu'elle devait faire beaucoup plus d'un mètre quatre-vingts – à l'expression féroce.

Remus se montra très déférent, lui manifestant un respect à l'évidence sincère, et elle parut s'adoucir quelque peu. Ils parlèrent plusieurs minutes puis il la salua d'un air résolu et s'en fut à nouveau, si vite qu'il faillit trébucher sur les marches. Tellman dut se mettre à courir pour ne pas le perdre de vue.

Le journaliste fonça tout droit vers la gare de St Pancras.

Fouillant dans ses poches, Tellman y trouva trois demi-couronnes, deux shillings et quelques pennies. Remus n'irait sans doute pas bien loin, un ou deux arrêts tout au plus. Il serait assez facile de le suivre… mais à quoi bon ? La femme de St Pancras Street était probablement la veuve de William Crook, Sarah. Qu'avait-elle appris à Remus qui avait balayé ses doutes ? Sans doute que feu son mari William Crook avait autrefois vécu à Cleveland Street ou y avait eu quelque affaire. Leur conversation s'était prolongée. Elle devait lui en avoir appris plus qu'il ne l'espérait.

Remus se présenta à la vitre du guichet.

Au moins, Tellman avait une chance de savoir où il se rendait. Il y avait foule dans le hall : il pouvait s'approcher sans attirer l'attention ; ce qu'il fit en restant derrière une jeune femme avec un sac en tissu et une ample robe bleu ciel.

— Un aller-retour pour Northampton, s'il vous plaît, demanda vivement Remus. Quand part le prochain train ?

— Dans une heure, monsieur, répondit le préposé. Cela fera quatre shillings et huit pence. Changement à Bedford.

Remus lui tendit l'argent et prit son billet.

Tellman quitta aussitôt la gare. Northampton ? Mais c'était au diable ! Qu'y avait-il donc là-bas ? Ce voyage allait lui coûter du temps et de l'argent et il n'avait ni l'un ni l'autre. D'un naturel prudent, nullement impulsif, suivre Remus là-bas lui paraissait un risque inconsidéré.

Il revint vers l'hôpital. De toute manière, il avait une heure devant lui pour se décider.

Qui était William Crook ? En quoi sa religion avait-elle une importance ? Qu'avait demandé Remus à sa veuve ? Toutes ces questions sans réponse ne faisaient que l'agacer davantage. Tellman était en colère après lui-même de s'être fourré dans cette galère et en colère après tout le monde parce que Pitt avait des problèmes et que personne ne faisait rien pour l'aider.

Il pensa à Gracie. Comment lui annoncer que tout cela n'avait guère de sens et n'avait peut-être aucun rapport avec Adinett ? Il avait beau chercher les mots justes, ils sonnaient comme des excuses. Soudain, il la vit, il vit son menu visage se dessiner de façon si nette dans son esprit qu'il en resta hébété. Il discernait très précisément chacun de ses traits, la couleur de ses yeux, le teint de sa peau, l'ombre de ses cils, les deux mèches qui lui griffaient le front en permanence. La courbe de sa bouche lui était aussi familière que son bol de rasage.

Elle n'accepterait pas la défaite. Il sentait déjà sa déception et son mépris s'il venait lui annoncer qu'il renonçait. Il grimaça. Non, pas question d'abandonner.

Il changea de direction et revint vers le 9 St Pancras Street. S'il s'arrêtait pour réfléchir à ce qu'il était en train de faire, les nerfs lui manqueraient, aussi choisit-il

de foncer droit vers la porte, son identification de policier à la main.

La géante vint ouvrir.

— Oui ?

— Bonjour, madame.

Il montra ses papiers officiels.

Elle les examina avec soin, impassible.

— Très bien, inspecteur Tellman, que voulez-vous ?

Devait-il essayer le charme ou l'autorité ? Il était difficile de se montrer autoritaire avec une créature de cette
taille et douée d'un tel caractère. Et il n'avait guère envie
de sourire. D'autant moins que, devant son silence pro-
longé, elle commençait visiblement à perdre patience.

— J'enquête sur un crime très grave, madame, dit-il
enfin avec une certitude qu'il était loin d'éprouver. J'ai
suivi un individu jusqu'à votre porte il y a quelques
minutes, taille moyenne, cheveux blond-roux, visage
mince. Je crois qu'il vous a posé des questions à propos de feu Mr. William Crook. Je dois savoir ce qu'il
vous a demandé et ce que vous lui avez répondu.

— Vraiment ? Et pourquoi donc, inspecteur ?

Elle avait un accent écossais marqué et une voix
enrouée qui formaient un mélange étonnamment plaisant.

— Je ne puis vous le révéler, madame. Il s'agit
d'une affaire confidentielle. Je dois savoir ce que vous
lui avez dit.

— Il m'a demandé si nous avions vécu dans Cleveland Street. Cela semblait très important pour lui. J'ai
hésité à lui répondre.

Elle soupira.

— Mais à quoi bon ? En fait, ma fille Annie a travaillé là-bas chez un marchand de tabac.

Pendant un court instant, une infinie tristesse déforma
ses traits. Puis cela passa et Tellman s'entendit insister :

— Que vous a-t-il demandé d'autre, Mrs. Crook ?

— Si j'étais parente avec J. K. Stephen, répondit-elle avec lassitude. Je ne le suis pas mais mon mari l'était. Sa mère était la cousine de J. K. Stephen.

Tellman était perdu. Il n'avait jamais entendu parler de J. K. Stephen.

Mais cette information avait paru suffisamment importante à Remus pour qu'il fonce à la gare et prenne un billet pour Northampton.

— Je vois. Merci, Mrs. Crook. C'est bien là tout ce qu'il vous a demandé ?

— Oui.

— Vous a-t-il donné une raison pour toutes ces questions ?

— Il a dit que c'était pour corriger une grande injustice. Je ne lui ai pas demandé laquelle. Les injustices ne manquent pas de nos jours.

— Oui, en effet.

Il inclina la tête.

— Bonne journée, madame.

— Bonne journée à vous.

La porte se referma.

Pendant le morne voyage jusqu'à Northampton, Tellman passa son temps à imaginer ce que pouvait bien rechercher Remus, élaborant des théories de plus en plus fantaisistes à mesure que les minutes passaient. Avait-il évoqué cette injustice uniquement pour s'attirer la sympathie de Mrs. Crook ? Ou bien cherchait-il à déterrer un scandale ? C'était tout ce qui l'avait intéressé au cours de l'affaire de Bedford Square.

Mais un homme de la condition d'Adinett ne courait sûrement pas après un vulgaire scandale.

Il devait y avoir autre chose.

À Northampton, Remus prit le premier cab qu'il trouva devant la gare. Tellman embarqua à bord du suivant, ordonnant au cocher de le suivre. Assis sur le rebord de son siège, anxieux et mal à l'aise, il ne quitta pas le véhicule des yeux durant tout le trajet qui s'effectua à allure rapide à travers les rues provinciales. Finalement, ils arrivèrent devant l'enceinte lugubre d'un asile de fous.

Tellman attendit dehors, debout près du portail, là où il ne risquait pas de se faire remarquer. Quand Remus émergea une heure plus tard, son visage était rouge d'excitation, ses yeux brillaient et il marchait si vite qu'il aurait pu heurter Tellman sans même s'en rendre compte.

Celui-ci n'hésita guère et pénétra dans l'asile à son tour. Il ne disposait que d'un temps limité s'il ne voulait pas rater le dernier train pour Londres, ce qui valait bien mieux pour lui. Il serait déjà bien assez difficile comme cela d'expliquer une journée entière d'absence à Wetron.

Il se présenta au bureau ses papiers de policier à la main. Il avait déjà préparé son mensonge.

— J'enquête sur un meurtre. J'ai suivi un homme depuis Londres, ma taille environ, la trentaine, blond-roux, yeux bleus. J'ai besoin de savoir ce qu'il vous a demandé et ce que vous lui avez répondu.

Surpris, l'employé cligna des paupières, sa main s'immobilisant devant la plume d'oie dont il allait se servir.

— Il ne s'agissait pas d'un meurtre ! protesta-t-il. Le malheureux est parti de mort naturelle, enfin si on peut dire ça de quelqu'un qui se laisse mourir de faim.

— Qui se laisse mourir de faim ?

Décidément, se dit Tellman, éberlué, cette enquête le menait de surprise en surprise.

— Qui cela ? reprit-il.

— Mr. Stephen, bien sûr. C'est sur lui qu'il m'interrogeait.

— Mr. J. K. Stephen ?

— Oui. Le pauvre. Fou à lier. Mais sans ça, il aurait pas été ici, pas vrai ?

— Et il s'est laissé mourir de faim ?

— Il a arrêté de manger. Comme ça, d'un coup. Il n'a plus rien avalé, plus une miette.

— Était-il malade ? Peut-être était-il dans l'incapacité de manger ?

— Oh non, il pouvait manger. Il a simplement arrêté, c'est tout. Et d'un seul coup. Le 14 janvier. Je me rappelle bien la date parce que c'est ce jour-là qu'on a appris la mort du pauvre duc de Clarence. À mon avis, c'est pour ça. Vous savez, il connaissait le duc, et bien même. Il parlait souvent de lui. Il lui avait appris à peindre, qu'il disait.

Tellman était complètement perdu. Plus il en apprenait, moins cela avait de sens. Il semblait très improbable qu'un fou qui s'était laissé mourir de faim dans un endroit pareil ait pu connaître le fils aîné du prince de Galles.

— Vous en êtes certain ?

— Bien sûr que j'en suis certain ! Et pourquoi que vous tenez tant à le savoir, d'abord ?

L'employé plissa les paupières, une note de suspicion dans la voix.

Tellman se contrôla avec effort.

— Je dois juste m'assurer qu'il n'y a pas erreur sur la personne.

— Il avait été le précepteur du prince. Quand il a appris sa mort, ça a dû lui faire un sacré choc. Il a pas supporté. Faut dire qu'il avait pas toute sa tête, le pauvre diable.

— Quand est-il mort ?

— Le 3 février, dit-il. C'est horrible de partir comme ça. Et ça a pas le moindre sens. Un pauvre fou décide de mourir – de chagrin, pour ce que j'en sais – et voilà qu'il quitte la vie, y a pas d'autre mot, comme ça, sans la moindre hésitation. Voilà, c'est tout : à part ça, je sais rien d'autre.

— Merci. Votre aide m'a été précieuse.

Tellman avait soudain désagréablement conscience de l'heure qui tournait.

— Merci ! répéta-t-il avant de se mettre à courir dans le couloir.

Il attrapa le train de justesse, heureux de s'écrouler dans un siège. Il passa la première heure du voyage à noter tout ce qu'il venait d'apprendre et la seconde à essayer de concocter une histoire vraisemblable qui pourrait satisfaire Wetron. Il n'y arriva pas.

Pourquoi ce pauvre Stephen avait-il choisi de se laisser mourir de faim en apprenant la mort du jeune duc de Clarence ? Et quel intérêt cela avait-il pour Remus ? C'était tragique, certes, mais il s'agissait d'un fou, sinon il n'aurait pas été interné à l'asile de Northampton.

Et quel était le rapport avec William Crook qui était mort en décembre au St Pancras Infirmary de causes parfaitement naturelles ? Ou bien avec le marchand de tabac de Cleveland Street ? Et, par-dessus tout, en quoi cela concernait-il John Adinett ?

Dès qu'ils arrivèrent à Londres, Tellman sauta sur le quai en quête de Remus. Il avait pour ainsi dire abandonné l'espoir de le retrouver quand il le vit descendre avec lenteur d'un wagon. Il avait dû s'endormir. Sa démarche semblait incertaine tandis qu'il se dirigeait vers la sortie.

Tellman le suivit à nouveau. Fort heureusement, les journées étaient longues, et il faisait encore jour, ce qui lui facilitait la tâche.

Remus s'arrêta dîner dans un pub. Il ne semblait pas pressé et Tellman envisagea d'arrêter sa filature, se disant que le journaliste en avait fini pour ce jour-là et n'allait pas tarder à rentrer chez lui. C'est alors que Remus consulta sa montre et commanda une autre bière.

Donc, l'heure avait une importance pour lui. Il allait quelque part ou bien il attendait quelqu'un.

Tellman attendit lui aussi.

Au bout d'un quart d'heure, Remus se leva et sortit. Il héla un cab. Tellman faillit le perdre le temps d'en trouver un autre.

Ils prirent la direction de Regent's Park. Très loin du lieu de résidence de Remus. Aucun doute, il se rendait bien à un rendez-vous. Tellman consulta sa montre à la lumière d'un lampadaire. Il était près de neuf heures et demie. La nuit tombait. Soudain, sans le moindre avertissement, le cab s'immobilisa dans un sursaut et il faillit tomber de son siège.

— Que se passe-t-il ? demanda-t-il en regardant devant lui.

Plusieurs cabs stationnaient le long de la rue près du parc.

— C'est celui-là ! désigna le cocher. Celui qui vous intéresse. Ça fera un shilling et trois pence.

Cette histoire commençait à lui revenir cher. Ravalant un juron, Tellman régla rapidement sa course avant de se diriger vers Remus, silhouette qu'il distinguait à peine et ne reconnaissait qu'à sa démarche pressée.

Ils étaient sur Albany Street, tout près de l'entrée de Regent's Park. Tellman discernait l'Outer Circle[1] et les pelouses impeccables qui s'étendaient jusqu'aux arbres des jardins, les Royal Botanical Gardens, à quelque quatre cents mètres de là.

Remus pénétra dans le parc. Soudain, il se retourna pour regarder derrière lui. C'était la première fois de la journée qu'il se comportait ainsi. Surpris, Tellman n'eut d'autre choix que de continuer à avancer comme si de rien n'était.

Remus ne parut pas le remarquer et reprit sa route, mais en lançant maintenant des regards rapides autour de lui. Guettait-il quelqu'un ou bien avait-il peur d'être surveillé ?

1. Allée qui ceinture Regent's Park. (*N. d. T.*)

Tellman s'approcha en veillant à rester sous l'ombre des arbres.

Quelques promeneurs déambulaient. Un peu plus loin, un homme seul, immobile, semblait attendre. Remus hésita, le scruta puis, visiblement satisfait, se dirigea d'un pas plus décidé vers lui.

Tellman le suivit aussi près que possible.

Remus s'arrêta devant l'inconnu.

Tellman tenta d'entendre ce qu'ils se disaient mais ils parlaient à voix basse. Même lorsqu'il s'avança, casquette enfoncée jusqu'aux sourcils, passant à trois mètres d'eux à peine, il ne saisit pas le moindre mot de leur conversation. Il remarqua néanmoins que Remus était en proie à une excitation palpable tout en écoutant l'autre avec une totale attention ; il ne tourna même pas les yeux quand Tellman arriva à leur hauteur de l'autre côté de l'allée.

L'inconnu, de taille supérieure à la moyenne, était extrêmement bien vêtu ; son chapeau melon rabaissé sur son front et le col de son manteau relevé dissimulaient efficacement son visage. Tellman nota cependant les bottines de cuir verni, magnifiquement coupées, et l'excellence du manteau qui lui seyait à la perfection : il avait dû coûter plusieurs mois de salaire d'un inspecteur de police.

Tellman continua sur l'Outer Circle avant de retourner sur Albany Street où il attrapa l'omnibus pour rentrer chez lui. Son esprit était en ébullition. Il n'y comprenait rien mais était certain maintenant qu'il y avait quelque chose à comprendre. Restait juste à trouver de quoi il s'agissait.

Le lendemain matin, il dormit plus tard qu'il ne l'aurait voulu et arriva juste à temps à Bow Street. Un message l'y attendait lui ordonnant de se présenter sur-le-champ au rapport dans le bureau de Wetron. Il monta d'un pas pesant.

Il s'agissait du bureau de Pitt même si tous ses effets personnels en avaient été retirés et remplacés par ceux de Wetron. Une batte de cricket – une batte de cricket ! – était accrochée au mur et le portrait d'une jeune femme blonde dans un cadre d'argent trônait sur le bureau.

— Oui, monsieur ? fit Tellman, sans grand espoir.

Wetron se laissa aller en arrière dans son fauteuil et haussa les sourcils.

— Auriez-vous la bonté de me dire où vous vous trouviez toute la journée d'hier, inspecteur ? Vous avez apparemment jugé inutile d'informer l'inspecteur Cullen de vos déplacements.

Tellman savait déjà ce qu'il allait dire mais cela lui restait néanmoins difficile. Il déglutit avec peine.

— Je n'ai pas encore eu l'occasion de parler à l'inspecteur Cullen, monsieur. J'ai suivi un suspect. J'aurais risqué de le perdre.

— Et le nom de ce suspect, inspecteur ?

Wetron le dévisageait fixement. Il avait des yeux d'un bleu très clair.

Tellman puisa un nom dans sa mémoire.

— Vaughan, monsieur. C'est un receleur notoire.

— Je connais Vaughan, répondit Wetron d'un ton sec. Avait-il en sa possession les bijoux des Bratby ?

Il y avait du scepticisme dans sa voix.

— Non, monsieur.

Tellman préférait donner le moins de détails possible sur sa « filature ». Il était malheureux que Wetron connaisse Vaughan, ce qu'il n'avait pas prévu. Que Dieu fasse que celui-ci n'ait pas été arrêté la veille par le plus grand des hasards !

— Vous me surprenez, inspecteur Tellman, reprit Wetron. Quand avez-vous vu le commissaire Pitt pour la dernière fois ? Et je vous conseille de dire la vérité.

— Le dernier jour où il était ici à Bow Street, monsieur, répondit aussitôt Tellman, prenant un air offensé. Depuis, comme vous me l'avez demandé, je n'ai pas eu le moindre contact avec lui, monsieur.

— Je l'espère pour vous, inspecteur, fit Wetron, glacial. Vos instructions étaient très claires.

— Très, répéta Tellman.

— Peut-être alors souhaitez-vous me dire pourquoi vous avez été vu par un agent qui faisait sa ronde vous présentant au domicile du commissaire Pitt en début de soirée il y a deux jours ?

Le ventre de Tellman se glaça.

— Certainement, monsieur, répondit-il avec calme en espérant ne pas avoir blêmi, même si l'affaire est privée. Je courtise la bonne des Pitt, Gracie Phipps. J'étais passé la voir. Nul doute que l'agent en question vous a dit que je me suis présenté à la porte de service. J'ai pris là-bas une tasse de thé puis je suis parti. Je n'ai pas vu Mrs. Pitt. Je crois qu'elle se trouvait à l'étage avec les enfants.

— Vous n'êtes pas sous surveillance, Tellman ! dit Wetron. C'est un pur hasard si cet agent vous a aperçu.

— Oui, monsieur, répondit Tellman, impassible.

Wetron l'examina encore avant de baisser les yeux vers les papiers étalés sur son bureau.

— Bien, allez faire votre rapport à Cullen. Ces cambriolages sont importants. Les gens attendent de nous que nous protégions leurs biens. C'est pour cela que nous sommes payés.

— Bien sûr, monsieur.

— Serait-ce un sarcasme, Tellman ?

Celui-ci ouvrit de grands yeux.

— Un sarcasme, monsieur ? Pas du tout. Je suis certain que c'est pour cela que les gentlemen du Parlement nous paient.

— Fichu insolent ! aboya Wetron. Faites attention, Tellman, vous n'êtes pas indispensable !

Sagement, Tellman évita cette fois de répondre. Il s'excusa pour se présenter au rapport devant Cullen et lui expliquer pourquoi il n'avait rien à lui fournir.

La journée fut longue et difficile, essentiellement passée à poser des questions inutiles à des individus éparpillés aux quatre coins de la ville. Ce ne fut que vers sept heures du soir que Tellman, les pieds en feu, put enfin se libérer et prendre l'omnibus pour Keppel Street. Depuis la veille, il était impatient de dévoiler ses découvertes à Gracie.

Par chance, Charlotte se trouvait encore à l'étage avec les enfants. Elle semblait avoir pris l'habitude de leur faire la lecture.

Gracie pliait du linge qui sentait merveilleusement. Il adorait l'odeur du coton lavé depuis peu, c'était une de ses préférées.

— Alors ? demanda-t-elle sans même lui laisser le temps de s'asseoir.

— J'ai suivi Remus.

Il se mit à l'aise, dénouant légèrement les lacets de ses chaussures et espérant qu'elle allait mettre la bouilloire à chauffer. Il avait faim aussi. Cullen ne lui avait pas permis d'avaler quoi que ce soit depuis midi.

— Où ça ?

Elle ne le quittait pas des yeux, le linge oublié.

— Au St Pancras Infirmary. Il s'informait sur la mort d'un certain William Crook, répondit-il en se laissant aller contre le dossier de sa chaise.

— Qui c'est celui-là ?

— Je ne sais pas trop. Mais il est décédé de mort naturelle à la fin de l'année dernière. Remus semblait attacher de l'importance au fait qu'il était catholique. Ce Crook avait une fille qui travaillait chez le marchand de tabac de Cleveland Street… et sa mère était cousine d'un Mr. Stephen qui s'est laissé mourir de faim dans un asile de fous de Northampton.

— Quoi ? s'exclama-t-elle. Qu'est-ce que c'est que cette histoire ?

Il lui relata brièvement son voyage en train et ce qu'il avait appris à l'asile. Elle l'écouta en silence, les yeux vissés sur lui.

— Et il était le précepteur du pauvre prince Eddy qui venait de mourir ?

— C'est ce qu'on m'a dit.

Gracie fronça les sourcils.

— Quel rapport avec Cleveland Street ? Et avec Adinett ?

— Je n'en sais rien, reconnut-il. Mais Remus semble persuadé que tout cela est lié. Si vous aviez vu sa tête ! On aurait dit un chien qui a flairé un os. Il en frétillait d'excitation.

— Il s'est passé quelque chose à Cleveland Street et c'est ça qui a tout déclenché, dit-elle, avec une moue pensive. Et Fetters et Adinett savaient ce que c'était.

— On dirait, acquiesça-t-il. Et j'ai bien l'intention de le savoir, moi aussi.

— Soyez prudent ! dit-elle, pâlissant soudain.

Inconsciemment, elle tendit les mains vers lui.

— Ne vous inquiétez pas. Remus ne se doute pas que je l'ai filé.

Il posa sa main sur les siennes et fut surpris de leur petite taille. On aurait dit celles d'un enfant. Elle ne les lui enleva pas et, pendant un instant, il fut incapable de penser à autre chose.

— Je ne parlais pas de Remus, grand dadais, fit-elle d'une voix bizarrement rauque. Mais de votre nouveau patron qui a pris la place de Mr. Pitt. S'il vous attrape, il va vous remettre aux rondes et là vous serez plus bon à rien !

— Je ferai attention, promit-il, mais la sensation de froid était toujours présente en lui.

Il ne pouvait se permettre que Cullen ait à se plaindre de lui. Il était arrivé là où il était maintenant grâce à un travail acharné depuis l'âge de quatorze ans ; s'il était renvoyé de la police, il perdrait son salaire et plus encore, car il n'obtiendrait pas la moindre référence permettant d'obtenir un nouvel emploi. De toute façon il n'existait aucun autre travail qu'il ait envie de faire ou pour lequel il avait la moindre qualification. Sa vie serait saccagée, ruinée.

Sans travail, et donc bientôt sans logement, comment pourrait-il jamais devenir l'homme qu'il voulait être, quelqu'un comme Pitt, avec une maison et une épouse ?... Que deviendrait-il aux yeux de Gracie ?

Mais il était engagé maintenant, quoi qu'il lui en coûte. Il devait découvrir la vérité... pour Pitt, pour Gracie et pour son honneur.

— Après son voyage à Northampton, reprit-il, Remus n'est pas rentré directement chez lui. Il a dîné dans un pub puis il a pris un cab pour Regent's Park où il avait rendez-vous, ça crevait les yeux.

— Avec qui ? s'enquit Gracie, toujours sans lui enlever ses mains mais sans les bouger comme pour ne pas lui rappeler qu'elles étaient là.

— Un gentleman très bien habillé, répondit-il, sentant les petits os sous ses doigts. Assez grand, portant un manteau au col relevé malgré la saison. Je n'ai pas pu voir son visage. Et je n'ai pu saisir un seul mot de ce qu'ils se disaient.

Elle hocha la tête sans l'interrompre.

— Mais vous auriez dû voir Remus ! Il était comme hypnotisé. Il est sur un coup si important qu'il se contrôle à peine... ou du moins, il en est convaincu. Si cela a un rapport avec Adinett, ajouta Tellman après une pause, il se peut qu'il détienne la preuve que Mr. Pitt ne s'est pas trompé.

— Je sais, approuva-t-elle. C'est pour ça que je vais le suivre, moi aussi. Pour vous, c'est trop risqué.

— Vous ne pouvez pas... commença-t-il.

Elle lui enleva ses mains.

— Si, je peux. En tout cas, je peux essayer. Il me connaît pas. Et même s'il me voit, ça lui fera ni chaud ni froid. De toute manière… vous pouvez pas m'en empêcher.

— Je peux dire à Mrs. Pitt de ne pas vous laisser sortir.

— Vous feriez pas ça !

Son désarroi avait quelque chose de comique. Mais elle ne tarda pas à se reprendre.

— Vous pensez à Mr. Pitt perdu dans Spitalfields et à tous les mensonges qu'ils racontent sur lui ?

Il connaissait ce ton têtu, cette obstination que rien n'entamait et il comprit qu'il était inutile d'insister. Mieux valait aider Gracie que lui mettre des bâtons dans les roues. Dieu seul savait ce dont elle était capable si elle menait sa propre petite enquête dans son coin.

— Alors, soyez très prudente. Ne le suivez pas de trop près. Rentrez à la maison avant la nuit. Et ne mettez pas les pieds dans un pub.

Il fouilla dans ses poches pour en sortir toute la monnaie qu'elles contenaient.

— Vous aurez besoin d'argent pour les cabs et les omnibus.

Il était visible qu'elle n'y avait pas songé. Elle le dévisagea, gênée, hésitant à accepter.

— Prenez ! ordonna-t-il. Vous ne pourrez pas le suivre à pied. Et s'il quitte à nouveau la ville, abandonnez. Vous comprenez ?

Il la fixait, le ventre noué.

— Il est hors de question que vous preniez un train. Personne ne saura où vous êtes. Il pourrait vous arriver n'importe quoi et nous ne saurions pas où vous trouver.

— D'accord, dit-elle faiblement. Pas de train.

Il n'était pas entièrement certain de pouvoir la croire. Il était surpris d'éprouver une telle peur à l'idée qu'il puisse lui arriver quelque chose. Il chercha un argument pour la dissuader avant de comprendre à quel point ce serait absurde. Il n'avait aucun droit sur elle et elle serait la première à le lui faire remarquer. Et pire encore, cela trahirait ses sentiments à son égard. Comment lui expliquer ce qu'il ressentait alors que lui-même ne le savait pas ? Ou n'osait pas le savoir. Il avait trop peur de perdre cette indépendance qui depuis toujours lui permettait de se sentir en sécurité.

Mais il admirait Gracie de vouloir prendre son relais pour poursuivre cette filature. Une douce chaleur l'envahissait quand il pensait à ce que cela signifiait. Là aussi, il y avait un sentiment de sécurité, et de confiance.

— Soyez prudente ! se contenta-t-il de dire à haute voix.

— Bien sûr que je le serai !

Elle essayait de paraître indignée mais elle ne le quittait pas du regard et elle resta longtemps immobile avant de se lever enfin pour aller leur chercher quelque chose de chaud à manger.

Le lendemain matin, elle demanda sa journée à Charlotte, sous prétexte qu'elle avait une urgence. Elle avait préparé une explication au cas où celle-ci lui serait demandée mais Charlotte parut soulagée de pouvoir occuper son esprit en s'attelant aux diverses tâches ménagères.

Gracie partit dès que possible, aux environs de dix heures, ne sachant absolument pas où trouver Lyndon Remus à cette heure de la journée. Mais elle savait comment se rendre à Cleveland Street et cela lui parut une bonne idée de commencer par là.

Le trajet en omnibus était long et l'argent de Tellman se révéla très utile même si elle était encore mal à l'aise d'avoir dû l'accepter.

Elle descendit au dernier arrêt dans Mile End Road et marcha jusqu'à Cleveland Street. Cette rue n'avait vraiment rien de spécial ; elle était bien plus large et plus propre que celle où elle était née et avait grandi… et à vrai dire, elle semblait presque respectable. Pas si on la comparait à Keppel Street, bien sûr… mais on était dans l'East End.

Comment procéder ? En tentant l'approche directe chez le marchand de tabac ou l'indirecte en interrogeant des voisins ? Oui, d'abord les voisins. Si la discrétion ne marchait pas, elle pourrait toujours prendre le risque d'aller voir le marchand.

Elle regarda autour d'elle les trottoirs défoncés, les pavés déchaussés, la fumée qui s'échappait des cheminées, les façades crasseuses des immeubles en brique où nombre de fenêtres des étages supérieurs étaient brisées ou remplacées par des planches. Les entrées des cours et des ruelles étaient sombres, on aurait dit des trous dans la ville.

Elle examina les boutiques les plus proches : un fabricant de pipes en terre et un atelier d'artiste. Elle ne connaissait rien à l'art et pas grand-chose aux pipes mais avec les pipes, au moins, elle pouvait improviser. Elle franchit la porte de la boutique.

— Bonjour, miss. Je peux vous aider ?

Un jeune homme, du même âge qu'elle, ou à peu près, se tenait derrière le comptoir.

— Bonjour, répondit-elle gaiement. À ce qu'on m'a dit, c'est ici qu'on trouve les meilleures pipes de ce côté de St Paul. Je voudrais quelque chose de spécial pour mon papa.

Le garçon sourit. L'épi au-dessus de son front lui donnait une expression débonnaire.

— Eh bien, celui qui vous a dit ça s'est pas trompé !

— Oh, ça fait un moment déjà. Il est mort maintenant, le pauvre. William Crook qu'il s'appelait. Vous le connaissiez ?

Il haussa les épaules.

— Je peux pas dire. On voit beaucoup de monde ici. Quel genre de pipe vous voudriez ?

— Je crois bien que c'est sa fille qui l'avait achetée pour lui chez vous. Elle travaillait chez le marchand de tabac.

Gracie fit un geste vers le bout de la rue.

— Elle, vous l'avez sûrement connue, non ?

Le garçon se raidit.

— Annie ? Bien sûr que je la connaissais. Une chic fille. Vous l'avez vue, ces derniers temps ?

Il semblait attendre sa réponse.

— Pourquoi ? Vous la voyez plus ? répliqua-t-elle.

— Dans le quartier, on l'a plus revue depuis au moins quatre ou cinq ans, dit-il avec tristesse. Un jour, il y a eu un sacré raffut. Ils étaient toute une bande, des étrangers, des fripouilles… tout à coup, ils se sont mis à crier et à se battre. Comme des chiffonniers. V'là que deux voitures arrivent, une au numéro 15, là où il y avait l'artiste, et l'autre au numéro 6. Je m'en souviens parce que j'étais dans la rue moi aussi. Deux types entrent chez l'artiste et ils en ressortent pas longtemps après en traînant le pauvre gars qui se débat et qui hurle. Il se défendait drôlement… pour ce que ça lui a servi. Ils l'ont fourré dans la voiture et ils ont décampé comme s'ils avaient le diable aux trousses.

— Et les autres ? demanda-t-elle, fascinée.

— Ceux-là, ils sont allés au numéro 6 et ils ont pris la pauvre Annie avec eux et depuis, comme je disais, on l'a plus jamais revue. Plus jamais.

Elle fronça les sourcils. Cette histoire semblait bien vieille pour que Remus – ou Adinett– s'y intéresse.

— C'était qui le gars qu'ils ont pris ? demanda-t-elle.

Le garçon haussa les épaules.

— J'sais pas. Mais un milord, ça c'est sûr. Beaucoup d'argent, beaucoup de classe. Joli garçon, grand, avec de beaux yeux. Plutôt du genre tranquille en général.

— En général ?

— Oui, il venait souvent.

— Pour Annie ?

— Oui.

— C'était son amoureux ?

— J'crois bien, oui.

Son visage s'assombrit et il continua, sur la défensive :

— Mais c'était une fille bien, Annie. Elle était catholique, alors allez rien chercher de dégoûtant là-dessous.

— On dirait un amour tragique, non ? suggéra-t-elle en voyant la pitié sincère du garçon. S'il était pas catholique, leurs familles les ont peut-être empêchés d'être ensemble ?

— Vous croyez ?

Il hocha la tête avec tristesse.

— C'est une honte. Quel genre de pipe vous voulez pour votre père ?

À dire vrai, elle n'avait pas les moyens de s'en offrir une, elle devait rendre à Tellman le plus d'argent possible, et il n'avait sûrement aucun besoin d'une pipe... De toute manière, elle préférait qu'il ne fume pas.

— Je crois que je ferais mieux de lui demander, dit-elle. C'est pas le genre de cadeaux qu'on peut faire sans être sûr. Merci pour vos conseils.

Et avant qu'il puisse lui répondre quoi que ce soit, elle fit volte-face et quitta la boutique.

Dans la rue, elle repartit par où elle était venue, vers Mile End Road, parce qu'elle connaissait le chemin, qu'il y avait du monde et qu'elle ignorait ce qui l'attendait dans l'autre direction.

Où aller maintenant ? Remus pouvait être n'importe où. Savait-il tout ce qu'elle venait d'apprendre ? Sans doute. À entendre le jeune vendeur, tout le quartier était au courant. Remus, lui, savait sûrement ce que cet incident signifiait.

En quittant Cleveland Street, il s'était d'abord rendu au Guy's Hospital. Pourquoi ? Cherchait-il déjà William Crook ? Il n'y avait qu'un moyen de le savoir : s'y rendre elle-même. Elle allait devoir inventer une bonne histoire pour justifier ses questions.

Il lui fallut tout le trajet en omnibus vers l'ouest puis vers le sud, traversant la Tamise sur le Pont de Londres, pour la trouver.

Elle acheta une tarte aux fruits et de la citronnade qu'elle consomma au bord du fleuve. C'était une belle journée venteuse et beaucoup en profitaient. Il y avait des bateaux de plaisance sur l'eau, des fanions qui volaient, des gens qui s'accrochaient à leurs chapeaux. Quelque part, pas très loin, s'élevaient les accents d'un orgue de Barbarie, joyeux et un peu désaccordés. Des gamins se pourchassaient, criant et couinant. Un couple passa devant elle, main dans la main, les jupes de la fille caressant le pantalon du garçon.

Son maigre repas terminé, Gracie se dirigea vers l'hôpital.

Elle se rendit directement aux bureaux, affichant un air grave et pathétique. C'était une petite comédie qu'elle avait souvent jouée bien des années auparavant, avant d'entrer au service des Pitt. À l'époque, elle était minuscule et maigre avec un petit visage d'ordinaire sale, et cela s'était souvent révélé très efficace. À présent, ce n'était plus aussi facile. Elle était devenue une personne d'une certaine importance ; elle était employée par le meilleur détective de Londres – autant dire du monde – même si, de façon temporaire, il avait perdu son rang.

— Que puis-je pour vous ? demanda le vieil employé derrière le bureau en la regardant par-dessus ses lorgnons.

— S'il vous plaît, monsieur, j'essaie de savoir ce qui est arrivé à mon grand-père.

Elle supposait que l'âge de William Crook en faisait un grand-père plausible.

— Est-il malade chez nous ? s'enquit l'employé avec gentillesse.

— Il a dû l'être, dit-elle en reniflant. On m'a dit qu'il est mort mais j'en suis pas sûre.

— Comment s'appelait-il ?

— William Crook. Ça remonte à un certain temps. On vient juste de me prévenir.

— William Crook, répéta-t-il, perplexe, en remontant ses lunettes sur son nez pour mieux la voir à travers ses verres. Ça me dit rien. Vous êtes sûre qu'il était ici ?

Elle essaya de prendre un air perdu et abandonné.

— C'est ce qu'on m'a dit. Vous avez eu personne qui s'appelait Crook ici ? Jamais ?

— Jamais, je sais pas.

Il fronça les sourcils.

— On a eu une Annie Crook il y a un sacré bout de temps. C'est Sir William en personne qui l'avait amenée, le chirurgien personnel de la reine ! Elle était folle, la pauvre petite. Ils ont fait tout ce qu'ils ont pu pour elle mais ça n'a pas servi à grand-chose.

— Annie ? s'étrangla Gracie en masquant son excitation. Elle est venue ici ?

— Vous la connaissez ?

Elle fit un rapide calcul.

— Bien sûr. C'était ma tante. Mais je l'ai pas vraiment connue. Elle a… comme qui dirait, disparu, il y a quelques années, en 1887 ou en 1888. Personne m'a jamais dit qu'elle était devenue folle, la pauvre. Je suppose qu'on dit pas ce genre de choses.

— Je suis navré. Mais ça peut arriver à des gens très bien. C'est ce que j'ai dit à l'autre jeune homme quand il m'a posé la question. Mais il n'était pas de sa famille, lui.

Il lui sourit.

— Elle a été très bien soignée ici, je peux vous l'assurer. Vous voulez que je fasse des recherches pour votre grand-père ?

— Non merci. J'ai dû mal comprendre.

— Je suis désolé, répéta-t-il.

— Ouais, moi aussi.

Cachant son excitation, elle quitta la pièce, refermant tout doucement la porte derrière elle avant de filer à toutes jambes.

Elle courut jusqu'à l'arrêt des omnibus. Maintenant, elle devait rentrer et rattraper un peu de son travail en retard. Avec un peu de chance, Tellman allait passer ce soir-là et elle lui dirait ce qu'elle avait appris. Il allait être impressionné... très impressionné. Elle attendit en fredonnant.

— Vous êtes allée là-bas ? demanda Tellman, le visage pâle, la mâchoire serrée.

— Oui, à Cleveland Street, répondit Gracie en servant le thé. Je suivrai Remus demain.

— Pas question ! Vous resterez ici à faire votre travail ! Au moins, ici, vous êtes en sécurité !

Penché au-dessus de la table, il avait des cernes sous les yeux et une tache de gras sur la joue. Elle ne l'avait jamais vu aussi fatigué.

Il n'avait pas à lui dire ce qu'elle pouvait faire ou ne pas faire... mais, d'un autre côté, c'était agréable de découvrir qu'il s'inquiétait pour elle. Elle avait perçu la pointe de peur dans sa voix. Oh, il n'y avait pas de risque, il n'admettrait jamais qu'il se faisait du souci pour elle, mais c'était évident comme le nez au milieu de la figure et, en plus, c'était... délicieux.

— Vous voulez savoir ce que j'ai découvert, oui ou non ? demanda-t-elle, impatiente de lui raconter.

— Je vous écoute, marmonna-t-il.

— Il y avait une fille, une certaine Annie Crook. C'était la fille du William Crook qui est mort à St Pancras. Elle a été enlevée chez le marchand de tabac de Cleveland Street il y a à peu près cinq ans pour être emmenée au Guy's Hospital où la pauvre malheureuse a été déclarée folle et depuis on l'a plus jamais revue.

Dans son excitation, elle en oubliait de couper une tranche du gâteau qu'elle avait sorti pour lui.

— Et attendez, c'est pas fini ! C'est un certain Sir William qui a dit qu'elle était folle et ce Sir William, c'est le chirurgien personnel de la reine ! Apparemment, il a pas réussi à la soigner. Et c'est pas tout ! Quelqu'un d'autre a posé des questions sur elle, je crois que c'est Remus. Et, attendez ! Un jeune homme a lui aussi été kidnappé dans l'atelier d'artiste de Cleveland Street le même jour qu'Annie, un type vraiment chic avec de beaux vêtements, un gentleman. Il s'est débattu comme un beau diable, le pauvre, mais ils l'ont quand même embarqué.

— Savez-vous de qui il s'agissait ?

Tellman était trop fasciné par ce qu'il entendait pour se souvenir de sa colère… ou du gâteau.

— Le garçon qui vend des pipes pense que c'était l'amoureux d'Annie mais il en est pas sûr. Et il a dit que c'était une fille bien, catholique, et que je devais pas médire d'elle.

Elle reprit son souffle avant de conclure :

— Peut-être qu'ils ont été séparés par leurs familles parce qu'elle était catholique et pas lui.

— Quel rapport avec Adinett ? marmonna-t-il en fronçant les sourcils.

— Je sais pas encore. Faut me laisser le temps ! protesta-t-elle. Mais ça fait beaucoup de monde qui a perdu la boule si on compte aussi ce gars qu'est mort à Northampton. Tous ces fous, c'est peut-être pas un hasard. Et peut-être que ça a aussi intrigué Mr. Fetters ?

Il resta longtemps silencieux.

— Peut-être, dit-il enfin mais sans réel enthousiasme.

— Vous avez peur, pas vrai ? dit-elle doucement. Parce que ça a peut-être aucun rapport avec Mr. Pitt et que tout ce qu'on fait là, ça va pas l'aider le moins du monde.

Elle aurait voulu pouvoir dire quelque chose pour le réconforter mais c'était la vérité et ni l'un ni l'autre n'était du genre à se voiler la face.

Il eut envie de prétendre le contraire – elle le vit sur son visage –, mais il se ravisa.

— Oui, reconnut-il. Remus croit être sur un gros coup, et j'aimerais que ce soit le cas et que cela explique pourquoi Adinett a tué Fetters. Mais je ne vois toujours pas le moindre lien avec eux.

— On le trouvera ! fit-elle avec détermination. Il faut bien qu'il ait eu une raison de le tuer et on continuera jusqu'à ce qu'on trouve.

Il sourit.

— Gracie, vous ne savez pas de quoi vous parlez, dit-il, mais son ton et ses yeux disaient exactement le contraire.

— Si, je sais, riposta-t-elle avant de se pencher pour effleurer ses lèvres d'un baiser très rapide.

Elle s'écarta aussitôt pour s'emparer du couteau et lui couper une tranche de gâteau, en évitant avec soin son regard. Elle ne le vit donc pas rougir violemment et elle ne vit pas non plus sa main trembler si fort qu'il dut reposer sa tasse pour ne pas en renverser le contenu.

CHAPITRE VIII

Pitt continuait à travailler chez le tisseur de soie mais désormais il effectuait aussi de temps à autre des gardes de nuit à la fabrique de sucre. Cela consistait à rester de longues heures debout dans l'ombre de l'imposante bâtisse d'où émanaient les grondements des chaudières qu'on n'éteignait jamais puis à effectuer des rondes à l'intérieur, une lanterne à la main, traquant les ombres ou les bruits suspects dans des couloirs aussi étroits que des coursives. Partout, l'odeur douceâtre de pourriture épaississait l'obscurité.

Si on ne le tenait pas trop à l'écart et s'il surprenait parfois quelques ragots auprès de ses collègues, il restait néanmoins à leurs yeux un étranger. Il lui faudrait des années avant d'être accepté, reconnu comme un des leurs.

De plus en plus, il sentait la colère gronder sous des échanges apparemment banals. Elle rampait partout : dans l'usine, dans les rues, dans les boutiques et dans les pubs. Quelques années plus tôt, cette grogne aurait été teintée de bonne humeur ; à présent, elle était rongée par une violence sourde, une rage prête à éclater.

Mais ce qui l'effrayait plus que tout, c'était l'espoir qui jaillissait parfois ici et là parmi les hommes maugréant sur une pinte de bière ; les murmures selon lesquels les choses allaient bientôt changer.

Il était aussi conscient des nombreuses différences existant entre les populations de l'East End ; leur mélange ne formait pas une masse homogène. Un grand nombre de réfugiés venus de toute l'Europe se retrouvaient là après avoir fui telle ou telle persécution, économique, raciale, religieuse ou politique. On entendait parler une douzaine de langues.

Le 15 juin au soir, au lendemain d'une série d'empoisonnements à Lambeth qui avait fait les gros titres, il rentra fatigué et en retard à Heneagle Street pour trouver Isaac qui l'attendait, les traits crispés d'anxiété, les yeux plissés comme s'il n'avait guère dormi depuis plusieurs nuits.

Pitt s'était pris d'une vive affection pour cet homme intelligent, cultivé et prolixe. Peut-être parce que Pitt n'était pas de Spitalfields, Isaac appréciait beaucoup les moments qu'ils passaient ensemble après dîner quand Leah se trouvait dans la cuisine ou bien était montée se coucher. Ils discutaient philosophie et croyances. Grâce à ces conversations, Pitt en apprit énormément sur l'histoire de son peuple en Pologne et en Russie. Isaac savait faire preuve d'un humour et d'une autodérision saisissants mais, à d'autres moments, ce qu'il racontait était d'un tragique inimaginable.

— Leah est sortie, annonça-t-il avec un haussement d'épaules. Sarah Levin est malade et elle est allée lui tenir compagnie. Elle nous a laissé un dîner froid.

Pitt acquiesça, souriant, avant de le suivre dans la petite cuisine où la table avait déjà été dressée. Le bois ciré et les arômes bizarres lui étaient désormais familiers, tout comme les broderies de Leah sur la nappe, la photographie d'Isaac jeune homme ou la fragile reproduction d'une synagogue polonaise faite avec des allumettes.

Dès qu'ils furent installés, Isaac prit la parole.

— Je suis content que vous travailliez pour Saul, déclara-t-il, tranchant le pain pour Pitt et pour lui-même.

Mais vous devriez réfléchir à propos de ces gardes à l'usine la nuit.

Pitt le connaissait assez maintenant pour savoir qu'il ne s'agissait là que d'une ouverture.

— Saul s'est montré généreux envers moi. Merci, dit-il en acceptant le pain. J'aime travailler pour lui. Mais je vois des choses différentes à l'usine.

Isaac mangea en silence pendant un moment.

— Il va y avoir des troubles, dit-il soudain sans regarder Pitt. Des troubles graves.

— À la sucrière ?

Pitt pensa à certaines rumeurs qui circulaient dans les tavernes.

Isaac acquiesça avant de le fixer droit dans les yeux.

— Ça va faire du vilain, Pitt. J'ignore ce qui va se passer mais j'ai peur. Il se pourrait qu'on nous accuse.

Pitt n'avait pas besoin de lui demander qui était ce « nous ». Il parlait de la communauté juive immigrée, aisément identifiable, et donc pouvant tout aussi aisément servir de bouc émissaire. Pitt savait déjà par Narraway que la Special Branch nourrissait quelques soupçons à son encontre mais, d'après ses propres observations, elle exerçait plutôt une influence stabilisatrice sur l'East End. Ses membres s'entraidaient, ouvraient des boutiques et montaient de petites entreprises, donnant du travail aux gens et par voie de conséquence un peu d'espoir ; il l'avait dit à Narraway mais sans lui révéler que, le plus souvent, c'était Isaac qui organisait les collectes pour ses semblables dans le besoin.

— Ce n'est qu'un murmure, poursuivait celui-ci. Même pas un ragot. Et c'est pour cela que je suis d'autant plus inquiet. Il va se passer quelque chose et ça n'a rien à voir avec les fous habituels, les anarchistes.

— Vous pensez aux catholiques ? demanda Pitt, dubitatif.

Isaac secoua la tête.

— Non. Eux aussi sont en colère mais ce sont des gens normaux comme nous. Ils veulent une maison, un travail, une vie meilleure pour leurs enfants. À quoi ça leur servirait de faire sauter les sucrières ?

— C'est de cela qu'il s'agit ? D'attentats à la dynamite ? dit Pitt avec une angoisse soudaine en imaginant le feu ravageant Spitalfields.

Si les usines explosaient, tout le quartier serait en flammes. Au propre comme au figuré.

— Je n'en sais rien, admit Isaac. Je ne sais pas ce qu'ils comptent faire, ni quand… Je sais simplement qu'ils ont prévu quelque chose de précis et qu'au même moment il doit se produire autre chose ailleurs mais qui concerne Spitalfields. Ces deux événements simultanés sont censés déclencher une réaction en chaîne.

— Une idée ? demanda Pitt. Un nom quelconque ?

Isaac secoua la tête.

— Un seul et je ne suis pas sûr qu'il soit vraiment lié à cela…

— Quel est-il ?

— Remus.

Pitt sursauta.

— Remus ?

Le seul Remus qu'il connaissait était un journaliste spécialisé dans les affaires à scandales. Mais les scandales susceptibles d'éclater parmi les habitants de Spitalfields n'étaient pas du genre à l'intéresser. Aurait-il mal jugé Remus ? Et s'il s'occupait de politique, après tout ?

— Merci, reprit-il. Merci de me prévenir.

— Ce n'est pas grand-chose. Et l'Angleterre a été bonne avec moi. Je me sens chez moi ici désormais.

Isaac sourit.

— Mon anglais est même assez correct, non ?

— Tout à fait, approuva Pitt avec chaleur.

Isaac se laissa aller contre le dossier de sa chaise.

— Maintenant, parlez-moi de cet endroit où vous avez grandi, cette fameuse campagne anglaise avec les bois, les champs et le ciel partout.

Pitt contempla les restes de leur dîner sur la table.

— Et ceci ?

— Laissez. Leah s'en occupera. Elle adore ça. Elle se met en colère dès qu'elle me voit dans la cuisine.

— Parce qu'il vous arrive d'y faire quoi que ce soit ? s'enquit Pitt, sceptique.

Isaac éclata de rire.

— Non… Mais c'est parce que je sais qu'elle se mettrait en colère !

Il montra une pile de linge propre à l'autre bout de la table.

— Elle est consciencieuse, n'est-ce pas ?

— Oui, acquiesça Pitt en songeant aux boutons qu'il avait trouvés recousus et à son sourire timide et satisfait quand il l'avait remerciée. Plus que cela, même. Vous êtes un homme chanceux.

Isaac hocha la tête.

— Je sais, mon ami, je sais. Maintenant, asseyez-vous et parlez-moi de cet endroit à la campagne. Décrivez-le-moi. Qu'est-ce qu'on éprouve en se levant le matin ? Parlez-moi des odeurs ! Des oiseaux, de l'air, de tout ! Pour que je puisse en rêver et m'imaginer là-bas.

Il était tôt le lendemain matin quand, en route vers l'atelier de tissage de soie, Pitt entendit des pas derrière lui. Il se retourna pour découvrir Tellman à moins de deux mètres. La peur le saisit. Était-il arrivé quelque chose à Charlotte et aux enfants ?

— Qu'y a-t-il ? Que faites-vous là ?

Tellman le rejoignit et, d'un geste du bras, l'incita à continuer à marcher.

— J'ai suivi Lyndon Remus, annonça-t-il d'une voix très sourde.

Pitt sursauta en entendant ce nom, Tellman ne parut cependant pas le remarquer.

— Il est sur une histoire qui a un rapport avec Adinett. Je ne sais pas encore de quoi il s'agit, mais il est tout excité. Adinett est venu plusieurs fois par ici... un peu plus à l'est, en fait, à Cleveland Street.

— Adinett ? s'étonna Pitt. Pour quelle raison ?

— Tout ça semble avoir un rapport avec une histoire vieille de quatre ou cinq ans, répondit Tellman. Une fille qui a été enlevée chez un marchand de tabac et emmenée au Guy's Hospital où on l'a déclarée folle. Chose étonnante : c'est Sir William Gull, le chirurgien personnel de la reine, qui s'est occupé d'elle. Après une de ses visites ici, Adinett est allé tout droit voir Thorold Dismore.

— Le propriétaire de journaux ? demanda Pitt en évitant une pile d'ordures avant de sauter de côté pour ne pas se faire renverser par un attelage chargé de tonneaux.

— Oui. Mais Remus prend ses ordres de quelqu'un d'autre, quelqu'un avec qui il a des rendez-vous nocturnes dans Regent's Park. Quelqu'un de très élégant. Un riche.

— Qui ?

— Je n'en sais rien.

Pitt marcha un moment, silencieux, l'esprit en ébullition. Il avait pris la décision de ne plus penser à l'affaire Adinett, mais bien sûr elle n'avait cessé de le hanter : il avait besoin de comprendre ce crime qui semblait n'avoir ni mobile ni justification. Et plus que cela encore, il avait besoin de prouver qu'il ne s'était pas trompé.

— Êtes-vous allé à Keppel Street ? demanda-t-il.

— Bien sûr, répondit Tellman. Tout le monde va bien. Vous leur manquez.

Il détourna les yeux.

— C'est Gracie qui a trouvé cette histoire à propos de la fille de Cleveland Street. C'était une catholique et elle avait un amant qui semblait être un gentleman. Il a disparu lui aussi.

Pitt sentit le mélange de fierté et de timidité dans la voix de Tellman à l'évocation de Gracie. À tout autre moment, il aurait souri.

— Je viendrai vous prévenir si je trouve autre chose, reprit Tellman. Il faut que je parte. On a un nouveau commissaire… Wetron, il s'appelle, fit-il avec dégoût. Je ne sais pas ce qui se passe au juste, mais je me méfie de tout le monde et vous devriez en faire autant. Vous passez tous les matins par ici ?

— La plupart du temps.

— Je vous tiendrai au courant.

Il s'arrêta tout à coup pour faire face à Pitt.

— Soyez prudent.

Puis, gêné de lui avoir donné un conseil, il pivota d'un mouvement brusque et s'en fut.

Gracie était toujours bien décidée à suivre Lyndon Remus mais en faisant en sorte que ni Charlotte ni Tellman n'en sachent rien. Il lui fallait donc trouver une raison quelconque pour expliquer son absence. L'idée de mentir à Charlotte lui répugnait. Si cela n'avait pas été absolument nécessaire pour corriger l'injustice faite à Pitt, elle ne l'aurait même pas envisagé.

Elle se leva dès l'aube pour allumer le poêle, mettre l'eau à bouillir et frotter la cuisine de fond en comble avant que quiconque ne descende. Même les chats furent surpris de la voir à cinq heures et demie et passablement agacés d'être dérangés en plein sommeil dans le panier à linge sans même se voir offrir de petit déjeuner en contrepartie.

Quand Charlotte fit son apparition à sept heures et demie, Gracie avait peaufiné son histoire.

— Bonjour, m'dame, dit-elle gaiement. Une tasse de thé ?

— Bonjour, répondit Charlotte en détaillant la pièce avec étonnement. Vous ne vous êtes pas couchée de la nuit ?

— Je me suis levée un peu tôt.

Gracie gardait un ton badin, replaçant la bouilloire sur le rond du poêle.

— Parce que je voulais vous demander un service, si ça vous dérange pas trop…

Elle savait que Charlotte n'ignorait rien des sentiments de Tellman à son égard car elles avaient souvent par le passé conspiré pour en tirer avantage… uniquement, bien sûr, quand cela s'avérait nécessaire pour les nécessités d'une enquête. Elle reprit son souffle, mais continua à garder le dos tourné. Elle ne pensait pas être capable d'y arriver en regardant Charlotte en face.

— Mr. Tellman m'a demandé d'aller à la foire avec lui au cas où je pourrais avoir ma journée. Et puis j'ai aussi quelques courses à faire… oh, pas grand-chose. Mais si je pouvais partir après avoir fini la lessive, ça serait tellement gentil de votre part…

Cela semblait beaucoup moins convaincant maintenant qu'elle le disait.

Gracie était consciente que la solitude et l'angoisse devenaient de plus en plus pénibles pour Charlotte. Elle était retournée au moins deux fois voir la veuve de Martin Fetters mais sans parvenir à retrouver ces fameux papiers manquants ; désormais, elle connaissait la carrière de Fetters dans les moindres détails. Elle avait raconté à Gracie les voyages d'Adinett, ses exploits militaires et ses aventures au Canada. Rien dans tout cela ne justifiait un meurtre. Elles en parlaient souvent ensemble, tard le soir, après le coucher des enfants, mais sans aboutir nulle part.

Aussi maintenant, c'était à Gracie de trouver ce que John Adinett allait trafiquer à Cleveland Street et que

Remus jugeait si essentiel. Tellman semblait convaincu qu'il s'agissait de quelque chose de terrible... d'énorme, même.

— Oui, bien sûr, répondit Charlotte.

Il y avait de la réticence dans sa voix, et peut-être même un peu d'envie, mais elle ne discuta pas.

— Merci, dit Gracie, se mordant les lèvres de ne pouvoir lui avouer la vérité.

Elle faillit le faire mais se retint à temps : Charlotte l'aurait empêchée d'agir.

Il lui restait encore un peu de l'argent de Tellman auquel s'ajoutait tout ce qu'elle avait économisé par elle-même : elle était prête à suivre Remus n'importe où. À huit heures, elle l'attendait devant chez lui.

C'était une matinée très agréable, déjà chaude. Des vendeurs ambulants proposaient des fleurs fraîchement coupées. Gracie ne les enviait pas, obligés qu'ils étaient de rester debout toute la journée à un coin de rue dans l'espoir d'en vendre quelques-unes à un prix dérisoire.

De jeunes livreurs de poisson, de viande ou de légumes, frappaient aux portes des arrière-cuisines. Un chariot de lait avait pris son poste au carrefour et une femme ramenait un gros bidon, ployant sous son poids.

Un petit vendeur de journaux criait les dernières nouvelles à propos des élections. Il y avait eu une tornade dans le Minnesota en Amérique. Trente-trois personnes avaient été tuées. Adinett était déjà oublié.

Lyndon Remus émergea de son immeuble pour se diriger d'un pas vif vers la rue principale et – Gracie l'espérait – l'arrêt de l'omnibus. Les cabs étaient chers et elle ne voulait pas gâcher l'argent de Tellman.

Penché en avant, avançant à grandes enjambées, il semblait savoir où il allait. Avec sa vieille veste et sa chemise sans col, il ne rendait sûrement pas visite à quelqu'un de la haute. Peut-être retournait-il à Cleveland Street ?

Elle le suivit, s'efforçant de rester proche de lui. Après tout, elle ne risquait pas grand-chose, il ne la connaissait pas.

Il se posta en effet à l'arrêt de l'omnibus, Dieu merci ! Comme il n'y avait personne d'autre, elle fut obligée d'attendre quasiment à ses côtés. Mais elle n'eut pas à craindre qu'il la remarque, il semblait ne se soucier de rien d'autre que de la venue du véhicule, guettant la circulation.

Elle le suivit jusqu'à Holborn où il changea de voiture, toujours en direction des quartiers est. Elle en fit autant. Elle faillit rester dans la cabine quand il descendit à l'improviste au bout de Whitechapel High Street en face de la gare de chemins de fer. Comptait-il prendre le train ?

Mais il marcha dans Court Street vers Buck's Row où il s'arrêta pour regarder autour de lui. Gracie ne vit rien de particulier. Devant eux, se trouvait la ligne de chemins de fer avec, sur leur droite, un internat et, sur la gauche, une distillerie. Un peu plus loin, s'étendait un cimetière. Plaise au ciel qu'il ne soit pas venu examiner des tombes !

Il avait enquêté sur la mort de William Crook et celle de J. K. Stephen. C'était donc bien possible…

Il y avait beaucoup de circulation dans la rue, des charrettes, des attelages, des tas de gens vaquant à leurs occupations.

Gracie frissonna en dépit de la chaleur de cette journée étouffante. Que cherchait Remus ? Comment aurait procédé un détective pour le deviner ? Tellman était peut-être bien plus intelligent qu'elle ne le pensait. Ce n'était pas un travail facile.

Le journaliste repartait, semblant maintenant avoir un but précis. Attentif à ce qui l'entourait, il ne cherchait pourtant pas à déchiffrer les numéros des maisons ; il ne devait donc pas s'agir d'une adresse.

Elle le suivit.

Remus arrêta un homme portant un tablier en cuir pour lui dire quelques mots, mais l'autre secoua la tête et reprit sa route. Le journaliste tourna ensuite dans Thomas Street au bout de laquelle Gracie aperçut une pancarte annonçant SPITALFIELDS WORKHOUSE. Les immenses bâtiments gris de la maison de correction étaient à peine visibles au-delà des maisons. Elle avait grandi en redoutant cet endroit plus que la prison elle-même : c'était le malheur ultime qui attendait les enfants pauvres. Elle en connaissait beaucoup qui auraient préféré mourir dans la rue plutôt que d'être enfermés dans ce lieu sordide à la réglementation inhumaine.

Remus aborda une femme qui portait un ballot de linge à laver.

Sans hésiter, Gracie s'avança pour les écouter. Il semblait si absorbé qu'elle espérait qu'il ne se rendrait compte de rien. Elle se planta tout près d'eux, les yeux fixés au loin comme pour attendre quelqu'un.

— Excusez-moi… commença Remus.

— Ouais ? fit la femme.

— Vous habitez le quartier ?

— White's Row, répondit-elle en indiquant le prolongement de la rue qui, semblait-il, changeait de nom.

— Alors, vous allez peut-être pouvoir m'aider. Vous étiez déjà là il y a quatre ou cinq ans ?

La femme fronça les sourcils.

— Bien sûr, pourquoi ?

Elle s'était raidie.

— Vous est-il arrivé de voir des voitures par ici ? Je parle de grandes voitures, d'équipage de luxe et non de cabs…

— Vous trouvez qu'on a l'air de se balader en voiture de luxe par ici ? fit-elle, sarcastique. Vous aurez bien de la chance si vous trouvez un cab en maraude. Feriez mieux de faire comme nous autres et vous servir de vos pieds.

— Je ne cherche pas une voiture ! fit-il en la prenant par le bras. Je cherche quelqu'un qui en aurait vu une par ici il y a quatre ans.

Elle ouvrit de grands yeux.

— J'en sais rien et je veux pas le savoir. Fichez le camp d'ici et laissez-nous tranquilles ! Allez, ouste ! Du balai !

Elle se libéra d'un mouvement brusque et fila.

Remus parut déçu. Son visage semblait étonnamment juvénile dans la lumière du matin. Gracie se demanda comment il pouvait être chez lui... ce qu'il lisait, à quoi il s'intéressait, s'il avait des amis. Pourquoi poursuivait-il cette enquête avec une telle ferveur ? Qu'est-ce qui le motivait ? L'amour, la haine, l'appât du gain, la soif de gloire ? Ou plutôt la curiosité ?

Il traversa la rue pour tourner à gauche dans Hanbury Street. Il arrêta plusieurs personnes, posant toujours la même question à propos de voitures possédant une vaste cabine, comme celles utilisées par les richards pour ramasser des putains.

Gracie resta derrière lui tandis qu'il descendait la rue jusqu'à une église méthodiste. Il finit par trouver quelqu'un dont la réponse parut le ravir ; il redressa soudain la tête et se mit à parler avec de grands gestes.

Elle était trop loin pour entendre ce qui se disait.

Mais même si une telle voiture était bien venue là, que pouvait-elle en déduire ? Qu'un homme qui avait plus d'argent que de cervelle cherchait une femme facile. Peut-être trouvait-il excitant le danger qui accompagnait toute incursion dans les bas-fonds ? Elle avait entendu dire qu'il existait des individus pareils. S'il s'agissait de Martin Fetters, en quoi cela avait-il la moindre importance ? Même si ses turpitudes avaient été rendues publiques, cela n'aurait pas concerné grand monde, à part sa femme.

Remus était-il réellement à la recherche du mobile du meurtre de Fetters ? Elle était peut-être en train de perdre son temps, ou, pour être plus honnête, le temps de Charlotte.

Il fallait en avoir le cœur net.

Elle s'avança, l'air décidé, droit vers Remus, essayant de prendre l'air d'une habituée du quartier qui savait exactement ce qu'elle faisait et où elle allait. Elle était sur le point de le dépasser quand il se décida enfin à l'accoster.

— Excusez-moi !

Elle s'arrêta.

— Ouais ?

Son cœur battait la chamade.

— Je vous demande pardon, reprit-il. Mais vivez-vous ici depuis un certain temps ? Je cherche quelqu'un qui pourrait m'aider.

Elle décida de se montrer prudente au cas où il lui demanderait une adresse qu'elle ne connaîtrait pas.

— Je viens de revenir. J'ai été vivre ailleurs quelque temps.

— Vous étiez là, il y a quatre ans ? demanda-t-il vivement.

— Ouais, répondit-elle en soutenant son regard. J'étais là. Pourquoi ?

— Vous souvenez-vous avoir vu des voitures dans le quartier ? Je parle de voitures élégantes…

Elle plissa le front comme dans un intense effort de réflexion.

— Vous voulez dire, celles qui ont une vraie cabine fermée ?

— Oui ! Oui, exactement ! Vous en avez vu ?

Il avait toutes les peines du monde à se maîtriser. Tout cela était vraiment essentiel pour lui.

— Il y a quatre ans ? répéta-t-elle.

— Oui !

Il faillit ajouter quelque chose pour l'inciter à parler mais il se retint de justesse.

228

Elle se concentra sur son mensonge. Elle devait dire ce qu'il espérait entendre.

— Oui, je me souviens d'un bel attelage qui est venu par ici. Je pourrais pas en dire grand-chose, sauf qu'il avait une grande cabine, mais je crois bien que c'était à cette époque.

Elle prit un air innocent.

— Quelqu'un que vous connaissez ? demanda-t-elle.

Il la fixait, hypnotisé.

— Je n'en suis pas sûr, répondit-il d'une voix rauque. Peut-être. Vous avez vu quelqu'un ?

Elle ne savait que répondre car, cette fois, elle ignorait ce qu'il recherchait. C'était précisément ce qu'elle devait découvrir.

— Eh bien, c'était une grande voiture noire. Avec un cocher devant, bien sûr.

— Un bel homme avec une barbe ?

Il ne se rendait pas compte que sa voix montait dans les aigus.

Le cœur de Gracie rata un battement. Elle y était presque. Elle devait se montrer des plus prudentes à présent.

— Bel homme, je saurais pas dire ! Mais je crois bien qu'il avait une barbe.

— Vous avez vu quelqu'un à l'intérieur ?

Il essayait de garder son calme, mais les yeux lui sortaient pratiquement de la tête.

— Se sont-ils arrêtés ? Ont-ils parlé à quelqu'un ?

Elle inventa rapidement.

— Ouais, fit-elle en faisant un geste vers la rue. Ils se sont arrêtés pour parler avec une amie, là-bas à ce coin, vous voyez ? Elle a dit qu'ils cherchaient quelqu'un, improvisa-t-elle sous le coup d'une inspiration subite.

— Ils cherchaient quelqu'un ? Une personne en particulier ? Une femme ?

Voilà ce qu'elle voulait entendre.

— Oui, dit-elle. Une femme.

— Qui ? Vous le savez ? Votre amie vous l'a dit ?

Elle choisit le seul nom qu'elle connaissait et qui avait un rapport avec toute cette histoire.

— Annie… Annie quelque chose.

— Annie ?

Il s'étrangla et manqua de s'étouffer.

— Vous êtes sûre ? Annie qui ? Vous vous rappelez ? Essayez de réfléchir !

Devait-elle prendre le risque de dire « Annie Crook » ? Non. Mieux valait ne pas trop en faire.

— Je crois bien que le nom commence par un C. Mais j'en suis pas sûre.

Cela provoqua un silence de plomb. Il parut se pétrifier. Elle entendit un rire quelque part et un chien qui aboyait.

— Annie Chapman ? demanda-t-il dans un murmure.

Gracie eut bien du mal à cacher sa déception. Soudain, tout cela ne semblait plus mener nulle part.

— Je sais pas, dit-elle. Pourquoi ? C'était qui ? Un gars qui voulait se procurer des frissons pour pas cher ?

— Peu importe, s'empressa-t-il de répondre, essayant de dissimuler l'importance que cela revêtait à ses yeux. Vous m'avez été d'une aide immense. Merci. Merci beaucoup.

Il fouilla dans sa poche et lui donna une pièce de trois pence.

Elle l'accepta. Au moins, cela diminuerait d'autant sa dette à l'égard de Tellman. Et puis, elle risquait d'en avoir besoin selon ce que décidait maintenant Remus.

Il s'en fut sans un seul regard derrière lui, filant à toute allure et manquant de s'embrocher sur un manche de charrette. Rien n'était plus loin de son esprit que l'idée qu'il pût être suivi.

Il retourna sur Whitechapel High Street et Gracie devait courir pour ne pas le perdre de vue. Au bout, il bifurqua vers l'ouest et se dirigea vers le premier arrêt d'omnibus mais, au lieu de revenir dans la City, comme elle s'y attendait, il changea à nouveau à Holborn pour traverser la Tamise et descendre sur les quais où il se rendit au bureau de la police fluviale.

Sans la moindre hésitation, elle le suivit à l'intérieur. Elle attendit derrière lui, tête baissée, ayant pris la précaution de libérer sa chevelure de ses épingles et de frotter un peu de crasse sur son visage. Ainsi, elle ressemblait un peu moins à la jeune femme que Remus avait arrêtée dans Hanbury Street.

Le reporter ne manquait pas d'imagination lui non plus. Quand le sergent de service lui demanda ce qu'il voulait, il débita une histoire qu'il avait inventée pour l'occasion, Gracie en était certaine.

— Je cherche mon cousin qui a disparu, dit-il avec anxiété, en se penchant au-dessus du comptoir. J'ai appris que quelqu'un répondant à son signalement a failli se noyer près de Westminster Bridge, le 7 février de cette année. Le pauvre diable aurait été mêlé à un accident qui a failli causer la mort d'une petite fille. Pris de remords, il aurait tenté de se suicider. C'est exact ?

— Plus ou moins, répondit le sergent. On en a parlé dans les journaux. Un certain Nickley. Mais je dirais pas qu'il a tenté de se suicider.

Le policier eut un petit sourire en coin.

— Il a pris la précaution d'enlever ses bottes et son manteau avant de sauter. Quand on fait ça, c'est qu'on compte pas en finir pour de bon, commenta-t-il d'une voix lourde de mépris. Après, il a nagé et on l'a récupéré sur la rive, comme fallait s'y attendre. On l'a emmené au Westminster Hospital mais il avait rien du tout, même pas un rhume.

Remus parut alors se souvenir d'un détail sans grande signification.

— Et la fille, comment s'appelait-elle ? Elle s'en est sortie, elle aussi ?

La pitié remplaça le mépris sur le visage du sergent.

— Ouais. Mais elle en a réchappé de justesse, la pauvre gosse. Y a pas eu de mal mais elle a eu fichtrement peur. Elle a même dit que c'était pas la première fois. Qu'elle avait déjà failli se faire écraser par une voiture.

Il secoua la tête en plissant les lèvres.

— Selon elle, c'était la même mais je dirais plutôt que pour elle toutes les voitures se ressemblent.

Gracie vit Remus se raidir et ses poings se serrer sous le comptoir.

— Deux fois ? Par la même voiture ?

Malgré lui, son ton était insistant comme si cette information était de la plus haute importance pour lui.

Le sergent éclata de rire.

— Mais non ! Faut pas croire qu'elle a failli y passer deux fois. C'était qu'une gamine… sept ou huit ans. Qu'est-ce qu'elle y connaît en voitures ?

Remus ne put se retenir. Il se pencha encore un peu plus en avant.

— Comment s'appelait-elle ?

— Alice. Je crois.

— Alice comment ?

Le sergent l'examina un peu plus attentivement.

— Qu'est-ce que ça veut dire, monsieur ? Vous sauriez pas par hasard quelque chose que vous devriez nous dire ?

— Non ! nia trop vite Remus. C'est juste une affaire de famille. On a tous notre mouton noir, vous comprenez ? Nous ne voudrions pas que ça s'ébruite. Cela m'aiderait grandement si vous pouviez me donner le nom de la fille.

Le sergent resta sceptique. Il considérait Remus d'un air de plus en plus soupçonneux.

— Votre cousin, hein ?

Remus n'avait pas le choix : il devait répondre.

— C'est exact. Il est une honte pour nous tous. Il a, comment dire, un… faible pour une petite fille, Alice

Crook. J'espérais simplement que ce n'était pas d'elle qu'il s'agissait.

Gracie frémit. Encore une Crook !

Le visage du sergent s'adoucit quelque peu.

— Ah, je suis désolé pour vous mais c'était bien elle, j'en ai peur.

Remus se couvrit aussitôt le visage de ses mains. Gracie, debout derrière lui, comprit que ce n'était pas son chagrin qu'il masquait mais son excitation. Il lui fallut une seconde ou deux pour recouvrer son sang-froid et regarder à nouveau le policier.

— Merci, dit-il brièvement. Merci pour tout.

Tournant les talons, il s'éloigna sans tarder, obligeant Gracie à trottiner derrière lui pour ne pas le perdre de vue. Si le sergent l'avait remarquée, ce qui semblait peu probable, il devait se dire qu'elle accompagnait Remus.

Celui-ci s'éloigna du fleuve, regardant autour de lui comme s'il cherchait quelque chose.

Gracie le suivait à quelque distance, laissant passants, travailleurs, promeneurs ou garçons de courses, s'intercaler entre eux.

Soudain, il changea de direction pour pénétrer dans un bureau de poste.

Encore une fois, elle entra derrière lui.

Elle le vit griffonner un mot à la hâte, les mains tremblantes. Il glissa la feuille de papier dans une enveloppe, acheta un timbre et posta le tout dans la boîte aux lettres. Cela fait, il sortit à toute vitesse. Une fois de plus, elle dut courir pour ne pas se laisser distancer.

À son grand soulagement, Remus décida qu'il était grand temps de se sustenter, ce qu'il n'avait pas fait de la journée et elle non plus, par la même occasion. Il entra dans un pub. Elle avait les pieds en compote. S'asseoir un moment, avaler quelque chose tout en l'observant à loisir n'était pas pour lui déplaire.

Il choisit une tourte à la truite pas très ragoûtante qu'il engloutit jusqu'à la dernière bouchée sans faire la moindre pause sous les yeux ébahis de Gracie. Pour sa part, elle préféra une tourte au porc.

Une demi-heure plus tard, il repartait, l'air toujours aussi décidé. C'était le début de soirée maintenant et les rues étaient très animées. Concentré sur son objectif, ne se doutant nullement qu'il était suivi, Remus ne se retourna pas une seule fois.

Après avoir emprunté deux omnibus, il se retrouva debout près d'un banc dans Hyde Park, attendant visiblement quelqu'un.

Les minutes passèrent tandis que Gracie tentait d'imaginer une explication à sa propre présence.

Remus ne cessait de regarder autour de lui, guettant la personne qu'il attendait. Il ne pouvait pas ne pas la voir. Il allait finir par se demander ce qu'elle fabriquait là.

Qu'aurait fait Tellman ? C'était un détective. Les filatures, c'était son métier. Savait-il se rendre invisible ? Il n'y avait pas la moindre cachette autour d'elle, pas d'ombre, pas d'arbre à proximité... et puis elle tenait à voir celui qu'il allait rencontrer. Et si elle faisait semblant d'attendre quelqu'un, elle aussi ? Non, mieux que cela : faire semblant d'avoir perdu quelque chose. Excellente idée... mais pourquoi n'avait-elle pas commencé à chercher dès son arrivée ?

Parce qu'elle venait de s'en rendre compte !

Elle revint très lentement sur ses pas, fixant le sol comme à la recherche d'un objet petit et précieux. Après avoir parcouru ainsi une vingtaine de mètres, elle repartit dans l'autre sens. Elle avait presque rejoint sa position initiale quand un homme d'âge mûr apparut dans l'allée. Remus s'avança vers lui.

Le nouveau venu s'arrêta brusquement avant de faire mine de le contourner pour poursuivre sa route.

Remus se déplaça de façon à lui bloquer le passage et, à en juger d'après l'expression de l'inconnu, se mit à lui parler mais à voix trop basse pour que Gracie, à une dizaine de mètres de là, entende quoi que ce soit.

L'homme fut surpris. Il examina plus attentivement Remus comme s'il tentait de le reconnaître.

Dans les dernières lueurs du soir, Gracie les observait et n'osait bouger de crainte d'attirer leur attention. La cinquantaine, les traits agréables, l'inconnu était bien habillé mais sans ostentation. C'était le genre de vêtements que Pitt aurait pu porter s'il n'avait été doté du génie de paraître débraillé quelle que soit sa tenue. Cet homme était net, impeccable, comme un employé de banque à la retraite.

Le ton de leur conversation monta, devenant de plus en plus vif. Le journaliste semblait accuser son interlocuteur. Gracie finit par capter certains mots.

— … le savais ! Vous en faisiez partie…

L'autre balaya cette remarque d'un geste de la main mais il était congestionné. Son indignation sonnait faux.

— Vous n'avez aucune preuve ! Et si vous…

Il baissa la voix et Gracie rata une ou deux phrases.

— Un chemin très dangereux ! conclut-il.

— Vous êtes aussi coupable que les autres !

Remus était toujours en proie à la fureur mais s'y mêlait à présent une frayeur nettement perceptible. Gracie frissonna. Remus avait peur de quelque chose ; il avait même très peur.

Et il n'était pas le seul. La posture de l'autre homme, le retrait de son corps, trahissaient aussi de la crainte. Soudain, il secoua la tête avec un grand geste saccadé des bras.

— Non ! Abandonnez ! Je vous aurai prévenu !

— Je trouverai, rétorqua Remus. Je mettrai au jour tout ce qui a été caché et le monde saura ! Vous ne nous mentirez plus… ni vous, ni un autre !

L'inconnu eut un mouvement de colère avant de faire volte-face et de repartir par où il était arrivé.

Remus fit mine de le suivre puis changea d'avis pour tourner les talons à son tour. Il passa sans la voir devant Gracie. Il semblait furieux et déterminé et faillit heurter un jeune couple qui se promenait au crépuscule bras dessus bras dessous. Il marmonna une excuse sans même ralentir le pas.

Gracie courut derrière lui. Il marchait très vite. Traversant Hyde Park Terrace, il s'engouffra dans la station du métropolitain. Elle hésita une fraction de seconde. Où allait-il maintenant ? Que signifiait tout ceci ? Qui était cet homme qu'il avait rencontré dans le parc ? De quoi l'avait-il accusé ?

Elle dévala l'escalier abrupt et, comme Remus, acheta un ticket au guichet avant de le suivre sur le quai. Il lui était déjà arrivé de prendre un de ces trains souterrains qui surgissaient en rugissant de leur tunnel pour s'immobiliser dans un hurlement effroyable. Cela l'avait terrifiée et il lui avait fallu rassembler tout son courage pour oser pénétrer dans cette espèce de tube et se retrouver ballottée dans un boyau aussi noir que l'enfer.

Mais il n'était pas question de lâcher Remus.

La rame apparut et s'immobilisa. Il grimpa à bord. Elle aussi.

Une première secousse la déséquilibra. Le train s'ébranla, prenant peu à peu de la vitesse. Gracie serra les dents pour ne pas hurler. Autour d'elle, les passagers restaient impassibles comme s'il était parfaitement normal de foncer à travers les entrailles de la terre à bord d'une carcasse de métal branlante.

Ils arrivèrent à la station d'Edgware Road. Des gens sortirent, d'autres montèrent. Remus ne leva même pas les yeux pour voir où il se trouvait.

La rame repartit.

Ils passèrent Baker Street, Portland Road, Gower Street. Le trajet jusqu'à King's Cross fut plus long. Le train fila encore plus vite, bringuebalant ses passagers de droite et de gauche.

Où Remus se rendait-il à présent ? Quel était le lien avec les visites d'Adinett à Cleveland Street ? Cette fille, Annie Crook, y travaillait avant d'être enlevée de force, tout comme son amant. Elle s'était retrouvée au Guy's Hospital où le chirurgien personnel de la reine l'avait déclarée folle. Et qu'était-il arrivé au jeune homme ? Personne ne semblait plus jamais avoir entendu parler de lui.

Que signifiait la présence de ces voitures dans Spitalfields ? Étaient-elles conduites par l'homme qui avait aussi tenté de renverser la petite Alice Crook avant de sauter dans le fleuve… non sans avoir enlevé son manteau et ses bottes ?

Le train s'arrêta à Farringdon Street puis, peu après, à Aldergate Street.

Remus bondit sur ses pieds. Surprise, Gracie trébucha dans sa hâte à le suivre. Arrivé à la porte, il changea d'avis et se rassit. Elle se laissa tomber sur le banc le plus proche, le cœur battant. Ils passèrent encore Moorgate et Bishopsgate. À Aldgate, il descendit enfin.

Gracie l'imita, gravissant derrière lui l'escalier qui menait hors de la station. La nuit était tombée. Ils se trouvaient à l'endroit où Aldgate Street devenait Whitechapel High Street.

Désormais, elle allait devoir suivre Remus de très près. Bien qu'allumés, les becs de gaz n'éclairaient pas grand-chose, boules jaunes suspendues dans le noir.

Retournait-il encore une fois à Whitechapel ? Buck's Row se trouvait à plus d'un kilomètre de là. Et Hanbury Street à quelque cinq cents mètres à vol d'oiseau mais beaucoup plus à travers le dédale de ruelles tortueuses.

Au lieu de cela, il emprunta Aldgate Street, repartant à nouveau en direction de la City. Avait-il un autre rendez-vous ?

Elle fut à nouveau surprise quand il tourna brusquement dans Duke Street. Cette rue était plus petite, plus sombre. Les avant-toits se fondaient dans l'obscurité. Dans l'air traînaient des relents nauséabonds. Gracie frissonna. L'ombre immense de St Botolph's Church se dressait devant eux. Ils se trouvaient à la lisière de Whitechapel.

Jusqu'à présent, Remus avait paru savoir exactement où il allait. Maintenant, il hésitait, regardant autour de lui. La faible lueur tombant d'un lampadaire accrocha un bref instant la pâleur de sa peau. Qu'espérait-il trouver là ? Des mendiants, des miséreux tassés dans un renfoncement de porte, à la recherche d'un endroit où dormir ? Des femmes des rues en quête d'un client éventuel ?

Elle repensa à cette grande voiture sombre à laquelle il s'intéressait tant. Elle crut entendre le grondement des roues sur les pavés ; les chevaux noirs surgissant des ténèbres, la masse de la cabine, haute, carrée, une porte qui s'ouvre et un homme qui sort... pourquoi ? Pour retrouver une femme, une femme très précise car il connaît son nom. Quel gentleman viendrait là la nuit chercher ce qu'il pouvait beaucoup plus facilement obtenir dans les beaux quartiers ? Des femmes beaucoup plus propres, beaucoup moins grossières, qui lui offriraient un lit pour la nuit et non une sordide et brève affaire sous une porte cochère comme c'était l'usage dans ce quartier.

Remus traversait en direction d'une ruelle située derrière l'église.

Il faisait nuit noire. Gracie trébucha. Où diable allait-il ? Il avait disparu mais elle entendait le martèlement de ses chaussures sur les pavés quelque part devant elle. Puis elle vit à nouveau sa silhouette se dessiner dans un rai de lumière un peu plus loin. Il devait y avoir un bec de gaz au coin de la ruelle.

Celle-ci débouchait sur une petite place. Remus s'était immobilisé ; pendant un instant, son visage resta tourné vers la bulle jaunâtre de l'unique lampadaire. Gracie vit ses yeux écarquillés, ses lèvres retroussées dans une sorte de rictus, mélange d'exaltation et de terreur. Il tremblait de tous ses membres. Il leva ses poings serrés dans la lueur incertaine.

Gracie leva à son tour les yeux vers la pancarte crasseuse accrochée au mur de brique à l'entrée de la place. Mitre Square.

Elle se pétrifia comme si le souffle glacé de l'enfer venait de la toucher. Son cœur rata un battement. Enfin, elle savait pourquoi il était venu là ! À Whitechapel, à Buck's Row, à Hanbury Street, et à présent à Mitre Square. Elle savait qui était l'homme qui écumait le quartier dans cette grande voiture noire. Elle se souvenait des noms : Annie Chapman, alias Dark Annie ; Long Liz ; Kate ; Polly et Black Mary.

Remus était à la poursuite de Jack l'Éventreur !

Il croyait connaître son identité. Voilà la nouvelle sensationnelle qu'il voulait mettre à la une de tous les journaux pour se faire un nom.

Affolée, elle fit volte-face et s'en fut à toutes jambes, trébuchant et haletant dans la sombre ruelle. Malgré ses genoux faibles, ses poumons en feu, elle courait de toutes ses forces, ne voulant pas rester une seconde de plus dans ces lieux effroyables. L'horreur l'envahissait, accompagnée par une peur aveugle. Le sang, la douleur, le moment où ces femmes avaient croisé son regard et su qui il était… et ce qu'il allait leur faire !

Elle heurta quelqu'un et poussa un hurlement, frappant de ses deux poings jusqu'à ce qu'elle sente des chairs, qu'elle entende un grognement et un juron. Elle se remit à fuir, fonçant dans Duke Street puis sur Aldgate Street, ne sachant pas, et se moquant de le savoir, qui elle avait frappé ni même si Remus se trouvait derrière elle, ayant découvert qu'elle l'avait suivi… Non, tout ce qu'elle voulait, c'était attraper un omnibus ou un train qui l'emmènerait loin de Whitechapel, de ses fantômes et de ses démons.

Un omnibus se dirigeait vers l'ouest. Elle cria et courut dans la rue, effrayant les chevaux. Le cocher égrena un chapelet de jurons à son intention mais elle n'y prêta pas la moindre attention. Ignorant ses protestations, elle grimpa à bord avant de s'effondrer sur le premier siège vacant.

— Vous avez le diable aux trousses, ma petite dame ? demanda un homme avec gentillesse, un sourire amusé aux lèvres.

— Oui, dit-elle avec difficulté. Oui… le diable !

Il était plus de onze heures du soir quand elle arriva enfin à Keppel Street pour trouver Charlotte qui l'attendait dans la cuisine, le visage blême, le regard dévoré d'angoisse.

— Où étiez-vous ? s'enquit-elle avec colère. Je me suis fait un sang d'encre ! Mais que vous est-il arrivé ? Vous avez une mine à faire peur !

Gracie voulut répondre, elle le voulait de toutes ses forces… mais quand elle ouvrit la bouche, ce fut pour éclater en sanglots.

CHAPITRE IX

Tellman essayait de chasser Gracie de son esprit. C'était difficile : son petit visage obstiné ne cessait de s'intercaler entre deux pensées cohérentes. Cependant, le fait de savoir que Wetron le surveillait et guettait la moindre erreur de sa part l'obligeait à travailler aussi dur que possible sur cette affaire de cambriolages, il ne pouvait se permettre le moindre écart.

Sa diligence fut récompensée par un coup de chance qui permit d'entrevoir le terme de cette enquête.

Il pensait aussi plus souvent qu'il ne l'aurait voulu – avec beaucoup de gêne et un peu de remords – à Pitt exilé dans Spitalfields. Les raisons pour lesquelles on l'avait expédié là-bas étaient assez évidentes, il était ridicule d'imaginer qu'il serait d'une quelconque utilité contre les anarchistes. Et tant qu'on ne parvenait pas à prouver pourquoi Adinett avait commis son crime, il restait vulnérable. Son bannissement risquait de s'éterniser.

Jusqu'à présent et malgré tous ses efforts, Tellman n'était arrivé à rien. Certes, il avait appris qu'Adinett avait fureté du côté de Cleveland Street et qu'il s'était passé là-bas des événements qui semblaient posséder d'infinies ramifications, mais tout cela demeurait assez flou.

Il se trouvait devant le marché aux fleurs à deux rues du poste de police de Bow Street quand il se rendit

compte que quelqu'un l'observait depuis quelques instants.

Gracie !

Sa première réaction fut de pur plaisir. Puis, il
remarqua sa pâleur et la rigidité de son maintien.
Inquiet, il la rejoignit.

— Qu'y a-t-il ? Que faites-vous ici ?

— Je suis venue vous voir. Qu'est-ce que vous
croyez… que je suis là pour un bouquet de fleurs ?

Son ton si brusque l'alarma. Maintenant, il était certain que quelque chose n'allait pas.

— Il est arrivé quelque chose ? Mrs. Pitt va bien ?
A-t-elle eu de ses nouvelles ?

Ce fut sa première pensée. Il avait à peine vu Charlotte depuis le départ de Pitt qui remontait à plus d'un
mois désormais. Peut-être aurait-il dû aller lui parler ?
Mais cela aurait été une intrusion, une impertinence
même, et que lui aurait-il dit ? Elle était une lady, une
vraie, issue d'une grande famille. Elle attendait uniquement de lui qu'il découvre la vérité et démontre
que Pitt avait eu raison. Tâche dans laquelle il avait à
l'évidence échoué !

Une charrette de fleurs passa près d'eux pour s'arrêter un peu plus loin.

— Qu'y a-t-il ? répéta-t-il d'un ton brusque. Gracie !

Elle déglutit avec peine. Il vit sa gorge se nouer.

— J'ai suivi Remus comme vous avez dit.

Elle le défiait du regard.

— Je ne vous ai pas dit de le suivre ! Je vous ai dit
de rester chez vous et de faire votre travail !

— D'abord, vous m'avez dit de le suivre, remarqua-
t-elle, têtue.

Un couple les dépassa, la femme reniflant un bouquet de roses d'une façon un peu ridicule.

Gracie avait peur. Tellman le voyait dans ses yeux,
et cela le rendait furieux ; tout à coup, il était pris

d'une folle envie de la protéger, de s'interposer entre elle et cette terreur dont il croyait sentir le souffle glacé. Mais, dans le même temps, il gardait assez de lucidité pour comprendre sa propre vulnérabilité : s'il arrivait quoi que ce soit à Gracie, il ne s'en remettrait pas.

— Eh bien, vous n'auriez pas dû ! Vous auriez dû rester chez vous à veiller sur Mrs. Pitt et la maison !

Elle ouvrait de grands yeux. Ses lèvres tremblaient et elle semblait éprouver les plus grandes difficultés à parler. Il était en train de lui rendre les choses plus difficiles encore. Il lui faisait du mal alors qu'elle était venue chercher son aide, se confier à lui.

— Eh bien, où êtes-vous allée ? demanda-t-il avec plus de douceur.

C'était surtout à lui-même qu'il en voulait : d'être si maladroit, et surtout de se laisser régir par ses émotions. Il ne savait jamais comment s'y prendre avec elle. Elle était si jeune, quatorze ans de moins que lui, et si fière… Et frêle, à ne pas croire ! Il connaissait des gamines de douze ans plus solides. Mais il n'avait jamais vu personne possédant autant de courage et de caractère.

— Alors ? insista-t-il.

Elle ne baissa pas les yeux.

— J'ai dépensé tout votre argent…

— Vous n'avez pas quitté Londres ! Je vous avais dit…

— Non, j'ai pas quitté Londres, s'empressa-t-elle de préciser. Mais c'est pas à vous de me dire ce que je dois faire. Il est allé dans Whitechapel. Remus… Des coins perdus, du côté de Limehouse. Il voulait savoir si quelqu'un avait vu une grosse voiture roulant dans les parages il y a quatre ans, une voiture qui n'aurait pas été du coin. Ce qui était un peu idiot vu que personne là-bas se promène en voiture. En charrette, peut-être, et encore.

Il était surpris. Mais au moins cela n'avait rien de sinistre.

— Bon, il cherchait une voiture ? Et alors ? Il l'a trouvée ?

Pendant un instant, il crut qu'elle allait sourire, mais la terreur qui rampait en elle reprit très vite le dessus.

— Comme il me connaissait pas, je me suis débrouillée pour qu'il m'interroge comme il interrogeait les autres, répondit-elle. Je lui ai donc dit que j'avais vu une grosse voiture noire il y a quatre ans. Il m'a demandé si les gens qui l'occupaient avaient l'air de chercher quelqu'un en particulier. Je lui ai dit que oui.

— Qui ça ? demanda-t-il dans un souffle.

— J'ai dit le premier nom qui m'est passé par la tête. J'ai pensé à cette fille qui a été enlevée dans Cleveland Street, alors j'ai dit Annie.

Elle frémit violemment.

— Annie ?

Il s'approcha d'elle. Il aurait voulu la toucher, la prendre par les épaules, mais elle risquait de le repousser...

— Il cherchait Annie Crook ?

Elle blêmit avant de secouer légèrement la tête.

— Non... pas Annie Crook, une autre Annie. Mais ça, je l'ai su que bien plus tard, plusieurs heures après, quand je l'ai encore suivi dans Whitechapel ; avant ça, il a été à la police fluviale, il a écrit une lettre à quelqu'un, il a rencontré un monsieur dans Hyde Park avec qui il s'est disputé et c'est après tout ça qu'il est retourné encore une fois dans Whitechapel...

Elle s'interrompit, à bout de souffle, haletante.

— Qui était-ce ? demanda-t-il. Si ce n'était pas Annie Crook, en quoi cela a-t-il de l'importance ?

Malgré lui, il était désappointé.

— C'était Dark Annie, dit-elle dans un murmure étranglé.

— Dark… Annie… ? répéta Tellman.

L'horreur se fraya lentement un chemin jusqu'à la moelle de ses os.

Elle hocha la tête.

— Annie Chapman… celle qui s'est fait taillader par Jack !

— L… L'Éventreur ?

Il avait du mal à prononcer le nom.

— Oui ! souffla-t-elle. Remus est aussi passé à Buck's Row, là où on a trouvé Polly Mitchell, à Hanbury Street où était Dark Annie et il a terminé par Mitre Square où ils ont retrouvé Kate Eddowes pour qui ça a été pire que pour toutes les autres.

Il avait l'impression que quelque chose d'innommable s'apprêtait à fondre sur eux. La mort dans ce qu'elle avait de plus inéluctable, de plus impitoyable.

— Si vous saviez tout cela, vous n'auriez pas dû le suivre jusqu'à la police fluviale et ensuite… commença-t-il au bord de la panique.

— À ce moment-là, je me doutais de rien ! protesta-t-elle. Il est d'abord allé à la police pour poser des questions sur un cocher nommé Nickley qui a tenté deux fois d'écraser une petite fille de sept ou huit ans. Heureusement, il y est pas arrivé et, la deuxième fois, ce sale type s'est jeté dans le fleuve sauf qu'il a d'abord enlevé ses bottes et son manteau, ce qui veut dire qu'il cherchait pas vraiment à se suicider mais juste à faire semblant.

Elle s'interrompit, encore une fois à bout de souffle.

— Quel rapport avec tout le reste ? demanda-t-il en la prenant par le bras pour l'entraîner à l'écart.

Et il ne la lâcha pas.

— Je sais pas ! dit-elle.

Il essayait de donner un sens à tout cela. De comprendre s'il y avait un lien avec Adinett et si cela pouvait servir à Pitt. Mais, au plus profond de lui-même, il luttait surtout contre sa peur pour Gracie. Une peur incontrôlable et qui lui était inconnue.

— Mais lui, il sait, continua-t-elle en l'observant. Remus, il sait. Faut voir dans quel état ça le met. Il sait qui est Jack !

Il la dévisagea sans rien dire.

— J'ai vu son visage sous un bec de gaz dans Mitre Square, répéta-t-elle. Là où Jack a tué Kate Eddowes… et il savait ! Remus savait ! C'est pour ça qu'il était là.

Soudain, il comprit ce que cela impliquait.

— Vous l'avez suivi là-bas de nuit ? demanda-t-il, ébahi. Seule… à Mitre Square ?

Il entendait sa propre voix monter, tremblante, incontrôlable.

— Avez-vous perdu la tête ? Vous pensez à ce qui aurait pu vous arriver ?

Il ferma les yeux de toutes ses forces pour chasser les images qui se formaient dans son esprit. Il se souvenait des clichés des cinq corps retrouvés quatre ans plus tôt, des mutilations abjectes, de l'insulte faite à la vie et à la mort.

Et Gracie était allée là-bas de nuit, suivant un homme qui pouvait être n'importe qui.

— Espèce de… ! cria-t-il. De… d'idiote !

Il ne trouvait aucun mot pour exprimer son effroi, sa rage et son soulagement… s'il lui était arrivé quelque chose, il en aurait été brisé. À jamais.

Il n'avait pas conscience des gens qui le dévisageaient. Un vieux gentleman hésita auprès de Gracie, inquiet pour sa sécurité, avant de décider qu'il s'agissait là d'une affaire privée et de reprendre sa route.

Tellman s'en voulait d'être aussi affecté. Gracie était susceptible et extraordinairement butée ; elle n'avait pas le moindre sentiment pour lui, et encore moins de sentiment amoureux ; elle n'aspirait qu'à demeurer au service des Pitt alors que la seule pensée qu'on puisse se mettre au service de quelqu'un le faisait bondir.

— Vous êtes stupide ! s'exclama-t-il à nouveau. Vous ne réfléchissez donc jamais aux conséquences de vos actes ?

Ce fut au tour de Gracie de s'emporter. Il était en train de l'insulter !

— Ouais, mais c'est moi qui ai trouvé ce que cherchait Remus et pas vous ! Donc si je suis stupide, vous êtes quoi, vous, hein ? Et si vous êtes trop en pétard pour comprendre ce que je viens de vous dire et vous en servir pour aider Mr. Pitt, eh bien je continuerai sans vous ! Je sais pas comment mais je trouverai. Je vais aller dire à Remus que je sais ce qu'il manigance et que s'il me raconte pas tout…

— Ah ça non ! pas question !

Comme elle faisait mine de s'en aller, il la saisit par le poignet.

— Lâchez-moi !

Elle essaya de se libérer mais Tellman la tenait avec fermeté et il était beaucoup trop fort pour elle. Elle n'hésita pas. Elle le mordit. Sauvagement.

Hurlant de douleur, il la lâcha.

— Espèce de… bestiole !

Il allait employer un autre mot mais s'était repris juste à temps.

— Fallait pas poser vos sales pattes sur moi ! Et essayez pas de me dire ce que je dois faire ou pas ! J'appartiens à personne et je fais ce que je veux. Vous pouvez m'aider et aider Mr. Pitt ou vous pouvez rester ici à me traiter de tous les noms. Ça fait aucune différence. On finira bien par trouver la vérité et le ramener chez lui… vous verrez !

Cette fois, elle se retourna dans un grand tourbillon de jupes et s'en alla.

Il renonça à la poursuivre. Sa main lui faisait mal. Sans en avoir conscience, il la porta à ses lèvres. De toute manière, il n'aurait su quoi lui dire. Il se sentait écrasé. Écrasé par un sentiment nouveau et effroyable pour lui : la terreur que lui inspirait Gracie… et qui ne devait rien à ses morsures.

Au bout d'une dizaine de mètres, elle s'arrêta et se retourna.

— Vous comptez vous transformer en lampadaire ?

Il la rejoignit.

— Je vais allez voir Remus, annonça-t-il gravement. Et vous, vous allez rentrer à Keppel Street avant que Mrs. Pitt ne vous flanque dehors. Je suppose qu'il ne vous est pas venu à l'idée qu'elle doit être morte d'inquiétude à cause de vous, à se demander où vous êtes passée… comme si elle n'avait pas déjà assez de soucis.

Sans même s'en rendre compte, il projetait ses propres angoisses sur Charlotte.

— Elle n'a pas dû fermer l'œil de la nuit à imaginer toutes sortes de choses terribles à votre sujet. Elle est seule, et elle ne sait pas quoi faire. Vous devriez être auprès d'elle pour l'aider.

Elle le dévisagea, pesant ses mots.

— Alors, vous allez voir Remus ?

— Vous êtes sourde ? Je viens de vous le dire !

Elle renifla.

— Bon, alors puisque je vous ai dit tout ce que je sais, je vais rentrer à la maison et préparer quelque chose pour le dîner… peut-être même un gâteau.

Elle haussa les épaules et commença à s'éloigner.

— Gracie !

— Ouais ?

— Vous vous êtes très bien débrouillée… avec brio même. Et si jamais vous recommencez, je vous tanne le derrière de telle sorte que vous devrez manger debout pendant une semaine entière. Vous m'entendez ?

Elle le considéra une seconde, puis lui adressa un large sourire avant de repartir.

Il ne voulait pas sourire mais il ne put s'en empêcher. Soudain, à sa peur se mêlait une joie féroce, une joie qu'il ne voulait plus jamais perdre.

Tellman n'envisagea même pas de rester une seconde de plus près du marché aux fleurs à guetter d'éventuels voleurs. Il était encore tôt. S'il partait tout de suite, il avait des chances de trouver Remus et de découvrir, par la menace ou la persuasion, ce qu'il savait exactement. Pour le salut de Pitt, et pour le salut de toute la population londonienne... si le reporter connaissait bien l'identité du plus terrible criminel de l'histoire de cette ville.

Il était à peine neuf heures cinq. Remus se trouvait-il encore chez lui ? Il était sorti tard la veille, cela valait la peine d'essayer.

Il prit un cab pour gagner du temps.

Que savait-il au juste ? récapitula Tellman. Que tout cela avait un rapport avec un cocher nommé Nickley, qui apparemment avait conduit l'attelage de son maître dans Whitechapel pour rechercher ces cinq femmes, femmes qui avaient été assassinées par la suite de façon abominable. Pourquoi ces femmes et pas d'autres ? Elles ne semblaient rien avoir de très particulier, c'étaient de vulgaires prostituées comme il y en avait des dizaines de milliers. Pourtant, si l'on en croyait Gracie, ces hommes connaissaient le nom d'au moins l'une d'elles et la traquaient, elle et pas une autre.

Les cahots du cab sur les pavés n'interrompaient pas ses réflexions.

Il ne s'agissait donc pas d'un fou qui tuait au hasard. Il y avait derrière tout cela un but, un dessein. Pourquoi Annie Crook avait-elle été enlevée chez le marchand de tabac dans Cleveland Street pour se retrouver finalement au Guy's Hospital ? Où le chirurgien

personnel de la reine s'était occupé d'elle ! Pourquoi ?
Qui avait payé ces soins ? D'ailleurs, si elle était folle,
son cas ne relevait pas de la chirurgie.

Et qui était le jeune homme qui avait été lui aussi
enlevé à Cleveland Street ?

Arrivé à destination, il paya le cocher tout en lui
demandant d'attendre. La logeuse lui apprit que
Remus venait de partir ; elle ignorait où il s'était
rendu.

Tellman la remercia, retourna au cab pour se faire
conduire à la plus proche station de métropolitain.

Pendant le trajet jusqu'à Whitechapel, il retourna le
problème dans sa tête. En l'absence de Remus, autant
aller poser lui-même quelques questions dans le quartier. Toute cette affaire semblait avoir pris naissance
avec Annie Crook. Il y avait plusieurs autres pièces du
puzzle qui pour l'instant paraissaient sans rapport :
pourquoi, par exemple, était-il si important qu'elle fût
catholique ?

Si le jeune homme ne l'était pas, cela avait dû provoquer des objections de l'une ou l'autre famille. Le
père d'Annie, William Crook, avait lui trouvé la mort
au St Pancras Infirmary.

Qui était la petite Alice, que ce cocher avait voulu
renverser non pas une mais deux fois ? Pour quelle raison ? Quelle sorte de monstre cherche à tuer une
enfant de sept ans ?

Qui était l'inconnu que Remus avait rencontré dans
Regent's Park et dont il semblait prendre les ordres ?
Et qui était celui avec qui il s'était querellé dans Hyde
Park ? À en croire la description donnée par Gracie, il
ne s'agissait pas du même homme.

Il descendit à Whitechapel et marcha d'un pas
rapide jusqu'à Cleveland Street.

Cette fois, la chance lui sourit. En tournant au coin
de la rue, il aperçut Remus à une centaine de mètres ;
immobile, il semblait se demander où aller.

Tellman accéléra l'allure et le rejoignit au moment où il s'apprêtait à partir en direction du marchand de tabac.

Il le saisit par le bras.

— Un moment, Remus, j'ai un mot à vous dire.

Le journaliste sursauta comme sous le coup d'une grosse frayeur.

— Inspecteur Tellman ! Que diable faites-vous…

Il s'interrompit brusquement.

— Je vous cherchais.

— Et pourquoi donc ?

— Oh, pour un tas de raisons, fit Tellman avec une insouciance apparente mais sans le lâcher.

Il sentait les muscles du journaliste crispés sous ses doigts.

— On pourrait commencer par Annie Crook, reprit-il, pour continuer par son enlèvement et ce qui lui est arrivé au Guy's Hospital, puis vous me parleriez de la mort de son père, de l'homme que vous avez rencontré dans Regent's Park et de cet autre homme avec lequel vous vous êtes disputé dans Hyde Park…

Remus avait blêmi, de fines gouttes de sueur perlaient sur son front et au-dessus de ses lèvres, mais il ne dit rien.

— Sans parler de ce cocher qui a tenté de renverser l'enfant, Alice Crook, et qui s'est jeté dans le fleuve mais sans se noyer. Mais plus que tout, je voudrais en savoir davantage sur l'homme qui se trouvait dans cette voiture qui circulait du côté de Hanbury Street et de Buck's Row à l'automne 1888, qui a coupé la gorge de cinq femmes et qui a éventré Catherine Eddowes à Mitre Square, où vous vous trouviez la nuit dernière…

Il s'arrêta : Remus semblait sur le point de s'évanouir. À présent, il le tenait pour l'empêcher de tomber autant que de s'échapper.

Le journaliste frémit violemment. Il essaya de ravaler sa salive et faillit s'étrangler.

— Vous savez qui est Jack.

Dans la bouche de Tellman, c'était une affirmation.

Remus était pétrifié.

— Il est toujours vivant… n'est-ce pas ? demanda le policier.

Remus eut un geste saccadé de la tête pour acquiescer mais, en dépit de sa terreur, il semblait peu à peu recouvrer ses esprits. Il était en nage.

— C'est l'article du siècle, dit-il en se léchant nerveusement les lèvres. Une histoire qui va changer le monde… C'est sûr !

Tellman en doutait mais il était visible que Remus en était persuadé.

— Si cela nous permet d'attraper Jack, cela me suffira, dit-il avec calme. Vous feriez bien de vous expliquer et tout de suite.

Une lueur de défi apparut dans le regard de Remus et il se libéra d'une secousse.

— Sans moi, vous ne prouverez rien.

— Pas sûr.

— Oh non ! assura Remus. Il ne me manque plus que quelques pièces du puzzle. Gull est mort mais j'en sais suffisamment. Stephen est mort lui aussi, le pauvre… et Eddy aussi, mais je le prouverai malgré tout.

— Nous, corrigea Tellman. *Nous* le prouverons.

— Je n'ai pas besoin de vous.

— Oh que si … à moins que vous ne préfériez que je révèle toute l'histoire, le menaça Tellman. Je me moque de faire les gros titres, cela je vous le laisse bien volontiers, mais je veux la vérité et je l'aurai, avec ou sans vous.

— Éloignons-nous de la boutique, dit Remus en jetant un regard par-dessus son épaule. Inutile de se faire remarquer.

Il partit en direction de Mile End Road.

Tellman lui emboîta le pas.

— Expliquez-vous, ordonna-t-il. Et pas de mensonges. J'en sais déjà assez, moi aussi.

Remus continua à marcher sans répondre.

— Qui est Annie Crook ? demanda Tellman, ne le quittant pas d'une semelle. Et plus important, où est-elle maintenant ?

Remus ignora délibérément la première question.

— J'ignore où elle se trouve maintenant, répondit-il sans le regarder.

Puis avant que Tellman ne s'emporte, il ajouta :

— À Bedlam[1], j'imagine. On l'a déclarée folle. J'ignore si elle est toujours vivante. Il n'y a aucun dossier digne de ce nom sur elle au Guy's Hospital mais je sais qu'elle y a séjourné plusieurs mois.

— Et qui était son amant ? enchaîna Tellman.

Non loin, le tonnerre gronda au-dessus des toits et quelques grosses gouttes de pluie s'écrasèrent sur le sol.

Remus ouvrit de grands yeux avant d'éclater de rire, un rire aigu, hystérique. Plusieurs passants se retournèrent.

— Assez ! Arrêtez !

Tellman avait envie de le gifler.

Remus se maîtrisa à grand-peine.

— En fait, vous ne savez rien ! Vous ne faites que deviner. Allez-vous-en. Je n'ai pas besoin de vous.

— Oh si, vous avez besoin de moi, le contredit Tellman. Vous n'avez pas encore toutes les réponses, et vous ne pouvez pas les avoir, sinon vous auriez déjà tout publié. Mais vous en savez assez pour avoir une peur bleue. Que vous faut-il ? Je peux vous aider. Je suis policier ; je dispose de moyens que vous ne possédez pas.

— Policier ! fit Remus en ricanant. Policier ? Abberline aussi était policier… et Warren ! Et ils étaient bien plus haut placés que vous…

_____

1. Célèbre asile de fous. (*N.d.T.*)

— Je sais qui ils sont, répliqua sèchement Tellman.

— Bien sûr que vous le savez, acquiesça Remus en hochant la tête, les yeux brillants.

La pluie se faisait plus forte. Elle était tiède.

— Mais savez-vous ce qu'ils ont fait ? reprit-il. Parce que si c'est le cas, je ne vais pas tarder à me retrouver dans une de ces ruelles moi aussi, la gorge tranchée.

Il s'écartait de lui comme s'il était soudain persuadé que Tellman représentait une menace pour lui.

— Êtes-vous en train de dire qu'Abberline et Warren seraient mêlés à cela ?

Le mépris de Remus fut cinglant.

— Bien sûr qu'ils le sont ! Comment croyez-vous qu'on a pu étouffer une histoire pareille ?

— C'est ridicule ! s'exclama Tellman, ignorant la pluie qui les trempait. Pourquoi quelqu'un comme Abberline aurait-il voulu étouffer cette affaire ? Il se serait couvert de gloire pour l'éternité s'il avait résolu cette enquête, la plus importante de sa carrière. L'homme qui a arrêté le meurtrier de Whitechapel ! Il aurait eu tout le pays à ses pieds.

— Il existe des choses encore plus importantes que cela, répondit Remus, l'air sombre, mais la tension et l'excitation étaient revenues et ses yeux brillaient d'un éclat malsain.

Le tonnerre gronda à nouveau.

— Balivernes ! nia sauvagement Tellman.

Il voulait que tout cela soit faux.

Remus se détourna.

Tellman l'attrapa à nouveau par le bras.

— Pourquoi Abberline aurait-il couvert les pires crimes jamais commis à Londres ? C'est un honnête homme.

— Par loyauté, dit Remus d'une voix rauque. Je parle de loyautés qui vont au-delà de la vie ou de la mort, de loyautés qui mènent tout droit en enfer.

Il porta la main à sa gorge.

— Il est des choses pour lesquelles un homme… certains hommes… sont prêts à vendre leur âme. Abberline est l'un d'entre eux, Warren aussi, et le cocher Netley…

— Quel Netley ? le coupa Tellman. Vous voulez dire Nickley ?

— Non, son vrai nom est Netley. Il a menti en donnant celui de Nickley au Westminster Hospital.

— Qu'a-t-il à voir avec eux ? Il a conduit cette voiture dans Whitechapel. Il devait donc connaître Jack et peut-être savoir pourquoi celui-ci a commis ces crimes.

— Bien sûr qu'il le savait… et il le sait encore. Et je pense qu'il emportera son secret dans la tombe.

— Pourquoi a-t-il tenté de tuer cette enfant… à deux reprises ?

Remus eut un rictus méprisant.

— Comme je l'ai déjà dit, vous ne savez rien.

Tellman était désespéré.

— Je sais où trouver un tas de policiers de très haut rang, dit-il d'un ton sourd. Pas simplement Abberline ou le commissaire Warren mais d'autres, des gens qui sont au sommet de la hiérarchie, s'il le faut. Ces deux-là sont peut-être à la retraite mais il en reste beaucoup d'autres encore en activité.

Remus avait blêmi.

— Vous… ne feriez pas cela ! Vous ne les lanceriez pas à mes trousses, sachant ce qu'ils ont fait ? Sachant ce qu'ils cachent ?

— Je ne sais rien. À moins que vous ne me le disiez.

Remus se mordit les lèvres. La peur hantait ses yeux.

— Venez avec moi. Ne restons pas sous cette pluie. Il y a un pub là-bas.

Tellman accepta. Ils étaient tous les deux trempés jusqu'aux os.

Un éclair lacéra le ciel et le tonnerre gronda.

Quelques minutes plus tard, ils étaient assis dans un coin tranquille devant une chope de bière au milieu de l'odeur de sciure et de vêtements mouillés.

— Bien, commença Tellman. Qui avez-vous rencontré dans Regent's Park ? Et pas de mensonge si vous voulez vous éviter des ennuis !

— Je ne sais pas qui il est, dit aussitôt Remus. Et que Dieu me damne si ce n'est pas vrai. C'est lui qui m'a mis sur cette affaire depuis le départ. J'admets que je ne révélerais pas son identité si je la connaissais, mais ce n'est pas le cas.

— Vous commencez mal, Mr. Remus, le prévint Tellman.

— Je ne le connais pas ! protesta le journaliste avec un accent de sincérité dans la voix.

— Et l'homme avec qui vous vous êtes querellé dans Hyde Park en l'accusant de dissimuler une conspiration ? Un autre mystérieux informateur ?

— Non. C'était Abberline.

Tellman savait qu'Abberline avait mené l'enquête sur les meurtres de Whitechapel. Avait-il caché des preuves ? Ou pire encore : connaissait-il l'identité de l'Éventreur ? Pour Tellman, policier d'une absolue intégrité, il paraissait inconcevable qu'un de ses collègues ait pu dissimuler une telle information.

Il sentait le regard de Remus qui l'observait sans rien dire.

— Pourquoi Abberline aurait-il caché la vérité ? demanda-t-il avant de poser la question qui ne cessait de le tourmenter. Qu'est-ce qu'Adinett vient faire là-dedans ? Savait-il lui aussi ?

— Je le pense, dit Remus. Il était certainement sur une piste. Il a été à Cleveland Street pour interroger le marchand de tabac et il est aussi allé chez Sickert.

— Sickert ? fit Tellman, un peu perdu.

— Walter Sickert, l'artiste. C'est dans son atelier qu'ils se retrouvaient.

— Les amoureux ? devina Tellman. Annie Crook, la jeune catholique, et le jeune homme élégant ?

Remus grimaça.

— Comme c'est joliment dit. Oui, c'est chez lui qu'ils se… voyaient.

Son ton était si ironique que Tellman en déduisit que ces rencontres n'avaient rien de platoniques. Mais le fond de cette histoire continuait à lui échapper. Quel rapport entre ces deux jeunes gens et un meurtrier fou ayant assassiné et mutilé cinq femmes ?

— Ce que vous dites n'a aucun sens, dit-il en se penchant au-dessus de la table qui les séparait. Jack, qui qu'il soit – ou fût –, ne choisissait pas ces femmes au hasard. Il connaissait leur nom, en tout cas au moins celui d'Annie Chapman. Pourquoi ? Pourquoi êtes-vous allé poser des questions sur la mort de William Crook à St Pancras et sur ce malade mental, Stephen, à Northampton ? Quel rapport y a-t-il entre Stephen et Jack ?

Les maigres mains de Remus étaient crispées sur sa chope. Elles tremblaient légèrement.

— D'après ce que je sais… Stephen était le tuteur du duc de Clarence et c'était aussi un ami de Walter Sickert. C'est lui qui les avait présentés.

— Le duc de Clarence et Walter Sickert ? demanda Tellman, perplexe.

Remus répondit d'une voix étranglée.

— Le duc de Clarence et Annie Crook, bougre d'idiot !

La pièce tournoya autour de Tellman comme la cabine d'un navire dans la tourmente. L'éventuel héritier du trône et une petite catholique de l'East End !

Remus le dévisageait.

— D'après ce que je sais maintenant, Clarence – ou Eddy, comme on l'appelait – devenait, disons, embarrassant. Ses amis le soupçonnaient de penchants… scabreux. Il appréciait, paraît-il, autant les hommes que les femmes.

— Stephen… commença Tellman.

— Exactement. Stephen, son tuteur, lui a fait découvrir des divertissements plus acceptables avec Annie. Le duc était très dur d'oreille, le pauvre garçon, comme sa mère, les conversations mondaines lui étaient pénibles.

Pour la première fois, une note de compassion apparaissait dans la voix de Remus.

— Mais cela ne s'est pas passé comme ils l'avaient prévu. Ils sont tombés amoureux… follement amoureux. Le nœud du problème c'est…

Il regarda Tellman avec un curieux mélange de pitié et d'excitation.

— … Qu'ils se sont sans doute mariés.

Involontairement, Tellman renversa un peu de bière sur la table.

— Quoi ?

Remus hocha la tête, tremblant. Sa voix n'était plus qu'un murmure.

— Et c'est pour cela que Netley, le malheureux cocher d'Eddy, celui qui l'amenait à Cleveland Street retrouver Annie, a tenté à deux reprises de tuer l'enfant… pauvre petite créature…

— L'enfant ? Vous voulez dire qu'Alice Crook… s'étrangla Tellman. Alice Crook serait la fille du duc de Clarence ?

— Probablement… et elle est même peut-être sa fille légitime. Et comme Annie était catholique… Vous vous souvenez de l'Act of Settlement ?

— Quoi ?

— L'Act of Settlement, répéta Remus, si bas que Tellman avait peine à l'entendre. C'est une loi de 1701 qui a renforcé les pouvoirs du Parlement et établi les modalités de succession au trône ; elle est toujours en vigueur. Elle interdit à toute personne qui épouse un ou une catholique de briguer la couronne. La Déclaration des Droits de 1689 disait déjà la même chose.

L'énormité de ce qu'il venait d'apprendre commençait à s'imposer à Tellman. C'était effroyable. Cela mettait en danger le trône, la stabilité du gouvernement et le pays tout entier.

— Ils les ont donc forcés à se séparer ?

C'était la seule conclusion possible.

— Ils ont enlevé Annie pour la mettre dans un asile… reprit-il. Et qu'est-il arrivé à Eddy ? Il est mort ? Ou bien l'ont-ils… non… c'est impossible !

Il n'osait même pas le formuler à haute voix. Soudain, le fait d'être prince apparaissait comme une terrible malédiction. Il imaginait la solitude effrayante de ce garçon face à une conspiration qui le dépassait.

Remus ne le quittait pas des yeux. Il secoua la tête avec pitié.

— Dieu sait que le malheureux ne pouvait entendre la moitié de ce qu'il se passait autour de lui et peut-être ne comprenait-il rien non plus. Il semble qu'il était dévoué corps et âme à Annie et à l'enfant, ce qui a dû provoquer un émoi et une confusion considérables. Il était sourd, seul, perdu…

Il s'interrompit à nouveau, débordant visiblement de pitié pour un homme qu'il n'avait jamais vu.

Tellman détourna les yeux vers les images miteuses et les gribouillis qui garnissaient les murs du pub, soudain soulagé de se trouver dans cet endroit crasseux et non dans un immense palais, entouré de courtisans assassins.

— Pourquoi ces cinq femmes ? demanda-t-il enfin. Il devait y avoir une raison.

— Oh, il y en avait une, assura Remus. Elles savaient, toutes les cinq. C'étaient les amies d'Annie Crook. Si elles avaient su aussi contre quoi elles se dressaient, elles auraient filé sans demander leur reste.

Mais elles l'ignoraient. Elles voulaient de l'argent, dit-on, du moins celle qui menait les autres. Elles en ont demandé à Sickert en échange de leur silence. Celui-ci l'a dit à ses maîtres et ces malheureuses ont effectivement gardé le silence… un silence qu'on ne trouve que dans la tombe, conclut-il, mélodramatique, comme s'il écrivait la dernière phrase d'un de ses articles.

Tellman s'enfouit le visage entre les mains, ne tentant même pas de faire cesser le chaos qui régnait dans son esprit. Lyndon Remus était-il un fou de la pire espèce ? Se pouvait-il qu'il y ait la moindre parcelle de vérité dans cette effroyable histoire ?

Il baissa lentement les mains.

Comme s'il avait lu dans ses pensées, le journaliste demanda :

— Vous pensez que je suis fou ?

— Oui…

— Je ne peux rien prouver… pour le moment. Mais je le ferai. Considérez les faits.

— C'est ce que je fais. Ils ne prouvent rien de ce que vous avancez. Pourquoi Stephen s'est-il tué ? En quoi était-il mêlé à tout cela ?

— Il les a présentés l'un à l'autre. Le pauvre Eddy était un assez bon peintre. La vue, vous comprenez. Il n'avait pas besoin de l'ouïe. Stephen l'aimait. Il était peut-être même amoureux de lui, ajouta Remus avec un haussement d'épaules. Quoi qu'il en soit, quand il a appris sa mort, Dieu sait ce qu'il a pensé, mais ça l'a achevé. Le remords peut-être. Ou simplement le chagrin. Cela n'affecte pas le reste de l'histoire.

— Alors, qui a tué les femmes ? demanda Tellman.

Remus secoua à peine la tête.

— Je n'en suis pas certain. Mais je dirais Sir William Gull. Le chirurgien royal.

— Et Netley conduisait la voiture dans Whitechapel à la recherche de ces malheureuses pour que Gull puisse les trucider ? se surprit à ajouter Tellman.

À nouveau, Remus acquiesça.

— Il opérait, si je puis dire, dans la voiture. Ce qui explique qu'on n'ait jamais retrouvé beaucoup de sang sur les différents lieux et pourquoi il n'a jamais été surpris en flagrant délit.

Tellman repoussa sa bière. L'idée d'avaler quoi que ce soit le rendait malade.

— Il ne nous manque pas grand-chose, poursuivit Remus qui ne touchait pas non plus à son verre. Je dois en savoir davantage sur Gull.

— Il est mort.

— Je sais. Mais il me faut le plus de preuves possibles. Toutes les spéculations du monde ne serviront à rien si nous ne pouvons pas présenter des faits incontestables.

Il scrutait Tellman avec intensité.

— Et vous pourriez avoir accès à des choses qui me sont interdites. Ils me connaissent, ils ne m'en diront pas plus. Je n'ai plus de prétexte plausible. Mais vous, c'est différent. Vous pourriez dire que ça a un rapport avec une de vos enquêtes et ils vous parleraient.

— Que vous faut-il d'autre ? s'enquit Tellman. Et pourquoi ? Que ferez-vous quand vous aurez ces preuves, si jamais vous les avez ? Ce ne serait pas une bonne idée d'aller trouver la police. Gull est mort, Abberline et Warren sont tous deux à la retraite. Êtes-vous à la recherche du cocher ?

— Je suis à la recherche de la vérité où qu'elle se trouve, dit Remus d'un air sombre, hésitant un instant avant de poursuivre. Ce que je veux vraiment, c'est savoir qui était derrière tout ça, qui les a envoyés commettre ces atrocités. Il se trouvait peut-être à des kilomètres de Whitechapel quand les meurtres ont été commis, mais l'Éventreur, c'est lui. Les autres n'étaient que des instruments.

Tellman ne pouvait pas ne pas poser la question. Tout autour d'eux, retentissaient les bruits du pub, les discussions, les rires, les tintements des verres et des chopes, les raclements des semelles sur le sol. Tout cela semblait si normal, si ordinaire, que les atrocités dont ils étaient en train de parler ne pouvaient exister. Pourtant, si on rappelait à n'importe quel homme présent dans cette salle les horreurs survenues quatre ans auparavant, un silence subit tomberait, le sang se retirerait des visages et l'effroi apparaîtrait dans les regards. Même maintenant, après tout ce temps, ce serait comme si quelqu'un avait ouvert une porte sur l'enfer.

— Savez-vous de qui il s'agit ? demanda-t-il d'une voix sèche, à peine audible.

— Je crois, répondit Remus. Mais je ne vous le dirai pas, il est donc inutile d'insister. C'est là-dessus que je vais me lancer. Intéressez-vous à Gull et à Netley. N'approchez pas de Sickert, ajouta-t-il avec force. Je vous donne deux jours. Retrouvons-nous ici.

Tellman accepta. Il n'avait pas le choix. Remus avait raison : si ce qu'il supposait était vrai, il s'agissait d'une affaire bien plus importante qu'une simple enquête criminelle, bien plus grave même que de résoudre la série de meurtres les plus abominables que Londres ait jamais connus.

Mais il n'oubliait pas Pitt et la raison originelle de sa présence en cet endroit.

— Que savait Adinett ?

— Je n'ai pas de certitude. Une partie, c'est certain. Il savait en tout cas qu'ils avaient enlevé Annie Crook et Eddy.

— Et Martin Fetters ? Quel était son rôle dans tout cela ?

— Quoi ?

Remus semblait perdu.

— L'homme qu'Adinett a assassiné ! répliqua vivement Tellman.

Une lueur de compréhension passa dans les yeux de Remus.

— Ah ! Je n'en ai aucune idée. Si l'inverse s'était produit, si Fetters avait tué Adinett, j'aurais dit que Fetters était l'un d'entre eux.

Tellman se dressa. Il devait agir vite désormais. Si Wetron le prenait en défaut encore une fois, il risquait d'être renvoyé. Et il n'était pas question de lui révéler ce qu'il venait d'apprendre : lui aussi pouvait appartenir au Cercle intérieur. Non, il devait agir vite… et seul.

Il quitta le pub sous une pluie qui perdait de son intensité.

Dans l'esprit de Tellman tourbillonnaient les idées les plus macabres et les plus folles tandis qu'il se dirigeait vers l'arrêt d'omnibus. Il marchait avec lenteur, ayant besoin de temps pour digérer tout ce que Remus venait de lui dévoiler et envisager ce qu'il devait faire à présent.

Si le duc de Clarence avait réellement épousé Annie Crook et si un enfant était né de leur union, il n'était pas étonnant que certaines personnes aient pris peur et voulu garder le secret. Sans même parler des lois de succession pour le trône, le sentiment anticatholique dans le pays était assez fort pour que cette nouvelle, si elle était révélée, ébranle une monarchie déjà très fragilisée.

Mais si on apprenait que les crimes les plus atroces du siècle avaient été commis par des sympathisants de cette même monarchie, peut-être même avec la bénédiction de certains membres de la maison royale, alors ce serait la révolution ! Le trône serait renversé et le gouvernement avec lui. Commencerait une période d'incertitude, une plongée dans l'inconnu, qui n'apporterait probablement rien de bon.

Tellman se sentait désemparé à l'idée des inéluctables violences, des ravages provoqués par une rage qui n'épargnerait rien ni personne. La révolution amènerait de nouveaux maîtres au pouvoir mais elle ne créerait pas plus de nourriture, de maisons ou de vêtements, elle ne créerait pas plus d'emplois, elle ne créerait pas plus de richesses ou de sécurité.

Qui formerait le gouvernement ? Ces gens-là seraient-ils forcément plus sages ou plus justes ?

Il sortit de l'omnibus pour monter la côte menant au Guy's Hospital. L'heure n'était plus aux subtilités. Quand Remus aurait obtenu ses preuves – réelles ou fabriquées – il rendrait toute l'affaire publique. L'homme de Regent's Park qui l'avait poussé sur cette voie y veillerait sûrement.

Qui était-il ? Remus disait ne pas le savoir, mais les mobiles de ce personnage étaient clairs : provoquer un soulèvement en Angleterre.

Tellman gravit les marches du porche et pénétra dans l'hôpital.

Il lui fallut le reste de la journée et interroger une douzaine de personnes pour se faire une impression à propos de sir William Gull. Se dessina lentement l'image d'un homme voué à la science, savant plutôt que médecin, passionné par l'anatomie, le fonctionnement du corps humain, sa structure et ses mécanismes. Il semblait davantage mû par le désir d'apprendre que par celui de soigner. Son ambition personnelle prenait le pas sur la compassion, le souci de soulager les souffrances.

Une des anecdotes qu'on lui raconta paraissait révélatrice. Après le décès d'un patient, Gull avait décidé, sans nécessité semblait-il, de procéder à une autopsie. La sœur aînée du mort, troublée à l'idée que le cadavre soit mutilé, avait insisté pour rester dans la pièce durant l'opération. Gull n'avait pas pour autant renoncé et avait effectué toute la procédure sous ses yeux, allant jusqu'à prélever le cœur pour le glisser dans sa poche afin de le conserver. Ce détail révélait une tendance à la cruauté que Tellman trouvait odieuse.

Mais il était tout aussi indubitable que Gull avait été un bon médecin, ayant non seulement servi la famille royale mais aussi Lord Randolph Churchill et ses proches.

Il ne trouva aucune trace écrite du séjour d'Annie Crook au Guy's Hospital, mais trois membres de l'équipe hospitalière se souvenaient parfaitement d'elle. Dès son arrivée, sir William avait pratiqué une intervention sur son cerveau après laquelle elle avait pour ainsi dire perdu toute mémoire. Selon eux, elle souffrait à coup sûr d'une forme de folie, du moins à l'époque de son séjour. Il avait duré cent cinquante-six jours, se souvenait une vieille infirmière qui s'était attachée à elle.

Tous ignoraient ce qu'il était advenu d'elle par la suite. L'infirmière en éprouvait du chagrin et, encore à ce jour, une certaine colère quand elle songeait au destin de cette malheureuse qu'elle n'avait pu aider dans sa confusion et son désespoir.

Tellman partit peu avant la nuit. Il ne pouvait plus attendre. Même au risque de mettre en danger la mission de Pitt dans Spitalfields, il devait le retrouver au plus vite et lui révéler ce qu'il savait. Il ne s'agissait plus maintenant de mettre au jour un complot anarchiste visant à faire exploser une ou deux bombes. C'était bien plus terrible que cela.

Il prit le métropolitain jusqu'à Aldgate Street avant de remonter à vive allure Whitechapel High Street puis Brick Lane jusqu'au coin de Heneagle Street. S'il l'apprenait, Wetron le chasserait de la police, mais il y avait bien plus en jeu qu'une simple carrière, que ce soit celle de Pitt ou la sienne.

Il frappa à la porte des Karansky.

Il fallut un bon moment avant qu'elle ne s'ouvre sur une silhouette sombre.

— Mr. Karansky ?

— Qui êtes-vous ?

La voix était suspicieuse.

— Inspecteur Tellman. Je dois parler à votre pensionnaire.

— Il s'agit de sa famille ? demanda aussitôt Karansky avec une inquiétude perceptible. Il y a un problème ?

— Non ! dit vivement Tellman. Non, mais je dois à tout prix lui parler sur-le-champ. Je suis navré de vous déranger.

Karansky ouvrit la porte en grand.

— Entrez, invita-t-il. Entrez. Sa chambre se trouve en haut de l'escalier. Voulez-vous manger quelque chose ? Nous avons…

Il s'interrompit, embarrassé.

Peut-être n'avaient-ils pas grand-chose.

— Non, merci. J'ai déjà mangé.

C'était un mensonge, mais peu importait. La dignité devait être préservée.

— Alors, vous devriez monter voir Mr. Pitt. Il est rentré très tard ce soir…

Il parut sur le point d'ajouter quelque chose avant de changer d'avis. Il y avait de l'anxiété dans sa voix, comme s'il redoutait un danger. Était-ce toujours ainsi dans ce quartier, se demanda Tellman, y vivait-on dans l'attente perpétuelle d'une éruption de violence, dans l'incertitude et la crainte d'un désastre toujours possible ?

Il le remercia et s'engagea sur les marches étroites avant de frapper à la porte indiquée.

La réponse fut immédiate mais distraite, comme si Pitt attendait plus ou moins une visite et savait qui venait le voir.

Il était assis sur le lit, les épaules voûtées, plongé dans ses pensées. Il semblait encore plus débraillé que d'ordinaire, les cheveux trop longs et décoiffés, mais les poignets de sa chemise étaient impeccablement reprisés et une pile de vêtements propres et repassés attendait sur sa commode.

Quand Tellman referma derrière lui sans dire un mot, Pitt comprit enfin qu'il ne s'agissait pas de Karansky. Il se retourna. Sa stupéfaction se transforma aussitôt en inquiétude. Il se leva d'un bond.

— Tout va bien ! s'empressa de dire Tellman. Mais j'ai appris quelque chose dont je dois absolument vous faire part. C'est…

Il se passa la main sur la tête.

— En fait, non ! Ça ne va pas bien du tout.

Il en tremblait.

— Si cela est vrai, c'est… terrible… effroyable… Je n'ai jamais rien entendu de tel. Cela pourrait tous nous conduire à notre perte !

À mesure que Tellman avançait dans son récit, les rares couleurs qui lui restaient abandonnèrent le visage de Pitt. Il ne bougeait pas, saisi de frissons incontrôlables comme si un froid glacial s'insinuait peu à peu dans la pièce.

CHAPITRE X

Il était près de minuit quand Tellman arriva dans Keppel Street, mais il n'avait pas le choix : le lendemain matin il n'aurait pas le temps, et Gracie et Charlotte devaient être prévenues. Non pour les dissuader, car rien de ce que Pitt ou lui pourraient dire ne les empêcherait de continuer à chercher la vérité, mais pour qu'elles comprennent contre quoi elles se dressaient, l'énormité de ce complot. Cela les rendrait peut-être un peu plus prudentes.

À ses yeux, il était évident que les deux femmes pouvaient les aider. C'était du moins ce qu'il se disait sur le trottoir devant la maison aux fenêtres sombres. Il était officier de police, citoyen d'un pays qui courait le danger très réel d'être pris dans un cycle de violences pouvant durer plusieurs années – et, s'il s'en sortait, il aurait sans doute perdu l'essentiel de son héritage et de son identité. Tous ceux – et celles ! – qui pouvaient contribuer à éviter une telle catastrophe étaient les bienvenus. La sécurité de deux femmes, l'une qu'il admirait et l'autre qu'il aimait, ne pouvait prévaloir sur cela.

Le choc du heurtoir en bronze sur son support résonna dans le silence sans provoquer la moindre réaction. Tellman cogna à nouveau, trois fois.

Une lumière s'alluma à l'étage et, quelques instants plus tard, Charlotte en personne apparut, les yeux écarquillés d'angoisse, la masse de sa chevelure répandue sur ses épaules.

— Tout va bien, fit-il aussitôt, devinant ses craintes. Mais je dois vous dire certaines choses ainsi qu'à Gracie.

Charlotte appela Gracie avant de le précéder dans la cuisine où elle ajouta un peu de charbon dans le poêle. Maladroitement, il se pencha trop tard pour l'aider. Elle lui sourit et posa la bouilloire sur la plaque.

Quand Gracie apparut, les yeux gonflés de sommeil, ils prirent place autour d'un thé et il leur raconta ce qu'il avait appris de Lyndon Remus et ce que cela signifiait.

Il repartit finalement à trois heures du matin après avoir décliné la proposition de Charlotte de dormir dans le salon. Cela ne lui paraissait pas convenable et il avait besoin de marcher seul dans la nuit pour réfléchir.

Il faisait jour quand Charlotte se réveilla. Sa première pensée fut pour Pitt qui n'était pas là. L'espace vide à ses côtés le lui rappelait avec une cruauté désormais familière.

Puis elle se souvint de la visite de Tellman, de ce qu'il leur avait dit à propos des meurtres de Whitechapel, du prince Eddy, d'Annie Crook et de cet effarant complot.

Se redressant, elle repoussa les couvertures. Elle n'avait aucune raison de rester allongée plus longtemps dans ce lit sans chaleur.

Machinalement, elle commença à faire sa toilette. Il était étrange comme certains petits plaisirs quotidiens, par exemple celui de la coiffure, avaient disparu ; Pitt n'était pas là pour la regarder ou la taquiner en lui retirant ses épingles ou en jouant avec ses boucles. Encore plus qu'après le son de sa voix, elle languissait après le contact de ses mains ; c'était un manque physique en elle, douloureux, comme celui provoqué par la faim.

Le moment était mal choisi pour s'apitoyer sur elle-même. Elle devait réfléchir à des problèmes plus urgents. John Adinett avait-il tué Fetters parce que celui-ci faisait partie de la conspiration visant à dissimuler les meurtres de Whitechapel et le rôle que la maison royale y avait joué ?

Mais cela n'avait aucun sens. Fetters était républicain. Il aurait été le premier à se dresser contre une telle conjuration. Le contraire était plus plausible. Fetters avait découvert la vérité et allait la révéler ; Adinett l'avait tué pour l'en empêcher. Cela expliquerait pourquoi il n'en avait parlé à personne, même pas dans l'intention de sauver sa propre vie. Il ne s'était pas rendu dans Cleveland Street pour enquêter sur les meurtres de 1888 mais pour découvrir ce que Fetters y avait appris.

Elle descendit sans se presser, tournant et retournant ces conjectures dans sa tête. Dans la cuisine, Gracie s'activait déjà. Il était encore tôt. Elle avait le temps de prendre une tasse de thé avant de réveiller les enfants.

Gracie se retourna en l'entendant. Elle semblait fatiguée, les cheveux moins bien coiffés qu'à l'ordinaire, mais elle sourit dès que leurs regards se croisèrent. Quelque chose de très brave et de très déterminé dans ses yeux redonna un peu d'espoir à Charlotte.

Repoussant une mèche derrière son oreille, Gracie s'empara du tisonnier. Elle le plongea avec férocité dans le poêle comme si elle éventrait son pire ennemi. Les flammes ne tardèrent pas à venir lécher la plaque de cuisson.

Charlotte alla chercher le lait dans le garde-manger tout en surveillant les chats qui l'encerclaient, bien décidés à la faire trébucher. Elle en versa un peu dans une soucoupe à leur intention et émietta du pain frais par terre. Ils se battirent un instant avant d'entamer une sorte de partie de hockey sur le carrelage avec le pain.

Gracie fit le thé et elles le burent dans un silence agréable, sirotant la boisson encore trop chaude. Puis Charlotte monta réveiller Jemima et Daniel.

— Quand papa va-t-il rentrer à la maison ? demanda Jemima en se lavant le visage. Vous avez dit qu'il reviendrait bientôt.

Il y avait comme une accusation dans sa voix.

Charlotte lui tendit la serviette. Que répondre ? Elle savait que cette rancœur était provoquée par la peur. La vie n'était plus comme avant et aucun des deux enfants n'en comprenait la raison. Ce qu'ils ne s'expliquaient pas les effrayait. Si l'un des parents disparaissait soudain, alors pourquoi pas l'autre ? Quel était le moindre mal : avouer l'incertaine et dangereuse vérité ou bien proférer un mensonge plus confortable qui leur permettrait de mieux vivre les prochains jours mais finirait peut-être par se révéler désastreux ?

— Maman ?

Jemima n'avait pas prévu d'attendre aussi long-temps sa réponse.

— J'espère qu'il reviendra bientôt, dit Charlotte, essayant de gagner du temps. C'est une affaire diffi-cile, pire que ce qu'il avait imaginé.

— Pourquoi papa l'a-t-il acceptée si elle est si terri-ble ? demanda Jemima en la fixant droit dans les yeux.

À nouveau, Charlotte ne sut que répondre.

Boutonnant sa chemise, Daniel surgit dans la chambre, les cheveux humides sur le front et autour des oreilles.

Ayant à l'évidence entendu la question de Jemima, il dévisagea alternativement sa mère puis sa sœur.

— Il l'a acceptée parce qu'il le fallait, répondit Charlotte. C'était ce qu'il fallait faire.

Elle ne pouvait leur annoncer qu'il était en danger et que le Cercle intérieur cherchait à détruire sa carrière. Pas plus qu'elle ne pouvait leur dire qu'il devait tra-vailler, gagner un salaire, afin qu'ils puissent garder un toit ou, pire encore, pour ne pas connaître la faim. Il était trop tôt pour autant de réalisme. Et elle ne pouvait certainement pas leur révéler qu'il avait découvert une horreur qui menaçait de détruire tout ce qu'ils connaissaient. Les ogres et les dragons appartenaient aux contes de fées, pas à la réalité.

Jemima fronça les sourcils.

— Est-ce qu'il veut vraiment revenir à la maison ?

Charlotte comprit alors sa véritable angoisse : et si leur père était parti de la maison à cause d'elle ? Parce que, d'une manière ou d'une autre, Jemima avait déçu ses attentes ? En raison d'une désobéissance quelconque, par exemple.

— Bien sûr qu'il veut revenir ! dit Daniel avec colère, le visage empourpré, les yeux étincelants. C'est idiot de dire ça !

Sa voix était vibrante d'émotion. Sa sœur venait de mettre en doute tout ce qu'il aimait.

À un autre moment, Charlotte lui aurait promptement reproché son langage, mais elle était trop consciente de son trouble, de son incertitude.

Jemima était piquée au vif, cependant elle était surtout terrifiée à l'idée que ses craintes soient fondées et cette terreur était bien plus importante que sa dignité.

Charlotte se tourna vers sa fille.

— Bien sûr qu'il veut rentrer à la maison, dit-elle avec calme comme si toute autre idée aurait été ridicule. Cela le rend malade de ne pas être ici. Parfois, accomplir son devoir peut devenir très déplaisant : cela vous oblige à abandonner les choses qui comptent le plus pour vous... pendant un certain temps mais pas pour toujours. Je suis sûre que nous lui manquons encore plus qu'il ne nous manque parce qu'au moins nous sommes tous ensemble. Nous sommes ici, dans notre maison, alors qu'il doit être là où on a besoin de lui et c'est loin d'être aussi propre et agréable qu'ici.

Jemima parut considérablement réconfortée, assez en tout cas pour se mettre à argumenter.

— Pourquoi papa ? Pourquoi pas quelqu'un d'autre ?

— Parce que c'est une affaire très complexe et qu'il est le meilleur, répondit Charlotte.

Cette fois, c'était facile.

— Quand on est le meilleur, cela veut dire qu'on doit toujours accomplir son devoir parce qu'il n'y a personne qui puisse le faire à votre place.

Jemima souriait. C'était une réponse qui lui plaisait.

— Quelle sorte de gens pourchasse-t-il ? demanda Daniel qui n'était pas encore prêt à renoncer. Qu'ont-ils fait ?

Voilà qui était moins aisé à expliquer.

— Ils ne l'ont pas encore fait. Papa essaie de les empêcher de le faire.

— Faire quoi ? insista-t-il. Qu'est-ce qu'ils veulent faire ?

— Commettre des attentats à la dynamite, répondit-elle.

— Qu'est-ce que c'est, la dynamite ?

— Un machin qui explose, expliqua Jemima avant que Charlotte ne trouve une réponse. Ça tue des gens. Mary Ann me l'a dit.

— Pourquoi ?

Daniel n'avait pas une très haute opinion de Mary Ann. De toute manière, il n'était pas enclin à faire confiance aux filles, particulièrement sur des sujets concernant les explosions.

— Parce qu'ils sont en morceaux, abruti, rétorqua-t-elle, bien contente de lui rendre la monnaie de sa pièce. Comment vivrais-tu si tes jambes, tes bras et ta tête se retrouvaient éparpillés à travers la pièce ?

Cela mit un terme provisoire à la discussion et ils descendirent prendre leur petit déjeuner.

Un peu après neuf heures, quand Emily arriva, elle prit des nouvelles de Thomas auprès de Charlotte. Il était inutile de demander comment allait Charlotte : la tension sur ses traits, la lassitude de ses gestes étaient assez éloquents.

— Je ne sais pas, pas vraiment en fait. Il écrit souvent mais il ne dit pas grand-chose sinon qu'il va bien.

J'essaie de le croire. Il fait trop chaud pour un thé. Tu veux un peu de citronnade ?

— Volontiers.

Emily s'installa à la table.

Charlotte les servit toutes deux avant de s'asseoir à son tour et de lui raconter tout ce qui s'était passé : depuis l'excursion de Gracie à Mitre Square jusqu'à la visite de Tellman au beau milieu de la nuit. Pas une seule fois, Emily ne l'interrompit, restant assise là et pâlissant à mesure que le récit se prolongeait.

— Ceci est bien pire que tout ce que j'imaginais, dit-elle enfin, choquée. Qui est derrière tout cela ?

— Je ne sais pas, admit Charlotte. Cela pourrait être n'importe qui.

— Mrs. Fetters sait-elle quoi que ce soit ?

— Non… du moins, j'en suis persuadée. La dernière fois, nous avons trouvé quelques articles de Martin Fetters. Il semble avoir été un fervent républicain. Je suis de plus en plus convaincue que c'est parce qu'il avait découvert sa participation à ce complot royaliste qu'Adinett l'a tué.

— Cela semble possible. Mais comment pourrais-tu t'en assurer à présent ? demanda Emily en se penchant vers elle. Au nom du ciel, Charlotte, sois prudente ! Pense à ce qu'ils ont été capables de faire. Adinett n'est plus mais ses complices sont toujours vivants et tu ignores qui ils sont.

Elle avait raison. Mais Charlotte ne pouvait pas non plus oublier que Pitt était banni dans Spitalfields et que des individus coupables de crimes monstrueux restaient impunis.

— Nous devons faire quelque chose, dit-elle, résolue. Si nous n'agissons pas, qui le fera ? Il faut que je sache si c'est la vérité et Juno, elle aussi, a le droit de savoir pourquoi son mari a été assassiné. Il doit y avoir des gens pour qui cela compte. Tante Vespasia les connaîtra sûrement.

Emily réfléchit un moment.

— As-tu pensé aux conséquences si, à cause de nous, cela était rendu public ? dit-elle d'un ton grave. Le gouvernement tomberait…

— S'ils ont comploté pour cacher ces horreurs, alors ils méritent d'être renversés, mais par un vote de défiance au Parlement et non par une révolution.

— Il ne s'agit pas simplement de ce qu'ils méritent, dit Emily. Je pense à ce qui risque d'arriver, à qui prendra leur place. Oh, ils ne valent sans doute pas grand-chose, j'en conviens, mais avant de les renverser tu dois envisager que la solution de remplacement sera peut-être pire encore.

Charlotte secoua la tête.

— Que pourrait-il y avoir de pire qu'une société secrète au sein même du gouvernement qui, pour son unique profit, manigance de telles infamies ? Qu'arrivera-t-il la prochaine fois que quelqu'un se trouvera en travers de leur route ? Pourront-ils l'éventrer en toute impunité ?

— Tu exagères un peu…

— Ce sont eux qui exagèrent ! Ces gens sont fous. Ils ont perdu tout sens des réalités. Si tu veux des détails, interroge ceux qui ont vu les corps des malheureuses de Whitechapel.

Emily blêmit. Le souvenir des rumeurs qui avaient circulé quatre années auparavant était encore très présent en elle.

— Oui, tu as raison, murmura-t-elle.

— Si nous ne faisons rien, nous serons aussi coupables qu'eux.

— Que comptes-tu faire, alors ?

— Dire à Juno Fetters tout ce que je sais.

Emily parut effrayée.

— Tu es sûre ?

Charlotte hésita.

— Non, mais je suis certaine qu'elle préférera apprendre que son mari a été tué parce qu'il allait dénoncer cette machination et non parce qu'il comptait provoquer une révolution et, pour le moment, c'est ce qu'elle croit.

Emily ouvrit de grands yeux.

— Une révolution ? À cause de toute cette histoire ?

Elle frissonna.

— Oui, cela aurait pu réussir… reprit-elle, d'un ton hésitant. Cela aurait pu tout déclencher…

Charlotte se souvenait du visage de Martin Fetters sur la photographie que lui avait montrée Juno. C'était celui d'un homme audacieux qui suivait ses passions quel qu'en soit le coût. Instinctivement, il lui avait plu et elle avait aimé ses écrits sur les révolutions de 1848. À travers ses mots, de telles luttes semblaient nobles. Il s'agissait d'une cause que toute personne de bonne volonté aurait volontiers épousée, par amour de la justice et de la communauté des hommes. Qu'il ait fomenté des violences ici en Angleterre lui laissait un goût étrangement amer, comme l'aurait fait la trahison d'un ami. Elle s'en rendait compte à présent avec surprise.

La voix d'Emily interrompit ses pensées.

— Et Adinett s'opposait à cette révolution ? Mais alors pourquoi ne l'a-t-il pas simplement dénoncé ? Cela l'aurait arrêté.

— Je sais, fit Charlotte. C'est pour cela qu'il semble beaucoup plus logique que Fetters ait été tué parce qu'il connaissait les meurtriers de Whitechapel et comptait révéler leur identité dès qu'il aurait rassemblé assez de preuves.

— Et maintenant, c'est ce journaliste, Remus, qui veut s'en charger ?

Charlotte frémit en dépit de la chaleur qui régnait dans la pièce.

— Je le suppose. Il ne serait pas assez stupide pour tenter de les faire chanter.

— Je me demande si ce n'est pas déjà faire preuve d'une immense stupidité que de chercher à savoir, répondit très doucement Emily.

Charlotte se mit debout.

— Peut-être mais je tiens à savoir… j'estime que c'est notre devoir. Tu veux bien garder les enfants pendant que je vais rendre visite à Juno Fetters ?

— Bien sûr. Nous irons au parc.

Puis, au moment où Charlotte passait derrière elle pour gagner la porte, Emily se retourna et lui saisit le bras.

— Sois prudente ! ajouta-t-elle d'une voix sourde.

— Je le serai, dit Charlotte.

Elle était sincère. Tout ce qu'elle avait lui semblait soudain si précieux, les enfants, cette maison, Emily… et Pitt quelque part dans les ruelles grises de Spitalfields.

— Je le serai. Je te le promets.

Juno fut ravie de la voir. Ses journées étaient toujours aussi monotones, par la force des choses. Très peu de gens lui rendaient visite et il était beaucoup trop tôt pour qu'elle reprenne goût à la vie publique. Elle ne le souhaitait d'ailleurs pas. Ses moyens lui permettant d'employer un nombreux personnel, elle ne pouvait s'occuper l'esprit en effectuant des tâches ménagères. Les heures passaient, lentes, consacrées à la lecture, la broderie et la rédaction de quelques lettres.

Elle ne demanda pas tout de suite à Charlotte si elle avait des nouvelles et ce fut cette dernière qui aborda le sujet dès qu'elles furent installées dans le salon donnant sur le jardin.

— On m'a fait certaines révélations. J'ignore encore si elles sont vraies mais, si c'est le cas, cela expliquerait beaucoup de choses. Cela vous paraîtra sans doute incroyable, énorme même… par ailleurs, il se peut que nous ne soyons jamais en mesure de prouver quoi que ce soit.

Une lueur était apparue dans le regard de Juno.

— Peu importe, assura-t-elle vivement. J'ai besoin de savoir. De comprendre.

Charlotte remarqua les cernes sombres sous ses yeux, les traits tirés. Cette femme était en train de vivre un cauchemar. Tout le passé qu'elle chérissait, qui aurait dû lui donner de la force en cette période de deuil, était assombri par le doute. L'homme qu'elle aimait avait-il seulement existé ou bien n'avait-il été qu'un produit de son imagination, quelqu'un qu'elle avait construit à partir de fragments ou d'illusions parce qu'elle avait tant besoin de croire à leur amour ?

— Je crois que Martin avait découvert la vérité concernant les crimes les plus terribles jamais commis à Londres…

Même dans cette pièce inondée de soleil, parfumée par les senteurs du jardin, Charlotte croyait percevoir une menace, comme si cette terrifiante silhouette allait soudain se matérialiser, son couteau ensanglanté à la main.

— Comment cela ? s'enquit Juno. Quels crimes ?

— Les meurtres de Whitechapel, répondit Charlotte, d'une voix étranglée.

Juno ouvrit de grands yeux.

— Comment… Non, c'est…

Elle s'interrompit un instant.

— Si Martin avait su quoi que ce soit, il aurait sûrement…

— … révélé la vérité, enchaîna Charlotte. C'est pour cela qu'Adinett l'a tué, pour l'en empêcher.

Juno la fixa avec horreur et stupéfaction.

— Pourquoi ? Je ne comprends pas.

Calmement, avec des mots simples et bouleversants, Charlotte lui raconta tout ce qu'elle savait. Juno l'écouta sans l'interrompre.

Le récit s'acheva dans un silence pesant, laissant Juno blême, terrifiée, comme si elle avait vu de ses propres yeux la voiture sombre rouler dans ces ruelles, comme si elle avait plongé son regard dans celui du tueur.

— Comment Martin a-t-il pu découvrir une chose pareille ? demanda-t-elle enfin d'une voix méconnaissable. Bien sûr, il a dû en parler à Adinett, il lui accordait toute sa confiance… et, dans les derniers instants de sa vie, il aurait découvert que son meilleur ami était l'un d'entre eux ?

Charlotte hocha la tête.

— Je le pense.

— Alors, qui est derrière Remus maintenant ? s'enquit Juno.

— Je l'ignore. D'autres républicains, sans doute…

— Le but était donc bien de provoquer une révolution…

— Il est trop tôt pour le dire. Peut-être était-ce aussi par simple désir de justice ?

Charlotte ne le croyait pas, mais elle ne devait pas priver Juno du maigre réconfort de cette idée.

— Il y a d'autres papiers, dit alors Juno, d'une voix mesurée, comme si elle effectuait un terrible effort sur elle-même. J'ai relu les journaux de Martin et il y fait référence à des écrits que nous n'avons pas trouvés. Je les ai cherchés partout, en vain.

Elle fixait Charlotte d'un air suppliant, tentant de maîtriser ses peurs. Pour mettre un terme à ce cauchemar, il lui fallait connaître la vérité mais, d'un autre côté, tant qu'elle ne savait pas, l'espoir restait permis.

— En qui d'autre avait-il confiance ? demanda Charlotte. Qui d'autre aurait pu garder de tels écrits ?

— Son éditeur ! s'exclama Juno. Thorold Dismore. C'est un républicain, lui aussi, et il n'en fait nullement mystère. Mais il n'est pas aussi naïf ou excentrique que certains le pensent. Martin le tenait en haute estime car ils partageaient les mêmes idéaux et parce que Dismore a le courage de ses convictions.

Charlotte restait assez sceptique.

— Pourriez-vous lui demander de vous rendre les articles de Martin ?

— Je l'ignore, confessa Juno en se levant. Mais je suis prête à tout essayer. Je le supplierai, l'implorerai, le menacerai s'il le faut. Voulez-vous m'accompagner ? Disons que vous serez mon chaperon.

— Bien sûr.

Il n'était pas simple de rencontrer Thorold Dismore et elles durent attendre trois quarts d'heure dans une antichambre inconfortable, mettant toutefois ce délai à profit pour décider de ce que Juno allait dire. Quand elles furent enfin introduites dans son bureau étonnamment spartiate, celle-ci était prête.

Elle était très impressionnante tout de noir vêtue, bien plus que Charlotte qui n'avait pas prévu cette visite et portait une robe relativement sobre.

Dismore vint à leur rencontre avec courtoisie. Quelles que soient ses opinions politiques, il restait un gentleman de par son éducation et ses origines, même si cela n'avait que peu d'importance à ses yeux.

— Bonjour, Mrs. Fetters. Prenez place, je vous prie.

Il lui indiqua une chaise avant de se tourner vers Charlotte.

— Mrs. Pitt, la présenta Juno. Elle m'accompagne.

Cette explication se suffisait à elle-même.

— Comment allez-vous ? fit Dismore avec une lueur d'intérêt dans les yeux.

Charlotte se demanda s'il se souvenait de son nom en raison du procès ou bien si cet intérêt était d'ordre plus personnel. Elle penchait plutôt pour la première hypothèse.

— Comment allez-vous, Mr. Dismore ? répondit-elle avec modestie avant d'accepter le siège qu'il lui présentait, aux côtés de Juno.

— Mr. Dismore, j'ai relu certaines lettres et notes de mon mari.

Il hocha la tête. Cela lui paraissait très naturel.

— Je me suis rendu compte qu'il avait prévu pour vous plusieurs articles, sur des sujets très chers à son cœur, les problèmes de réformes sociales qu'il appelait de ses vœux...

Le regard de Dismore se fit douloureux ; c'était plus que de la simple sympathie, plus que le témoignage de ses bonnes manières. Charlotte aurait juré qu'elle était réelle. Mais dans cette affaire, les enjeux allaient bien au-delà d'une simple amitié, aussi profonde soit-elle. Pour ces hommes, il s'agissait d'une sorte de guerre et, à la guerre, certains sont prêts à sacrifier leurs camarades pour obtenir la victoire.

Elle observait Dismore tandis qu'il écoutait Juno lui décrire les notes qu'elle avait trouvées. Il opina du chef à deux ou trois reprises mais sans jamais l'interrompre. Il semblait captivé.

— Comptez-vous garder ces notes, Mrs. Fetters ? demanda-t-il quand elle eut terminé.

— C'est la raison de ma visite, répondit-elle. Il semble qu'il manque certaines parties essentielles, des références à d'autres travaux, en particulier...

Reprenant son souffle, elle parut sur le point de se tourner vers Charlotte mais résista à cette impulsion.

— ... à des personnes et à des convictions qui me paraissent nécessaires à la compréhension générale.

— Oui ?

Il était très calme, incroyablement calme.

— Je me demandais s'il aurait pu vous laisser d'autres écrits et documents ou bien des travaux antérieurs, plus complets, dit-elle avec un sourire incertain. Réunis avec ceux qui sont en ma possession, ils pourraient fournir matière à un ultime article.

N'essayant pas de cacher son enthousiasme, Dismore répondit avec chaleur.

— J'ai très peu de documents mais, bien sûr, vous pourrez les consulter à votre guise. Par ailleurs, s'il existe d'autres écrits, Mrs. Fetters, alors nous devons tout mettre en œuvre pour les retrouver... jusqu'à la dernière page. Je suis prêt à consentir à tous les efforts nécessaires, sans compter les dépenses éventuelles…

Charlotte éprouva un petit pincement au cœur. S'agissait-il d'un discret avertissement ?

— C'était un grand homme, poursuivait Dismore. Sa passion pour la justice illuminait chacun des mots jaillis de sa plume. Il pouvait amener les gens à reconsidérer leurs préjugés les plus tenaces.

À nouveau, ses traits étaient empreints de tristesse.

— Sa disparition est une grande perte pour l'humanité. Un homme tel que lui peut être suivi, il ne sera jamais remplacé.

— Merci, dit Juno, l'air préoccupé.

Charlotte se demanda si les mêmes pensées tournoyaient dans son esprit. Dismore était-il un crédule, un enthousiaste naïf ou bien le plus accompli des acteurs ? Plus elle l'observait, moins elle avait de certitude. Elle ne sentait pas chez lui la menace délibérée et impitoyable qu'elle avait perçue chez Gleave. Non, s'il intimidait, c'était par son énergie mentale, une sorte de vibration électrique.

— Mr. Dismore, reprit Juno bien décidée à ne pas se laisser détourner de son but, je vous serais infiniment reconnaissante si vous me permettiez de consulter les écrits de Martin qui sont en votre possession. Je désire les comparer avec ceux qui se trouvent chez nous. Je souhaite par-dessus tout mettre en ordre ce qu'il a laissé derrière lui afin de vous le rendre comme un dernier travail, une sorte d'hommage à la mémoire de Martin. Cela, bien sûr, si vous souhaitez le publier ? Je suis peut-être trop présomptueuse…

— Oh non ! s'exclama-t-il. Pas le moins du monde. Je serai heureux et fier de publier un tel hommage.

Il s'empara d'une cloche sur son bureau au tintement de laquelle un employé répondit sur-le-champ. Celui-ci reçut pour instructions de rapporter tous les écrits, articles et lettres de Martin Fetters en leur possession.

Quand le jeune homme eut disparu pour accomplir sa mission, Dismore se renfonça dans son siège et considéra Juno avec sympathie.

— Votre visite me va droit au cœur, Mrs. Fetters. Et puis-je ajouter, je l'espère sans impertinence, combien j'admire la force d'âme qui vous conduit à vouloir rendre cet hommage à Martin ! Il parlait de vous avec une telle considération. C'est un plaisir de constater qu'il ne s'agissait pas simplement de la voix d'un mari aimant mais aussi de celle d'un excellent juge des caractères.

Juno s'empourpra et les larmes lui montèrent aux yeux.

Charlotte aurait tant voulu la réconforter. Soit Dismore était innocent, soit il faisait preuve de la plus exquise cruauté, et plus elle l'étudiait, moins elle parvenait à trancher. Il se pencha en avant, l'enthousiasme illuminant son regard, pour évoquer d'autres articles écrits par Fetters, des voyages qu'il avait accomplis sur les lieux mêmes des plus grandes luttes contre la tyrannie. Sa dévotion presque fanatique sourdait sous chacun de ses mots.

Était-il concevable que cette ardeur républicaine fût un masque pour dissimuler un royaliste ayant pris part à la conspiration de Whitechapel ? Ou, au contraire, était-il prêt à révéler cette même conspiration dans le but de faire éclater une révolution ?

Elle l'observait, écoutait la cadence de sa voix et restait toujours incapable de juger.

Les papiers furent apportés dans une épaisse enveloppe marron que, sans la moindre hésitation, Dismore tendit à Juno. Fallait-il y voir un geste d'honnêteté ? Ou bien les connaissait-il déjà et les considérait-il comme anodins ?

Juno l'accepta avec un sourire tendu, y jetant à peine un regard.

— Merci, Mr. Dismore. Bien sûr, je vous ferai parvenir tout ce qui me paraîtra digne d'être publié.

— Je vous en prie, oui, insista-t-il. En fait, j'aimerais beaucoup voir par moi-même tout ce qui est en votre possession ou que vous pourriez être amenée à découvrir. Il se peut qu'il y ait des choses dont la valeur n'est pas apparente.

— Si vous le souhaitez, accepta-t-elle en inclinant la tête.

Il retint son souffle comme pour faire une nouvelle déclaration, mais il se contenta de sourire avec une attention charmante.

— Merci de votre visite, Mrs. Fetters. Je suis persuadé qu'ensemble nous parviendrons à réaliser un article qui constituera le plus bel hommage posthume à votre mari, celui qu'il aurait souhaité, qui marquera une réelle avancée pour la grande cause de la justice sociale et de l'égalité. Le moment viendra où la liberté ne sera plus un vain mot. C'était un grand homme, un visionnaire brillant doué d'un courage exceptionnel. J'ai eu le privilège de le connaître et de l'accompagner. C'est une tragédie qu'il nous ait été enlevé si jeune et à un moment où nous avons si désespérément besoin de lui. Je souffre avec vous.

Juno resta sans bouger, les yeux écarquillés.

— Merci, dit-elle doucement. Merci, Mr. Dismore.

Dès qu'elles furent à l'abri dans le premier cab disponible, elle se tourna vers Charlotte, serrant l'enveloppe dans sa main.

— Il les a lus et il n'y a rien.

— Oui. Ce que nous cherchons ne se trouve pas dans cette enveloppe.

— Vous pensez qu'il ne nous a pas tout donné ? Qu'il a gardé quelque chose ? C'est un républicain, cela je le jurerais.

— Je ne sais pas, admit Charlotte.

Dismore lui échappait. Elle ne parvenait pas à le saisir. Elle avait moins de certitude à son sujet maintenant qu'avant de l'avoir rencontré.

Elles revinrent en silence chez Juno avant de consulter ensemble les documents que Dismore leur avait confiés. C'était vivant, magnifiquement écrit, bouleversant de passion et de soif de justice. Encore une fois, Charlotte se sentait partagée ; d'instinct, Martin Fetters lui plaisait, elle aimait son courage, son zèle vibrant à faire étendre les privilèges dont il jouissait à l'ensemble de l'humanité ; d'un autre côté, elle éprouvait de la révulsion à l'idée des ravages que ses convictions pourraient provoquer. Cependant, rien dans ces nouveaux écrits ne suggérait qu'il savait quoi que ce soit à propos des meurtres de Whitechapel ou bien sur un quelconque plan visant à amener Remus à faire ces révélations au grand jour.

Elle laissa Juno assise à lire et relire ces feuilles, brisée par ses émotions et pourtant incapable d'abandonner sa lecture.

Charlotte marcha jusqu'à l'arrêt d'omnibus, l'esprit en ébullition. Elle ne pouvait pas parler à Pitt. Quant à Tellman, il connaissait peu le monde dans lequel évoluaient des gens comme Dismore et Gleave ou tout autre appartenant aux rangs les plus élevés du Cercle intérieur. La seule à qui elle pouvait s'adresser était tante Vespasia.

Elle eut la chance de la trouver chez elle et sans compagnie. Vespasia l'accueillit avec chaleur avant de la dévisager plus attentivement. Ce qu'elle vit suffit à la convaincre de s'installer sans un mot. Charlotte se mit à parler, d'abord de façon hésitante, puis le récit se déversa comme malgré elle : tout ce que Tellman avait appris, la folle excursion de Gracie à Mitre Square où la vérité lui était apparue de façon si brutale.

Vespasia ne bronchait pas. La lumière soulignait les fines rides sur sa peau, seules marques visibles sur son visage impassible. Elle demeura ainsi jusqu'à ce que Charlotte en ait terminé.

— Les meurtres de Whitechapel, dit-elle, la voix rauque d'une horreur qu'elle avait crue oubliée. Et ce Remus va vendre son histoire aux journaux ?

— Oui… Tellman en est convaincu. Ce sera le plus grand scandale du siècle. Le gouvernement tombera probablement, le trône à coup sûr, répondit Charlotte.

— En effet.

Le regard de Vespasia semblait fixé sur un ailleurs invisible.

— Ce sera un bain de sang tel que l'Angleterre n'en a pas connu depuis Cromwell[1]. Seigneur Dieu, combattre le mal par le mal ! Ils chasseront une corruption pour la remplacer par une autre et tout ce malheur n'aura servi à rien.

— N'y a-t-il rien que nous puissions faire ?

— Je l'ignore, avoua Vespasia. Il nous faut savoir qui guide Remus et quel rôle jouent Dismore et Gleave. Que faisait Adinett à Cleveland Street ? Cherchait-il des renseignements sur Remus ou bien voulait-il l'empêcher d'en trouver ?

— L'empêcher, à mon avis, répondit Charlotte. Je crois qu'il…

Soudain, elle se rendit compte qu'elle en savait très peu. L'essentiel de tout cela n'était que conjectures. Fetters et Adinett y étaient mêlés mais elle ignorait encore dans quelle mesure. Elle raconta à Vespasia la visite de Gleave et son désir de retrouver les papiers de Martin Fetters. Elle décrivit la sensation de menace qu'elle avait éprouvée en sa présence mais qui, évoquée dans cette pièce si lumineuse, paraissait davantage le fruit de son imagination.

---

1. Oliver Cromwell (1599-1658) : « L'Anglais de Dieu », puritain et militaire de génie. Au cours de la deuxième guerre civile anglaise, il capture et fait exécuter Charles Iᵉʳ. Devient par la suite Lord-protecteur des royaumes d'Angleterre, d'Écosse et d'Irlande. (*N.d.T.*)

Parlant alors de la conviction de Juno qu'il existait d'autres articles, Charlotte relata leur visite à Thorold Dismore. Elle termina en disant qu'à son sens, c'était un vrai républicain qui n'aurait aucun scrupule à se servir de tout ce qu'il pourrait trouver pour mener à bien son combat.

— C'est fort possible, approuva Vespasia.

Elle souriait à peine et avec une immense tristesse.

— Ce n'est pas une cause sans noblesse, reprit-elle. Je ne l'approuve pas, mais je peux la comprendre et j'admire ceux qui la servent.

Quelque chose dans son attitude dissuada Charlotte de la contredire. Elle prit soudain conscience, avec une acuité accrue, de leur différence d'âge et du fait qu'il existait des pans entiers de la vie de Vespasia dont elle ignorait tout.

— Laissez-moi y réfléchir, dit celle-ci au bout d'un moment. Mais d'ici là, ma chère, faites preuve de la plus extrême prudence. Cherchez ce qu'il vous est possible de chercher, mais sans vous mettre en danger. Nous nous trouvons face à des gens pour qui le meurtre n'est qu'un moyen d'atteindre leurs fins. Ils considèrent qu'ils ont tous les droits puisqu'ils sont convaincus d'agir pour le bien de tous.

Dans la bouche de Vespasia, cet avertissement prenait une importance considérable. Réprimant un frisson, Charlotte se leva.

— Je serai prudente, rassura-t-elle comme elle l'avait fait avec Emily. Mais je dois parler à Thomas. Je... j'ai besoin de le voir.

Vespasia sourit.

— Bien sûr. J'aimerais pouvoir vous accompagner mais cela serait fort peu commode. S'il vous plaît, rappelez-moi à son bon souvenir.

Cédant à une impulsion, Charlotte se pencha pour poser ses mains sur les épaules de Vespasia et lui embrasser la joue.

Avant de rentrer, Charlotte passa au domicile de Tellman et, à la consternation de sa logeuse, attendit une bonne demi-heure son retour de Bow Street. D'emblée, elle lui demanda de l'emmener le lendemain matin voir Pitt sur le chemin de son travail à l'atelier de soierie. Tellman protesta, évoquant le danger, les désagréments et par-dessus tout le fait que Pitt ne souhaitait certainement pas qu'elle se rende dans Spitalfields. Elle lui répondit de ne pas leur faire perdre leur temps en protestations inutiles. Elle irait, avec ou sans lui, et ils le savaient tous les deux, mieux valait donc qu'il l'admette afin qu'ils s'accordent sur les dispositions à prendre avant de s'accorder une bonne nuit de repos.

— Oui, madame, concéda-t-il.

Elle vit sur son visage qu'il était trop conscient de la gravité de la situation pour élever plus que des objections formelles. Il la raccompagna à l'arrêt d'omnibus.

— Je serai à votre porte à six heures demain matin, dit-il. Nous prendrons un cab jusqu'à la station de métropolitain et de là nous nous rendrons à Whitechapel. Mettez vos plus vieux vêtements et des chaussures confortables pour la marche. Vous pourriez aussi emprunter un châle afin de dissimuler vos cheveux : dans ce quartier, ils vous trahiraient.

Elle acquiesça avec un sentiment mêlé de crainte et d'impatience de revoir Pitt.

Une fois chez elle, elle monta aussitôt à l'étage pour se laver les cheveux – même si elle comptait les cacher – puis elle les brossa jusqu'à ce qu'ils brillent. Elle se coucha tôt mais ne trouva le sommeil que longtemps après minuit.

Elle se réveilla en retard et dut se dépêcher. Gracie lui prépara un thé qu'elle n'eut pas le temps de finir avant que Tellman ne frappe à la porte.

— Dites à Mr. Pitt qu'il nous manque beaucoup, madame ! dit vivement Gracie en rougissant.

— Je lui dirai, promit Charlotte.

Tellman se tenait sur les marches, la forme sombre d'un cab se détachant derrière lui. Les traits tirés, il semblait amaigri, et elle comprit pour la première fois à quel point la disgrâce de Pitt l'avait affecté, ce qu'il aurait eu bien du mal à reconnaître ouvertement.

— Merci, dit-elle avec calme quand il lui offrit sa main pour grimper à bord du fiacre.

Ils roulèrent en silence à travers les rues, une lumière indécise venant frôler les façades des maisons. Il y avait déjà beaucoup de monde dehors : bonnes, livreurs, charretiers apportant leurs produits frais aux marchés. Les premiers chariots de lait attendaient au coin des rues et des files d'attente se formaient.

Le train qui fonçait en rugissant dans le sombre tunnel était bien trop bruyant pour permettre la moindre conversation et Charlotte se projetait déjà entièrement dans le moment de la rencontre avec Pitt. Son absence ne durait que depuis quelques semaines, mais elle avait l'impression de traverser un désert temporel. Elle tentait de se le représenter : son visage, son expression, aurait-il l'air fatigué, serait-il en bonne santé ou malade, heureux de la voir ? À quel point cette injustice l'avait-elle affecté ? La rancœur qu'il devait éprouver l'avait-elle changé ? Cette pensée lui faisait mal, physiquement mal.

Elle était assise bien droite dans la rame. Quand Tellman bougea enfin à ses côtés, lui montrant la porte, elle mesura combien elle était crispée. Elle baissa les yeux vers ses doigts qu'elle n'avait cessé de serrer et desserrer pendant tout le trajet. Elle se leva tandis que le train s'immobilisait dans un sursaut. Ils se trouvaient à Aldgate Street. À présent, il fallait marcher.

La lumière était plus forte et les rues plus sales, encombrées de charrettes, d'attelages et de groupes d'hommes en route pour leur travail, certains silencieux et la tête basse, d'autres braillant des saluts ou des obscénités. La tension qu'elle percevait dans l'air était-elle réelle ou bien l'imaginait-elle car elle savait ce qui se passait là et en était effrayée ?

Elle resta tout près de Tellman tandis qu'ils tournaient vers le nord dans High Street. Il avait dit qu'ils iraient jusqu'à Brick Lane que Pitt empruntait chaque matin. Voilà donc Whitechapel, se dit-elle. Elle songea à la signification de ce mot[1] et à quel point il semblait grotesque pour ce quartier industriel, avec ses ruelles crasseuses, ses cheminées crachant leur fumée noire, ses odeurs d'égout et d'ordures. Et l'horreur qui resterait pour toujours attachée à son nom.

Tellman marchait d'un bon pas. Quelqu'un fracassa une bouteille et le verre en se brisant produisit un bruit déplaisant à l'extrême. Elle ne pensa pas à la perte d'un ustensile utile comme elle l'aurait fait dans sa cuisine, mais à l'arme que formerait le goulot.

Ils arrivaient dans Brick Lane.

Tellman s'arrêta soudain. Elle se demanda pourquoi. Puis, elle aperçut Pitt et son cœur se serra. Il se trouvait de l'autre côté de la rue, marchant d'un pas décidé, mais, à la différence des autres, regardant autour de lui, écoutant, guettant. Il était mal fagoté ; sa veste était de guingois comme d'habitude. Au lieu des belles bottines qu'Emily lui avait offertes, il portait ses anciennes avec une semelle décollée et des ficelles en guise de lacets. Son chapeau était cabossé. C'était d'abord à la familiarité de sa démarche qu'elle l'avait reconnu. Il se tourna vers elle.

Il parut hésiter. Il ne s'attendait sûrement pas à la voir, mais peut-être quelque chose dans sa façon de se tenir avait-il attiré son regard.

Quand elle voulut s'avancer, Tellman la retint par le bras. Pendant une fraction de seconde, elle lui en voulut avant de comprendre la situation : en allant rejoin-

1. Whitechapel : chapelle blanche. (*N.d.T.*)

dre Pitt, elle attirerait l'attention non seulement sur elle mais surtout sur lui. Les gens ici le connaissaient. Ils seraient très curieux de savoir qui était cette inconnue. Que pourrait-il leur répondre ?

Embarrassée, elle resta plantée là, un pied sur la bande de terre battue qui servait de trottoir, l'autre sur la chaussée.

Son mouvement bref avait suffi. Pitt l'avait reconnue. Il traversa aussitôt la rue, se faufilant entre un chariot, un fardier et une charrette de marchand des quatre-saisons. Arrivant à leur hauteur, après un infime hochement de tête vers elle, il parut s'adresser à Tellman.

— Que faites-vous ici ? demanda-t-il d'une voix sourde, rauque d'émotion. Que s'est-il passé ?

Elle le fixait, gravant chacun de ses traits dans son esprit. Il semblait fatigué. Son visage était rasé de près, mais sa peau paraissait d'autant plus grise, des cernes soulignant ses yeux. Elle aurait tant voulu le réconforter, le ramener chez lui, dans sa propre maison, là où tout lui était si familier, dans la quiétude du jardin avec ses senteurs de terre humide et d'herbe fraîche, derrière des portes qui l'auraient coupé du monde pendant quelques heures… et par-dessus tout, elle mourait d'envie de le serrer dans ses bras.

— Il s'est passé beaucoup de choses, était en train de dire Tellman. Je ne les connais pas toutes, aussi valait-il mieux que Mrs. Pitt vous les explique en personne. C'est très important.

Pitt sentit la tension dans la voix de Tellman et sa colère s'évapora. Il regarda enfin Charlotte.

Elle voulait lui demander comment il allait, comment était son logement, s'ils étaient gentils avec lui, si son lit était propre, s'il avait assez d'oreillers, comment était la nourriture. Plus que tout, elle voulait qu'il sache qu'elle l'aimait et que son absence était plus douloureuse qu'elle n'aurait pu l'imaginer, qu'elle se sentait profondément seule ; que ses rires, sa conversation, lui manquaient, le simple fait de le savoir là.

Au lieu de cela, elle commença avec les phrases qu'elle avait préparées et que Tellman aurait sans doute pu lui dire tout aussi bien. Elle se montra très succincte, précise.

— J'ai rendu visite à la veuve de Martin Fetters…

Elle ignora l'air surpris de Pitt et enchaîna sans lui laisser le temps d'intervenir.

— Je voulais découvrir pourquoi il avait été tué…

Elle s'interrompit à nouveau tandis qu'un groupe d'ouvrières venait vers eux, parlant bruyamment et les dévisageant avec une curiosité non déguisée.

Tellman s'agita, mal à l'aise.

Pitt s'écarta de Charlotte, comme pour signifier qu'elle appartenait à Tellman.

Une des femmes éclata de rire et elles passèrent leur chemin.

Une charrette de légumes grondait sur les pavés.

Ils ne pouvaient rester ainsi trop longtemps, les gens s'en souviendraient, ce qui pourrait faire courir un risque à Pitt.

— J'ai lu beaucoup de ses articles, dit-elle brièvement. C'était un ardent républicain, qui cherchait sans doute à déclencher une révolution. Je crois que c'est pour cela qu'Adinett l'a tué.

Pitt était stupéfait.

— Fetters voulait… Je vois, murmura-t-il en saisissant les implications de ce que Charlotte venait de lui révéler.

Il resta silencieux un moment, la dévisageant. Ses yeux s'attardaient sur chaque détail de son visage comme si, à son tour, il cherchait à les graver dans sa mémoire.

Puis il revint au présent, à la rue et sa foule, à l'urgence du moment.

Charlotte se surprit à rougir mais c'était une sensation délicieuse, une douce chaleur qui se glissait au plus profond d'elle-même.

— Si vous dites vrai, nous sommes face à deux conspirations, dit-il enfin. L'une dirigée par les meurtriers de Whitechapel afin de protéger le trône à n'importe quel prix, et l'autre menée par les républicains afin de l'abattre, là aussi à n'importe quel prix, et qui pourrait s'avérer encore plus redoutable. Et nous ignorons qui est dans quel camp.

— J'en ai parlé à tante Vespasia. Elle m'a demandé de vous transmettre ses amitiés.

Comme ces mots semblaient inadéquats pour transmettre l'émotion qu'elle avait sentie chez Vespasia... Mais, en regardant le visage de Pitt, elle vit qu'il avait compris et elle se détendit à nouveau, lui souriant.

— Qu'a-t-elle dit ? s'enquit-il.

— De me montrer prudente, répondit-elle malgré elle. Il n'y a rien que je puisse faire, de toute manière, sauf essayer de trouver d'autres écrits de Martin Fetters. Juno est certaine qu'ils existent.

— Ne vous confiez à personne d'autre ! dit vivement Pitt.

Il se tourna vers Tellman avant de comprendre à quel point il serait inutile de lui demander d'empêcher Charlotte d'agir. L'impuissance et la frustration de Tellman étaient visibles.

— Je ne le ferai pas ! promit-elle afin d'apaiser l'anxiété qui le consumait. Je n'en parlerai à personne. Je me contenterai de rendre visite à Juno pour continuer à chercher dans la maison.

Il parut retrouver son souffle.

— Je dois partir.

Elle ne bougea pas, souffrant le martyre de ne pouvoir le toucher, mais la rue était noire de monde. Déjà, on les observait. Au mépris de tout bon sens, elle fit un pas vers lui.

Pitt tendit la main.

Un ouvrier sur une bicyclette siffla et cria à l'adresse de Tellman un mot inintelligible, mais qui était à l'évidence une paillardise. Il rit avant de s'éloigner sur son engin.

Tellman prit Charlotte par le bras et la tira en arrière. Ses doigts étaient durs.

Pitt laissa échapper un soupir.

— Je vous en prie, soyez prudente, répéta-t-il. Et dites à Daniel et Jemima que je les aime.

— Ils le savent.

Il hésita à peine avant de tourner les talons et de retraverser la rue, sans un regard derrière lui.

Charlotte le suivit des yeux et, à nouveau, elle entendit vaguement des rires, cette fois en provenance d'un jeune couple au coin de la rue.

— Venez ! marmonna Tellman, furieux.

Il lui prit le poignet et la tira assez brutalement, manquant de la déséquilibrer. Une remarque cinglante monta aux lèvres de Charlotte, mais elle la ravala en comprenant qu'il avait raison.

— Je suis désolée, dit-elle avant de se laisser à nouveau conduire vers Whitechapel High Street.

Son pas cependant était plus léger et une joie secrète et profonde l'habitait. Pitt ne l'avait pas touchée, et elle non plus, mais son regard avait été une caresse.

Vespasia n'appréciait pas particulièrement Wagner, pourtant un opéra, n'importe quel opéra, était un grand événement. Dans la mesure où l'invitation provenait de Mario Corena, elle l'aurait acceptée quand bien même cela eût impliqué de descendre High Street à pied sous la pluie. Ce qu'elle ne lui aurait jamais dit mais dont il devait se douter. Même les nouvelles atroces apportées par Charlotte n'auraient pu la dissuader de l'accompagner.

Il passa la prendre à sept heures et ils roulèrent à une allure très paresseuse dans la voiture qu'il avait louée pour l'occasion. L'air était doux et les rues bondées de gens qui cherchaient à voir et à être vus en se rendant à des soirées, dîners, expositions et autres excursions le long du fleuve.

Mario souriait, les derniers rayons de soleil jouant sur son visage à travers la vitre de la cabine. Elle se dit que les années avaient été indulgentes avec lui. Sa peau restait lisse, les rides étaient à peine prononcées et on ne distinguait pas le moindre pli d'amertume, en dépit de tout ce qui avait été perdu.

Elle se souvenait des longues soirées à Rome quand le soleil couchant dorait les ruines antiques. L'air, là-bas, était plus chaud et toujours poussiéreux. Elle se souvenait comment ils marchaient sur ces pavés qui avaient autrefois été le centre du monde, foulés par des pieds venus de toutes les contrées de la terre afin de payer tribut.

Depuis un antique pont enjambant le Tibre, tandis qu'ils observaient les reflets qui flottaient sur l'eau, Mario lui avait raconté avec passion comment la vieille république avait chassé les rois, longtemps, bien longtemps avant l'arrivée des Césars. Voilà ce qu'il aimait, la simplicité et l'honneur qui animaient ces hommes quand ils avaient créé cette nouvelle forme de gouvernement, avant que l'ambition ne s'empare d'eux et que le pouvoir ne les corrompe.

À cette idée de pouvoir et de corruption, et malgré la tiédeur de la soirée, une sensation de froid saisit Vespasia.

Elle pensa aux sombres ruelles de Whitechapel, aux femmes qui attendaient seules, entendant le grondement des roues derrière elles, peut-être même se retournant pour voir cette forme encore plus noire surgir des ténèbres, puis la porte qui s'ouvrait, la vision fugitive d'un visage et enfin la douleur.

Elle pensa au pauvre Eddy, pion qu'on déplaçait ici ou là, méprisé en raison de son infirmité qui le coupait du monde. Et elle pensa à sa mère, sourde elle aussi, pitoyable et si souvent ignorée ; elle pensa à son chagrin pour son fils qu'elle n'avait pu réconforter et encore moins sauver.

Ils approchaient de Covent Garden. Une gamine debout au coin de la rue brandissait un bouquet de fleurs fanées.

Mario fit arrêter la voiture, au grand dam des autres véhicules qui circulaient dans les deux sens, et sauta à terre, dédaignant le marchepied. Il acheta tout le bouquet et revint, souriant. Les tiges étaient molles, les pétales fripés.

— Elles ont connu de meilleurs jours, dit-il avec autant d'humour que de mélancolie. Et elles m'ont coûté beaucoup trop cher.

Elle les accepta.

— Oui, elles sont appropriées, répondit-elle, souriant en retour, avec une boule dans la gorge qui lui donnait l'impression d'être ridicule.

La voiture repartit dans un flot d'injures.

— Je suis navré qu'il s'agisse de Wagner, remarqua-t-il. Je n'ai jamais pu le prendre avec le sérieux adéquat. Les hommes qui ne savent pas rire d'eux-mêmes m'effraient encore plus que ceux qui rient de tout.

Ce n'était pas une simple remarque d'humeur. La tension de sa voix était semblable à celle qu'elle se rappelait durant les derniers jours effrayants du siège. Quand ils avaient compris, au cours de ces nuits où il n'y avait plus rien eu à faire sinon attendre, qu'au bout du compte, ils ne gagneraient pas. Le pape reviendrait tôt ou tard et avec lui toutes les anciennes corruptions.

Mais étaient nées entre eux une passion et une loyauté qui offraient plus qu'elles ne coûtaient. Les hommes qui les terrassaient étaient plus forts, plus riches et plus tristes.

— Ils se moquent parce qu'ils ne comprennent pas, dit-elle, songeant à ceux qui, à l'époque, avaient ri de leurs aspirations.

Il la regardait comme il l'avait toujours fait, comme s'il n'y avait personne d'autre qu'elle en ce monde.

— Parfois, acquiesça-t-il. Mais c'est bien pire quand ils le font parce qu'ils comprennent. Ceux-là haïssent ce qu'ils ne peuvent avoir. Mon grand-père m'a dit un jour que si je cherchais la fortune et la gloire, je serais en butte à des ennemis, car l'une ou l'autre ne s'obtienne qu'au détriment d'autrui. Mais que si je ne désirais que le bien, personne ne m'en voudrait. Je ne l'ai pas contredit sur le moment, en partie parce que c'était mon grand-père, mais surtout parce que j'ignorais encore à quel point il se trompait.

Sa bouche se durcit et une terrible mélancolie envahit son regard.

— Il n'y a pas de haine sur cette terre comparable à celle que certains éprouvent envers celui qui possède une vertu qu'ils n'ont pas. C'est le miroir qui vous montre tel que vous êtes et vous oblige à vous voir.

Sans réfléchir, elle tendit la main vers la sienne. La paume de Mario la couvrit aussitôt.

— À qui pensez-vous ? demanda-t-elle, sachant que ce n'étaient pas simplement ses souvenirs qui parlaient.

Il se tourna vers elle, les yeux graves. Ils étaient presque arrivés et le moment n'allait plus tarder de retrouver leur légèreté, de se mêler à la foule se rassemblant sur les marches de l'Opéra, les femmes en soie, dentelles et joyaux étincelant sous les feux, les hommes en chemises si blanches qu'elles brillaient.

— Je pense moins à une personne, ma chère, qu'à une époque.

Il fit un signe autour d'eux.

— Cela ne peut durer, cette extravagance… ce gâchis. Regardez cette beauté et souvenez-vous-en car elle a une grande valeur et va bientôt en bonne partie disparaître.

Sa voix était très douce.

— Si seulement ils avaient fait preuve d'un peu plus de sagesse, de modération, ils auraient pu tout garder. C'est le problème... quand la colère éclate enfin, elle détruit tout, la laideur comme la beauté.

Elle ne put lui demander davantage de précisions car la voiture s'immobilisait ; il descendit, lui tendant la main avant même que le valet ne s'en charge. Ils gravirent les marches, fendant la foule, saluant ici et là amis et connaissances.

Ils virent Charles Voisey en grande conversation avec James Sissons. Ce dernier était congestionné et ne cessait d'interrompre Voisey.

— Pauvre Voisey, remarqua Vespasia. Pensez-vous que nous soyons moralement tenus de lui porter secours ?

— Lui porter secours ? demanda-t-il avec perplexité.

— Le sauver de l'homme au sucre, dit-elle, surprise de devoir lui fournir cette explication. Il est d'un ennui mortel.

Une expression douloureuse se peignit sur le visage de Mario.

— Vous ne savez rien de lui, ma chère. Vous ne connaissez pas l'homme sous l'apparence maladroite. Il mérite d'être jugé selon son cœur et non selon sa grâce... ou son manque de grâce.

Il lui prit le bras pour l'entraîner avec une autorité surprenante au-delà de Voisey et Sissons, vers l'escalier menant à leur loge.

Elle voulait apprécier la musique, jouir pleinement de ce bref moment qui lui était accordé en compagnie de Mario mais, bien sûr, cela ne pouvait être aussi simple. Elle croyait en son cœur. Même après toutes ces années, il ne semblait guère avoir changé. Ses rêves étaient tissés avec les fils de son âme. Mais elle avait moins confiance dans son esprit. C'était un idéaliste ;

il voyait trop le monde comme il souhaitait le voir. Il refusait de laisser l'expérience éteindre ses espérances ou lui enseigner la réalité.

Elle regarda son visage, si plein de passion et d'espoir, et suivit son coup d'œil vers la loge royale qui était vide ce soir-là. Le prince de Galles s'octroyait sans doute des plaisirs moins dramatiques que les délibérations des dieux maudits du Walhalla.

— Avez-vous choisi *Le Crépuscule des dieux* volontairement ? s'enquit-elle.

Quelque chose dans sa voix retint son attention et il répondit avec une solennité surprenante.

— Non… mais j'aurais pu. C'est le crépuscule, Vespasia, pour des dieux gâtés qui ont gâché leurs chances, dépensé trop d'argent qu'ils ne possédaient pas, emprunté des sommes qu'ils n'ont jamais remboursées. De braves gens crèvent de faim à cause d'eux et ils ne sont pas les seuls à être furieux. La rage s'est propagée et c'est cela qui fait tomber les rois.

— J'en doute.

Elle n'appréciait pas de le contredire.

— Le prince de Galles doit tant d'argent depuis si longtemps que cela ne met plus personne en colère.

— Cela dépend de ceux à qui il a emprunté, dit-il avec gravité. De spéculateurs ou de courtisans qui, à leur façon, ont pris leurs propres risques, on peut se dire qu'ils n'ont que ce qu'ils méritent. Mais il en va différemment si son créancier est un homme de bonne foi qui s'en trouve ruiné, entraînant d'innombrables malheureux dans sa chute.

Les lumières s'éteignaient et le silence tomba dans la salle. Vespasia en eut à peine conscience.

— Cela risque-t-il de se produire, Mario ?

L'orchestre joua les premières notes menaçantes.

Dans le noir, elle sentit sa main se poser sur la sienne. Il possédait encore une force remarquable. Il l'avait touchée de très nombreuses fois et sans jamais lui faire mal ; il lui avait juste brisé le cœur.

— Bien sûr que cela risque de se produire, répondit-il. Le prince œuvre à sa propre destruction, aussi sûrement que les dieux du Walhalla, et il entraînera tout le Walhalla avec lui. C'est leur éternelle tragédie : ils n'écoutent jamais avant qu'il ne soit trop tard. Mais, cette fois, nous avons des visionnaires parmi nous qui sont aussi doués de sens pratique. L'Angleterre est la dernière des grandes puissances à entendre la voix du peuple et son cri pour plus de justice. Elle connaît nos échecs. Cela lui permettra peut-être de réussir.

Le rideau se leva, révélant le complexe décor sur la scène. À la lueur qui provenait de celle-ci, Vespasia dévisagea Mario et vit l'espoir vibrant sur ses traits, le courage d'essayer à nouveau, en dépit de toutes les désillusions, de toutes les batailles perdues, et aussi une sombre détermination.

Elle aurait presque souhaité que sa cause triomphe, pour lui, pour son salut personnel. La corruption était aussi ancienne que profonde mais le plus souvent elle faisait partie de la vie ; il s'agissait d'ignorance plus que de méchanceté délibérée, d'aveuglement plus que de cruauté. Elle pouvait comprendre les arguments de Charles Voisey contre les privilèges héréditaires, mais elle connaissait assez la nature humaine pour savoir que l'abus de pouvoir ne se limitait pas aux puissants : il affectait les rois comme l'homme du commun.

— On ne naît pas tyran, mon cher, dit-elle doucement. On le devient.

Il lui sourit.

— Vous avez une piètre opinion des hommes. Ayez la foi.

Elle ravala ses larmes et ne discuta pas.

CHAPITRE XI

Après avoir quitté Charlotte, Pitt descendit la rue vers la fabrique de sucre. Plus il s'en approchait, plus l'odeur lourde et écœurante le prenait à la gorge, mais même l'idée de devoir y passer une nuit de garde ne parvenait pas à dissiper le bonheur de l'avoir vue, ne serait-ce qu'un bref instant. Elle était exactement telle qu'il se la représentait au cours de ses longues nuits solitaires : la ligne de ses pommettes, celle de ses lèvres et, par-dessus tout, ses yeux quand elle le regardait.

Il franchit le portail de l'usine, face à l'immense bâtiment au pied duquel les hommes s'esquintaient. Comme chaque matin, il passait pour savoir si on aurait besoin de lui le soir.

— Ouais, lui répondit le gardien-chef.

Il semblait fatigué ce jour-là, les yeux bleus à peine visibles sous les plis de la peau.

— D'accord, dit Pitt avec regret.

Il aurait de loin préféré s'accorder une bonne nuit de repos.

— Comment va ta femme ?

L'autre secoua la tête.

— Mal, répondit-il en grimaçant un sourire.

— Je suis désolé, dit Pitt, sincère.

Il posait toujours la question et la réponse variait selon les jours, mais la malheureuse déclinait inexorablement et les deux hommes le savaient. Il resta un moment à bavarder : Wally se sentait seul et il appréciait de trouver une oreille attentive à ses angoisses.

Pitt se dépêcha ensuite de filer vers l'atelier de Saul. Il était un peu en retard maintenant et ce retard s'accrut dès sa première course : un chariot transportant des tonneaux perdit son chargement au milieu de la rue ; il aida le charretier à les récupérer. La joie paisible qui l'habitait le rendait imperméable à la grisaille des rues, à l'exaspération et à la peur.

Il rentra tôt à Heneagle Street. Isaac n'était pas encore là et Leah s'affairait dans la cuisine.

— C'est vous, Thomas ? lança-t-elle en entendant son pas au pied des marches.

Il sentait les odeurs d'épices, prenantes et douces à la fois, et désormais délicieuses à ses narines.

— Oui, répondit-il. Comment allez-vous ?

Elle ne répondait jamais directement.

— Avez-vous faim ? Vous ne mangez pas assez… et vous ne devriez pas faire toutes ces heures de nuit à l'usine. Ça va vous détruire la santé.

Il sourit.

— Oui, j'ai faim et je suis de garde ce soir.

— Alors, venez manger !

Il monta d'abord se laver les mains et la figure et trouva le linge qu'elle avait lavé pour lui sur sa commode. S'emparant de la chemise sur le sommet de la pile, il vit qu'elle en avait retourné les manchettes, plaçant le coté usé à l'intérieur.

Une vague de mélancolie déferla sur lui. Ce geste lui faisait irrésistiblement penser à Charlotte. Il l'avait vue passer tant de soirées à coudre, retournant des cols ou des manchettes, l'aiguille cliquetant contre le dé et lançant des reflets argentés à la lumière de la lampe tandis qu'elle piquait et repiquait.

Alors, la fureur le saisit à la pensée de toutes ces femmes comme Leah Karansky à qui on ne demandait jamais si elles voulaient d'une révolution ou bien quel prix elles étaient prêtes à payer pour les idées que d'autres se faisaient de la justice sociale et de la réforme. Peut-être désiraient-elles simplement assez de nourriture à mettre sur la table et que leurs familles soient en sécurité à la maison le soir.

Il regarda les points de couture sur ses manchettes, devinant le travail que cela avait dû coûter à Leah. Il devait la remercier.

Après souper, souriant encore des histoires qu'elle lui avait racontées – chose qu'elle adorait faire –, il pénétra dans la cour de l'usine à l'instant où Wally y arrivait.

— Ah, encore toi ! fit gaiement celui-ci. Qu'est-ce que tu vas bien pouvoir faire de tout ton argent, mon gars ? Dans la soie toute la journée et dans le sucre toute la nuit. Quelqu'un va se payer du bon temps avec tout ce que tu rapportes, c'est sûr.

— J'espère bien que ce sera moi un jour, dit Pitt avec un clin d'œil.

Wally éclata de rire.

— J'en ai entendu une bien bonne à propos d'un fabricant de bougies et d'une vieille femme.

Et sans attendre d'y être invité, il se mit à raconter sa blague.

Une heure plus tard, ils se séparèrent pour effectuer leur première ronde. Une maigre équipe restait encore au travail, veillant sur les chaudières. Pitt vérifia chaque salle avec minutie. Les pièces étaient petites, les escaliers étroits, les plafonds bas, les fenêtres minuscules. Vu de l'extérieur, à la lumière du jour, le bâtiment semblait presque aveugle. Maintenant, bien sûr, il était à peine éclairé par des lampes à gaz dûment protégées car les vapeurs de sirop étaient inflammables.

Chaque salle était remplie de cuves, de barriques et de cornues ainsi que des énormes chaudières en forme de marmites, véritables chaudrons pour géants. Pitt échangeait parfois quelques mots avec les ouvriers. L'odeur écœurante, visqueuse, était partout. Il avait l'impression qu'elle lui imprégnait la peau et les vêtements et que toutes les lessives acharnées de Leah ne la chasseraient jamais.

Une demi-heure plus tard, il était de retour dans la cour pour faire son rapport à Wally. Ils mirent une bouilloire sur le brasier avant de s'asseoir sur une des vieilles barriques dans lesquelles le sucre non raffiné arrivait des Caraïbes. Ils laissèrent refroidir le thé, échangeant histoires et blagues, certaines très longues et à peine drôles, mais l'important était de les partager.

À deux reprises, il y eut des mouvements dans l'ombre. La première fois, Wally alla enquêter et revint en disant qu'il s'agissait d'un chat. La seconde, ce fut au tour de Pitt. Il trouva un ouvrier assoupi derrière une pile de tonneaux. Il avait bougé dans son sommeil.

Ils effectuèrent une autre ronde puis une troisième.

Plus tard dans la nuit, Pitt vit partir un homme qu'il ne reconnut pas. Il semblait plus âgé que la plupart des ouvriers mais la vie à Spitalfields vieillissait prématurément. Quelque chose en lui attira cependant son attention : une certaine élégance incongrue à cet endroit. Il remarqua les traits décidés et ciselés, le teint mat. Gardant les yeux baissés, l'inconnu se contenta d'un vague salut de la main. La lumière du feu accrocha un bref reflet sur une bague à la pierre sombre.

— Est-ce habituel que des gars quittent le service à cette heure ? demanda Pitt à Wally.

Celui-ci haussa les épaules.

— Pas trop, non. C'est encore un peu tôt. Mais il y en a parfois qui filent retrouver leur lit avant la fin du service. Je les comprends. J'aimerais bien être au fond du mien maintenant.

Il souleva la bouilloire du feu.

— Hé, je t'ai déjà raconté quand j'ai été à Manchester ?

Et, encore une fois, il se lança dans son récit sans attendre.

Deux heures plus tard, au milieu de sa ronde suivante dans les étages supérieurs, Pitt trouva la porte du bureau de Sissons entrouverte. Il ne se souvenait pas qu'elle l'avait été lors de son dernier passage. Quelqu'un y était-il entré entre-temps ?

Il poussa complètement le battant, sa lanterne levée. Perchée au septième et dernier étage, la pièce était plus vaste que les autres. Par la fenêtre, dans les lueurs annonciatrices de l'aube, on distinguait par-dessus les toits le ruban argenté de la Tamise au sud.

Assis à son bureau, Sissons était effondré sur la table, un pistolet sous la main droite. Sa tête reposait dans une petite mare de sang qui recouvrait le bois vernis et le sous-main en cuir. Un peu plus loin, une feuille de papier que le sang n'avait pas atteinte se détachait de façon indécente à la lumière de la lanterne. L'encrier se trouvait sur la droite du bureau, la plume fichée dans son support, non loin du petit couteau servant à la tailler.

Le ventre noué et glacé, Pitt s'approcha du corps, veillant à ne rien déplacer. Il ne vit aucune empreinte sur le sol, aucune goutte de sang. Il toucha la joue de Sissons. Elle était presque froide. Il devait être mort depuis deux ou trois heures.

Il contourna la table et lut la lettre. L'écriture était ample et nette, un peu pédante.

J'ai fait tout ce que j'ai pu et j'ai échoué. On m'avait prévenu mais je n'ai pas écouté. Dans ma folie, j'ai cru qu'un prince du sang, héritier du trône d'Angleterre, et donc d'un quart du monde, ne trahirait jamais sa parole. Je lui ai prêté de l'argent, tout ce qu'il m'a été possible de rassembler, à terme fixé et avec un intérêt minime. Je croyais en agissant ainsi soulager cet homme d'un embarras financier et, dans le même temps, réaliser un petit profit que je voulais injecter dans mes affaires, au bénéfice de mes employés.

J'ai été aveugle. Il a nié jusqu'à l'existence même du prêt. Je suis ruiné. Je vais perdre toutes mes usines, plus d'un millier d'hommes seront sans travail et tous ceux qui dépendent d'eux seront sans ressources. C'est ma faute pour avoir placé ma confiance dans un homme sans honneur. Je ne peux continuer à vivre pour voir cela se produire ; je ne le supporterai pas. Je ne le pourrai pas, je ne pourrai pas regarder en face les gens dont j'ai détruit l'existence.

Je choisis la seule solution qui s'offre encore à moi. Que Dieu me pardonne.

James Sissons

Sur le bureau, se trouvait une reconnaissance de dette de vingt milles livres signée par le prince de Galles. Pitt contempla les deux bouts de papier tandis que la pièce tournoyait autour de lui. Pris de vertige, il se retint à la table. Plus personne ne pouvait venir en aide à Sissons désormais, mais quand on le découvrirait dans quelques heures avec cette lettre d'adieu et la reconnaissance de dette, cela ferait plus de dégâts que l'explosion d'une tonne de dynamite. Une dette non honorée du prince de Galles, pour des chevaux de course, du vin ou pour offrir des présents à ses maîtresses alors que dans Spitalfields plus de mille familles se trouveraient réduites à la mendicité ! Des boutiques allaient fermer, des commerces disparaître, des maisons seraient abandonnées et une multitude de gens jetés à la rue.

Des émeutes éclateraient à côté desquelles le Bloody Sunday de Trafalgar Square ressemblerait à une bagarre de cour d'école. Tout l'est de Londres allait s'embraser.

Et quand Remus révélerait que le meurtrier de Whitechapel avait agi au service du trône, personne ne se soucierait de savoir si la reine, le prince de Galles, ou qui que ce soit d'autre, l'avait su ou même souhaité ; ce serait la révolution. L'ordre ancien disparaîtrait à jamais, balayé par la rage et la terreur.

La justice serait la première à en faire les frais, la justice qui opprimait, mais aussi la justice qui protégeait, celle qui gouverne les consciences et contrôle la violence.

Il tendit la main vers la lettre. S'il la déchirait, personne ne saurait jamais. Soudain, il remarqua sur la gauche de la table une série de petites éclaboussures d'encre entourant un espace propre. Il lui fallut un moment avant de comprendre, puis il déplaça l'encrier et son support qu'il posa sur l'endroit sans tache. Il correspondait parfaitement. L'encrier se trouvait d'ordinaire à la gauche de Sissons ! Avait-il été déplacé pour donner l'impression qu'il était droitier ?

Avec précaution, Pitt tâta la main gauche du cadavre, effleurant l'intérieur de l'index et du majeur. Il sentit le cal là où Sissons tenait d'habitude la plume. Pourquoi ?

La balle avait pénétré par le côté droit de la tête… et quelqu'un s'était rendu compte trop tard qu'il était gaucher.

Un meurtre maquillé en suicide… mais par qui ?

Il devait s'assurer que ce meurtre était bien pris pour ce qu'il était. Pour cela, il suffisait de se débarrasser du pistolet, en le jetant dans une des cuves à sirop, par exemple.

Cette partie de la conspiration pouvait être déjouée. Ensuite, même si Remus lançait ses révélations, au moins la rage ici dans Spitalfields n'exploserait pas. Il y aurait de la colère, mais personne n'établirait de lien entre la mort de Sissons et le trône.

Était-ce bien ce qu'il voulait ? se demanda Pitt. Sa main se figea au-dessus de la lettre. Si le prince de Galles avait emprunté cet argent sans le rembourser pour satisfaire ses caprices, alors il méritait d'être renversé et dépouillé de ses privilèges. Même s'il venait à être exilé dans un autre pays, il ne connaîtrait rien de pire que ce qui était arrivé à nombre d'habitants de Spitalfields. Il devrait recommencer sa vie ailleurs comme Isaac et Leah Karansky – et tant d'autres – l'avaient fait. En dernière analyse, toute vie humaine est égale.

Où serait la justice si Pitt dissimulait cette irresponsabilité monstrueuse, cet égoïsme insensé, simplement parce que le coupable était le prince de Galles ? Cela ferait de lui un complice.

Et dans le cas contraire, s'il laissait cette reconnaissance de dette en évidence, les victimes des inévitables violences se compteraient par centaines, par milliers. La misère et la ruine accableraient peut-être une génération entière.

Le dilemme était insoutenable. Tout ce pour quoi il avait vécu, sa conception de la justice, ses convictions les plus profondes et les plus établies, lui interdisait de cacher la vérité de cette dette. Pourtant, comme si elle n'obéissait plus à sa volonté, sa main se referma sur la lettre et la réduisit en boule. Il resta un instant ainsi, le poing douloureusement crispé, avant de la déplier à nouveau pour la déchirer encore et encore et enfoncer les morceaux dans sa poche. Sans trop comprendre ce qu'il faisait, il s'empara de la reconnaissance de dette qu'il enfouit sous sa chemise à même la peau.

Pris de sueurs glacées, il frissonnait. Il venait de franchir un point de non-retour.

Désormais, il n'avait plus le choix, il fallait faire en sorte que nul ne doute qu'il s'agissait bien d'un meurtre. Il connaissait suffisamment son métier pour savoir ce que la police rechercherait. Sissons étant mort depuis deux ou trois heures, il ne courait pas le risque d'être soupçonné. Autant faire en sorte que cela apparaisse comme le résultat d'un vol crapuleux.

Y avait-il de l'argent dans ce bureau ? Il fallait donner l'impression qu'il avait été fouillé. Et il devait faire vite. Un honnête homme aurait aussitôt donné l'alerte. Il avait déjà trop tardé. Il ne restait plus de temps pour l'indécision.

Ouvrant les tiroirs, il jeta leur contenu à terre, puis ce fut le tour des armoires à dossiers. Il trouva très peu d'argent liquide qu'il ne put se résoudre à prendre. Il replaça la somme sous un tiroir, comme si elle avait échappé à la fouille. Ce n'était guère convaincant, mais il devrait s'en contenter.

Il examina rapidement quelques papiers pour s'assurer qu'il n'en subsistait aucun faisant référence au prêt du prince. Tous semblaient concerner la marche de l'usine : commandes, reçus, lettres d'intention. Soudain, l'un d'entre eux, dont il crut reconnaître l'écriture, attira son attention. Ce qu'il lut lui fit froid dans le dos.

Mon cher ami,

C'est le plus noble des sacrifices auquel vous consentez pour la cause. Je ne saurais vous dire à quel point vous forcez l'admiration de vos compagnons. Votre ruine provoquée par une certaine personne provoquera un feu dont l'éclat illuminera l'Europe. Votre nom restera à jamais dans les mémoires comme celui d'un héros du peuple.

Bien après que la violence et la mort seront oubliées, votre souvenir nourrira la paix et la prospérité des hommes et des femmes du futur.

À vous avec le plus grand respect.

La signature était un tourbillon de plume indéchiffrable. La cervelle de Pitt fonctionnait à toute allure : le rédacteur de cette lettre était au courant de la ruine de Sissons et, très probablement, de sa mort imminente, programmée. La formulation était ambiguë mais le laissait néanmoins supposer.

Il fallait aussi détruire ce mot, sur-le-champ. Déjà il entendait des pas dans le couloir. Il s'était absenté trop longtemps. Wally devait être en train de le chercher pour s'assurer que tout allait bien.

Il déchira la feuille en morceaux. Il n'avait pas le temps de s'en débarrasser maintenant, mais il trouverait bien l'occasion de la jeter dans une cuve avec l'autre lettre et le pistolet.

Au moment où il se dirigeait vers la porte, il se rappela soudain où il avait déjà vu cette écriture. La stupeur le fit trébucher ; il heurta le coin du bureau. C'était au cours de l'enquête sur la mort de Martin Fetters : il s'agissait de l'écriture de John Adinett !

Sous le choc, il resta un moment planté là, hébété, essayant de saisir toutes les implications de cette nouvelle découverte.

Les pas de Wally étaient dangereusement proches de la porte.

Adinett connaissait le plan visant à la ruine de Sissons et il l'en félicitait ! Il n'était donc pas royaliste, comme ils l'avaient présumé, mais tout le contraire. Dans ce cas, pourquoi avait-il tué Martin Fetters ?

La porte s'ouvrit et Wally apparut, sa lanterne levée donnant à son visage une allure fantomatique et grotesque.

— Tu vas bien, Tom ? s'enquit-il avec inquiétude.

— Sissons est mort, répondit Pitt, surpris d'entendre sa propre voix si rauque, de sentir ses mains qui tremblaient. On dirait bien qu'il a été abattu. Je vais à la police. Reste ici et veille à ce que personne n'entre.

— Abattu ! s'exclama Wally, éberlué.

Il contempla la silhouette effondrée sur le bureau.

— Seigneur Dieu ! Le malheureux. Qu'est-ce qui va se passer maintenant ?

Il y avait de l'effroi dans sa voix ; il était choqué et désemparé.

Pitt était atrocement conscient du pistolet qui déformait sa poche et de la présence des deux lettres déchirées.

— Je ne sais pas. Mais il vaut mieux prévenir la police le plus vite possible.

— Ils vont dire que c'est nous ! rétorqua Wally, paniqué.

— Mais non ! nia Pitt sachant néanmoins que c'était tout à fait possible. De toute manière, nous n'avons pas le choix.

Il contourna Wally pour gagner la porte. Il devait trouver au plus vite une cuve déserte pour se débarrasser du pistolet.

Dans la première salle se trouvait un ouvrier qui se tourna vers lui avec curiosité ; il en fut de même dans la seconde. Il n'y avait personne dans la troisième et il souleva le couvercle de la cuve, libérant les effluves de mélasse. Les bouts de papier flottèrent à la surface, refusant de s'y enfoncer. Il se servit du canon du pistolet pour remuer le sirop, les faisant disparaître l'un après l'autre. Cela fait, il jeta l'arme qu'il regarda sombrer lentement.

Il se précipita à nouveau dans le couloir, dévalant les escaliers et traversant la cour au pas de course. Il descendit Brick Lane à toute allure en direction de Whitechapel High Street. Une aube hésitante se levait sur la ville, ne parvenant pas encore à s'imposer aux ténèbres. Les lampadaires luisaient, comme à l'agonie, déposant des reflets pâles sur les pavés humides.

Il trouva un agent qui faisait sa ronde au coin de la rue.

— Holà, mon gars, où tu vas comme ça ? demanda le policier en se mettant en travers de sa route.

Pitt discernait à peine sa silhouette car ils se trouvaient dans une zone d'ombre, mais il était grand et semblait très solide avec sa cape et son casque. Pour la première fois de sa vie d'adulte, il eut peur d'un représentant de l'ordre ; c'était une sensation plus que déplaisante.

— Mr. Sissons a été abattu, dit-il, le souffle court. Dans son bureau à l'usine de Brick Lane.

— Abattu ? Comment ça ? Il est blessé ?

— Il est mort.

L'agent resta muet de stupeur puis, après un effort visible, recouvra son sang-froid.

— Il faut aller chercher l'inspecteur Harper au poste. Qui es-tu ? Et comment ça se fait que tu aies trouvé Mr. Sissons ? Tu es le veilleur de nuit ?

— Oui. Je m'appelle Thomas Pitt. Wally Edwards est là-bas avec lui en ce moment. C'est l'autre gardien.

— Je vois. Tu sais où se trouve le commissariat de Whitechapel ?

— Oui. Vous voulez que je les prévienne ?

— Tu leur diras que c'est l'agent Jenkins qui t'envoie. Raconte-leur ce qui s'est passé à l'usine. Dis-leur que je les y attends. C'est compris ?

— Oui.

— Alors, dépêche-toi.

Pitt se mit à courir.

Une heure plus tard, il était de retour à l'usine, non dans le bureau de Sissons mais dans une des autres pièces assez vastes du dernier étage.

Petit, le visage rude, le menton carré, l'inspecteur Harper ne semblait pas du genre commode. Il avait aussitôt ordonné à l'agent Jenkins de se poster à l'entrée comme pour empêcher Pitt et Wally de s'enfuir, ceux-ci se tenant debout au milieu de la pièce. Il faisait jour à présent, un jour maussade qui tentait de percer la fumée des usines tandis qu'un soleil éteint se levait au-dessus du fleuve.

— Bon… comment t'appelles-tu déjà ? Pitt ! commença Harper. Tu vas me raconter très exactement ce que tu as vu et ce que tu as fait. Et, tout d'abord, qu'est-ce que tu fichais dans le bureau de Mr. Sissons ? Il ne faisait pas partie de ta ronde, non ?

— La porte était ouverte, répondit Pitt, les mains moites. Elle n'aurait pas dû l'être. Je suis entré pour me rendre compte.

— Admettons ! Alors… qu'est-ce que tu as vu au juste ?

Pitt avait répété son histoire avec le plus grand soin.

— Mr. Sissons était assis à son bureau, effondré plutôt, et comme il y avait une mare de sang, j'ai compris qu'il ne dormait pas. Certains tiroirs du bureau étaient à moitié ouverts. Il n'y avait personne d'autre dans la pièce et les fenêtres étaient fermées…

— Pourquoi dis-tu ça ? Quelle différence cela fait-il ? le coupa Harper. On est au septième étage, mon gars !

Pitt se sentit rougir. Il devait surveiller ses paroles. Il était veilleur de nuit, pas commissaire de police.

— Je sais pas pourquoi. Je l'ai juste remarqué, c'est tout.

— Tu as touché quelque chose ?

— Non.

— Tu en es sûr ?

Harper le scrutait, les yeux plissés.

— Oui, je suis sûr.

Le policier parut sceptique.

— Bon, et si tu me disais où est passée l'arme avec laquelle il a été abattu ?

Pitt tressaillit, comprenant que Harper était en train de suggérer qu'il l'avait prise. L'angoisse le saisit. Soudain, il se retrouvait à la place de tous ceux qu'il avait interrogés au cours de sa carrière : des coupables, bien sûr, mais aussi beaucoup d'innocents au désespoir, cherchant à préserver un secret ou une réputation.

— J'en sais rien, dit-il aussi calmement qu'il en était capable. Celui qui lui a tiré dessus a dû l'emporter.

— Et qui cela pourrait-il bien être ? demanda Harper, le fixant de ses grands yeux bleus. N'es-tu pas le veilleur de nuit ? Tu as bien vu qui entrait et sortait, non ? À moins que tu n'insinues que c'est un des hommes qui travaillent ici ?

— Non ! s'exclama Wally, prenant la parole pour la première fois. Pourquoi l'un d'entre nous aurait fait ça ?

— Pour rien du tout si vous aviez un peu de bon sens, répliqua Harper. En fait, j'ai plutôt l'impression que votre patron s'est suicidé et que notre Mr. Pitt ici présent a voulu garder un petit souvenir en se disant qu'il pourrait bien en tirer quelques shillings. C'est une belle arme, pas vrai ?

Pitt leva les yeux avec stupeur et croisa son regard. Ce fut à cet instant qu'il comprit avec horreur que Harper savait déjà avant de venir ce qu'il allait trouver à la fabrique : il faisait partie du Cercle intérieur et il comptait bien rendre un verdict de suicide. La gorge de Pitt se noua.

Harper sourit. Il était maître du jeu et il le savait.

Jenkins s'agita nerveusement dans son coin.

— On n'a aucune preuve de ça, chef.

— On n'a aucune preuve du contraire non plus ! rétorqua Harper sans lâcher Pitt du regard. Nous verrons bien ce que nous trouverons quand nous fouillerons les affaires de Mr. Sissons, pas vrai ?

Wally secoua la tête.

— Vous avez aucune raison de dire que Tom a pris le pistolet. Aucune.

Sa voix tremblait mais l'obstination se lisait sur son visage.

— Et puis de toute manière, reprit-il, Mr. Sissons s'est sûrement pas tué. J'ai vu son corps. La balle est entrée du côté droit de la tête, comme s'il était droitier... et c'est vrai qu'il l'était ! Sauf qu'il s'est fait avaler la main par une machine il y a quelques années et il a eu les tendons sectionnés, il pouvait plus plier les doigts... il a donc pas pu appuyer sur la détente, pas avec la main droite en tout cas. Les docteurs qui l'ont soigné vous le diront.

Cette révélation inattendue mit Harper en rage. Désorienté, il se tourna vers Jenkins qui soutint son regard avec une insolence à peine contenue.

— Bon, fit l'inspecteur en détournant les yeux, dans ce cas, je suppose qu'on ferait bien de rechercher qui a bien pu échapper à l'extrême vigilance de deux veilleurs de nuit aussi consciencieux... et assassiner leur patron.

— Oui, chef ! répondit Jenkins.

Harper passa le reste de la matinée à interroger Wally et Pitt, ainsi que toute l'équipe de nuit et chaque employé qui se présentait au travail.

Pitt ne lui parla pas de l'homme qu'il avait vu partir. Dans un premier temps, il garda le silence par instinct plutôt que pour une raison quelconque. Ce n'était pas quelque chose qu'il aurait imaginé faire ne serait-ce que vingt-quatre heures plus tôt, mais à présent il vivait dans un autre monde et il se rendait compte avec incrédulité qu'il était devenu proche de gens comme Wally, Saul, Isaac et tous les autres habitants ordinaires de Spitalfields, qu'il réagissait comme eux, se méfiant des autorités qui les avaient rarement protégés et n'avaient, par exemple, jamais arrêté le meurtrier de

Whitechapel. Il était persuadé que Tellman avait raison à propos d'Abberline, et même à propos du commissaire Warren : ils faisaient partie d'une conspiration dont les ramifications couraient jusqu'au trône lui-même.

Mais ce n'étaient pas les mêmes qui avaient assassiné James Sissons, maquillant son crime en suicide, et donnaient à Lyndon Remus ces informations qui finiraient par faire éclater le plus grand scandale du siècle conduisant à la chute du gouvernement et de la couronne avec lui.

Harper jouait une part active dans ce second complot, Pitt en était certain. Il valait mieux ne rien lui dire au-delà de ce qui était nécessaire.

De plus, et il ne tarda pas à le comprendre, le signalement qu'il donnerait de cet homme d'un certain âge au teint mat pouvait facilement s'appliquer à beaucoup de gens qu'il connaissait : Saul ou Isaac, par exemple. Harper n'aurait sans doute aucun scrupule à tirer parti de l'antisémitisme ambiant. Après tout, il lui conviendrait parfaitement qu'on tienne les Juifs pour responsables de la ruine de la fabrique de sucre. Ce serait moins spectaculaire que d'accuser le prince de Galles, mais presque aussi bénéfique à sa cause.

Et ce fut exactement ce qui se passa. À midi, quand Pitt fut enfin autorisé à partir, Harper avait tant et si bien manipulé certains témoignages que trois ouvriers de nuit fatigués donnèrent une description plus ou moins identique d'un suspect : un homme brun, de type juif, tenant un objet à la main qui reflétait la lumière et qui aurait pu être le canon d'un pistolet. L'intrus aurait gravi les escaliers en essayant de ne pas se faire remarquer pour les redescendre un peu plus tard de la même manière avant de disparaître dans la nuit.

Écœuré et malheureux, Pitt ne s'était jamais senti aussi impuissant. Ce en quoi il croyait le plus, ses convictions les plus ancrées, les certitudes qui gouvernaient sa vie, tout cela venait de lui être arraché avec brutalité. Il avait l'impression qu'on venait de l'amputer d'une partie essentielle de lui-même. Il se trouvait face à une gangrène qui rongeait, silencieuse et invisible, l'ensemble du corps judiciaire : ceux qui créaient la loi, ceux qui l'administraient et ceux qui veillaient à son respect. Désormais, il n'y avait plus de recours, personne vers qui les victimes et les faibles pouvaient se tourner.

Tandis qu'il regagnait Heneagle Street, il se rendit compte qu'il n'avait plus éprouvé une peur aussi absolue depuis son enfance, depuis le jour où son père avait été emmené et où il avait compris que la justice ne le sauverait pas, que rien ni personne ne pouvait les aider ; ils ne se reverraient plus jamais et lui, Thomas, n'y pouvait rien changer.

Il avait oublié à quel point ce sentiment était terrible, écrasant.

Humiliant.

Mais il était un homme, à présent, pas un enfant. Il pouvait agir et influer sur le cours des choses ! À l'instant même où il se fit cette réflexion, il changea de direction et accéléra le pas en direction de Lake Street. Si Narraway n'était pas là, il demanderait au cordonnier de l'envoyer chercher. Au moins, il découvrirait dans quel camp se trouvait Narraway, il le forcerait à se démasquer. Il n'avait pas grand-chose à perdre… De toute manière, si Remus réussissait dans son entreprise, personne dans ce pays n'aurait plus grand-chose à perdre.

Il passa devant un gamin qui criait les titres des journaux. À la Chambre des communes, Mr. McCartney avait demandé si la violence du conflit entre les différentes factions en Irlande ne risquait pas d'empêcher les citoyens paisibles de voter. Pourrait-on leur accorder une protection ?

À Paris, l'anarchiste Ravachol avait été condamné à mort.

En Amérique, Mr. Stephen Grover Cleveland avait été nommé candidat du parti démocrate à la présidence.

Quand il atteignit Lake Street, un autre gamin portait, lui, un placard annonçant que James Sissons avait été assassiné, victime d'une conspiration visant à faire la ruine de Spitalfields ; la police avait déjà des témoins qui avaient vu un homme au teint olivâtre, de type étranger, sur les lieux ; elle cherchait à l'identifier. Le mot « Juif » n'avait pas été utilisé mais c'était tout comme.

Pitt arriva chez le cordonnier et laissa un message disant qu'il devait parler à Narraway sur-le-champ. On lui dit de revenir dans trente minutes.

Quand il fut de retour, le chef de la Special Branch l'attendait. Il n'était pas assis à sa place habituelle mais se tenait debout dans la pièce minuscule, comme en proie à un énervement qu'il ne masquait même pas.

— Eh bien ? demanda-t-il dès que la porte fut refermée.

Maintenant que le moment était venu, Pitt hésitait. Son cœur battait à tout rompre. Les yeux de Narraway semblaient forer son crâne ; il ne savait toujours pas si cet homme était digne de confiance ou pas.

— Vous m'avez fait demander, Pitt ! De quoi s'agit-il ?

Il semblait excédé. Était-il effrayé, lui aussi ? Il devait avoir appris le meurtre de Sissons et en comprenait à coup sûr toutes les implications. Même s'il appartenait au Cercle intérieur, il devait redouter sûrement de voir des émeutes se propager. Mais il y avait autre chose dans la balance. Pitt pensa aux cinq femmes de Whitechapel, à la voiture qui les avait traquées dans la nuit. Cela valait-il mieux que des émeutes ou même qu'une révolution ?

— Au nom du ciel ! explosa Narraway, les yeux brillants, le visage livide d'épuisement. Si vous avez quelque chose à dire, dites-le ! Ne me faites pas perdre mon temps !

Non, pas d'erreur possible : il avait peur. Il était même au bord de la panique.

— La police se trompe sur l'assassinat de Sissons, dit Pitt.

Par cette simple phrase, il venait de s'engager définitivement.

— C'est moi qui l'ai trouvé et cela ressemblait à un suicide. Il y avait une lettre expliquant qu'il était ruiné en raison d'un prêt qu'il avait consenti et qui était à présent nié.

— Je vois. Et qu'est-il arrivé à cette lettre ?

La voix de Narraway était sourde à présent, dépourvue de toute expression.

Pitt sentit son ventre se nouer.

— Je l'ai détruite. Je me suis aussi débarrassé du pistolet.

Il ne voulait pas mentionner la lettre d'Adinett, ni la reconnaissance de dette.

— Pourquoi ? demanda doucement Narraway.

— Parce que le prêt avait été accordé au prince de Galles.

— Je vois…

Narraway se massa le front, repoussant sa chevelure en arrière. Dans ce simple geste, Pitt entrevit une lassitude et une compréhension qui dissipèrent ses craintes. Narraway semblait étrangement nu, comme si, enfin, il venait de révéler un peu de ce qu'il était en réalité.

Il s'assit, faisant signe à Pitt de l'imiter.

— Qu'est-ce que c'est que cette histoire à propos d'un Juif quittant l'usine ?

Pitt sourit avec amertume.

— La tentative de l'inspecteur Harper de trouver un bouc émissaire acceptable... bien que moins intéressant que le prince de Galles.

Narraway leva brusquement les yeux.

— Moins intéressant ?

Il n'était plus possible de revenir en arrière, Pitt n'avait plus aucune marge de sécurité.

— Pour lui ou plutôt pour eux... répondit-il. Harper appartient au Cercle intérieur. Il s'attendait à la mort de Sissons. Quand je suis allé le chercher en pleine nuit, il était tout habillé comme s'il comptait être appelé sur les lieux. Il a bien essayé de prétendre qu'il s'agissait d'un suicide, m'accusant même d'avoir volé le pistolet. Cela aurait pu réussir si Wally Edwards, le veilleur de nuit, n'avait pas été là... ainsi que l'agent Jenkins. Wally a dit que Sissons ne pouvait pas s'être tué en raison d'une vieille blessure ; il n'avait plus l'usage des doigts de sa main droite.

— Je vois, répéta Narraway d'une voix amère. Et dois-je en déduire que vous me faites enfin confiance ? Ou bien que vous être trop désespéré et que vous n'avez plus le choix ?

Pitt ne voulait plus mentir. Et Narraway méritait peut-être mieux que cela.

— Je ne pense pas que vous vouliez plus que moi voir l'East End ravagé par les flammes. Eh oui, je suis désespéré.

Une lueur ironique brilla un bref instant dans le regard de Narraway.

— Je devrais sans doute vous remercier de votre franchise.

Pitt aurait aimé lui parler des meurtres de Whitechapel et de Remus mais cela aurait été aller un peu vite en besogne, ou en confiance, en l'occurrence. Il haussa imperceptiblement les épaules.

— Pouvez-vous faire en sorte que la police n'accuse pas un innocent ? demanda-t-il.

Narraway émit un rire amer.

— Non… je ne peux pas ! Je ne peux pas empêcher ces gens d'accuser un pauvre Juif de la mort de Sissons, s'ils s'imaginent que cela leur permettra d'arriver à leurs fins.

Il se mordit la joue, très fort, jusqu'à ce que la douleur se lise sur son visage.

— Mais je vais essayer. Maintenant, sortez d'ici et faites vous aussi ce ce que vous pouvez. Et… Pitt !

— Oui ?

— Ne racontez à personne ce que vous venez de me dire… quel que soit celui qu'ils arrêtent. Vous ne feriez qu'empirer les choses. Ceci n'a rien à voir avec la quête de la vérité. Ce qui est en question ici, c'est la misère, la peur et la nécessité de protéger les vôtres.

— Je sais, dit Pitt.

Il était aussi question de pouvoir et d'ambition politique mais il garda cela pour lui. Si Narraway ne le savait pas, ce n'était pas le moment de le lui apprendre ; et s'il le savait, c'était inutile. Il sortit sans un mot.

CHAPITRE XII

Pitt ne s'était jamais senti aussi seul. C'était la première fois de sa vie d'adulte qu'il se plaçait délibérément hors la loi. Il avait certes déjà connu la peur, mais il n'avait jamais éprouvé ce dilemme moral qui lui donnait la sensation d'être étranger à lui-même. De ne plus avoir de place à lui.

Il se réveilla glacé dans un enchevêtrement de draps durs et trempés qui le couvraient à peine. Une lueur lugubre emplissait la chambre. En bas, il entendait Leah qui s'activait. Elle avait peur, elle aussi. Il l'avait senti la veille dans sa façon d'éviter son regard, à la tension qui rendait ses mains moins habiles que d'ordinaire ; il l'imaginait dans la cuisine, les traits tirés, effectuant machinalement tous les rituels matinaux, tendant l'oreille pour guetter le pas d'Isaac et peut-être redoutant que Pitt ne descende car alors elle se sentirait obligée de faire bonne figure. C'était difficile d'avoir des étrangers chez soi en période de crise.

Sissons avait donc été assassiné... et ce meurtre avait été maquillé en suicide ; Pitt avait altéré les preuves – il avait menti – pour qu'il n'y ait aucun doute quant à un meurtre. Il avait pris cette décision afin de cacher la vérité, ce qu'il pensait être la vérité, afin d'empêcher les émeutes, et peut-être une révolution. Avait-il eu tort ?

Non. La peur, la rage et le désespoir étaient à leur comble ; il suffirait d'un rien pour embraser la ville. Quand Dismore – bientôt imité par tous les autres propriétaires de journaux – publierait l'article de Remus sur le duc de Clarence et les meurtres de Whitechapel, la fureur s'emparerait des foules. Une demi-douzaine d'hommes résolus, possédant le pouvoir nécessaire et se souciant peu de provoquer un bain de sang, n'auraient aucun mal à renverser le gouvernement et le trône... au prix de combien de morts ?

Mais en distordant la vérité, Pitt avait trahi l'homme dans la maison duquel il était maintenant allongé et à la table de qui il allait partager le petit déjeuner.

Cette idée lui fut si pénible qu'il se leva, traversa la chambre sur le tapis que Leah avait tissé de ses propres mains. Le pichet d'eau qu'elle laissait toujours à son intention se trouvait à sa place habituelle sur la commode ; il en versa le contenu dans une bassine avant de s'asperger le visage.

Vers qui pouvait-il se tourner pour leur venir en aide ? Il était coupé de Cornwallis qui, de toute manière, ne possédait sûrement pas l'influence nécessaire. Même Tellman risquait de le mépriser : c'était un homme rigide, qui se conformait de manière stricte à ses propres règles et celles-ci n'incluaient pas le mensonge, la falsification de preuves, le faux témoignage... pour quelque raison que ce soit.

Narraway ? Même s'il lui avait révélé au moins une partie de la vérité, cette confiance accordée lui donnait maintenant des sueurs froides. Pouvait-il vraiment compter sur lui ?

Et Charlotte ?

Il frissonna, tout en aiguisant son rasoir. Se raser à l'eau froide n'avait rien d'agréable... mais l'immense majorité des hommes se rasait à l'eau froide !

Comment réagirait Charlotte quand elle apprendrait ce qu'il avait fait avec Sissons ? Peu importait ce qu'elle lui dirait ; ce qui comptait c'était ce qu'elle penserait. Serait-elle déçue au point que cela tuerait quelque chose de l'amour qu'il avait vu dans ses yeux la veille encore ? On peut aimer la vulnérabilité – peut-être même davantage que son absence – mais pas la faiblesse morale, pas la tromperie. Quand la confiance n'est plus là, que reste-t-il ? La pitié… le devoir ? Tenir ses promesses simplement parce qu'elles ont été faites…

Qu'aurait-elle fait si c'était elle qui avait trouvé Sissons et la lettre ?

Il se regarda dans le petit miroir. C'était toujours le même visage, un peu plus las sans doute, les rides un peu plus prononcées, mais les yeux n'avaient pas changé, la bouche non plus.

Avait-il toujours eu cela en lui ? Ou bien était-ce le monde qui avait changé ?

Rester là à tourner et retourner ses remords dans sa tête ne servait à rien. Les événements ne l'attendraient pas et, sans même qu'il s'en rende compte, sa décision avait été prise dès l'instant où il avait lu la lettre dans le bureau de Sissons. Maintenant il devait sauver ce qui pouvait encore l'être.

Tandis qu'il se rasait sans se soucier des petites brûlures provoquées par la lame, une certitude se cristallisa dans son esprit. La seule personne en qui il avait une confiance totale et qui possédait un pouvoir éventuellement décisif était Vespasia. Elle aussi serait révoltée par ce qui risquait de se passer dans l'East End : les émeutes et la désignation d'un bouc émissaire au sein de la population juive.

Sans se soucier du résultat très approximatif de son rasage, il acheva sa toilette et s'habilla. Il n'avait pas le cœur de se retrouver face à Isaac et Leah et peut-être n'en avait-il plus le temps.

Il les salua à la hâte et, sans la moindre explication, quitta la maison. Il descendit Brick Lane d'un bon pas vers Whitechapel High Street et Aldgate Station. Il devait voir Vespasia au plus vite.

Tous les journaux faisaient leurs gros titres sur le meurtre de Sissons. Ils publiaient même un portrait à l'encre du meurtrier présumé, réalisé d'après les descriptions que Harper avait soutirées à des membres de l'équipe de nuit et à un clochard traînant sur Brick Lane qui avait vaguement aperçu quelqu'un. Avec un peu d'imagination, le visage représenté aurait pu être celui de Saul ou d'Isaac ou bien d'une douzaine d'autres comme eux. Pire encore, la légende du portrait suggérait que le meurtre était sans doute dû à un prêt d'argent à un taux usuraire et à un refus de payer.

Ce mensonge ne fit qu'accroître la rage de Pitt… et son sentiment d'impuissance.

Il arriva à la demeure de Vespasia un peu avant neuf heures ; elle n'était pas encore levée. La camériste qui lui ouvrit la porte parut surprise que quelqu'un, sans parler d'un Pitt à la mise aussi débraillée, ait envisagé une visite à une telle heure.

— Il est urgent que je parle à Lady Vespasia dès qu'elle pourra me recevoir, dit-il en faisant fi de sa courtoisie habituelle.

— Oui, monsieur, répondit la jeune femme après une hésitation. Si vous voulez bien vous donner la peine d'entrer, je vais prévenir Madame de votre présence.

— Merci.

Grâce au ciel, elle le connaissait comme elle connaissait l'excentricité de Vespasia dans le choix de ses fréquentations.

Il attendit dans le salon doré du petit déjeuner qui donnait sur le jardin.

Vespasia apparut moins de quinze minutes plus tard. Elle n'était pas encore habillée pour la journée mais simplement vêtue d'un long peignoir de soie ivoire, la chevelure relevée en hâte.

— Il s'est passé quelque chose, Thomas ? demanda-t-elle sans préambule.

Elle n'avait pas besoin d'ajouter qu'il semblait hagard et que sa visite à une heure aussi matinale ne présageait rien de bon.

— Il s'est passé beaucoup de choses, répondit-il en tirant une chaise à son intention. Et c'est pire que tout ce que j'aurais pu imaginer.

D'un geste, elle lui fit signe de s'installer face à elle de l'autre côté de l'élégante table octogonale. Celle-ci avait été dressée pour une personne, mais un second couvert avait été rajouté par une servante qui savait anticiper les souhaits de sa maîtresse.

— Vous feriez bien de me raconter, dit Vespasia en le considérant d'un air critique. J'imagine qu'un petit déjeuner ne vous ferait pas de mal ?

Ce n'était pas à proprement parler une question.

— Merci, accepta-t-il.

Déjà, son malaise et son angoisse se dissipaient. Il était toujours surpris de constater la profondeur de l'affection qu'il éprouvait pour cette femme remarquable dont la naissance, l'héritage et la vie étaient si différents des siens. Il observa son beau visage, l'ossature parfaite, la peau fragile, les yeux aux paupières lourdes, les rides délicates et pressentit le sentiment de perte irréparable qui serait le sien quand elle ne serait plus là. Même dans le secret de son esprit, il ne pouvait se résoudre à utiliser le mot « morte ».

— Thomas…

Elle le rappelait au présent.

— Avez-vous appris la mort de Sissons, le fabricant de sucre ?

— Oui. Il semble qu'il ait été assassiné, répondit-elle. Les journaux sous-entendent qu'il l'aurait été par des prêteurs sur gages juifs. Je serais extrêmement surprise si cela s'avérait être le cas. Votre présence ici me conforte dans cette opinion et je présume que vous savez quelque chose.

— Oui. C'est moi qui l'ai trouvé. On a voulu faire croire à un suicide. Il y avait une lettre.

Brièvement, il lui raconta ce qu'elle contenait. Puis, sans un mot, il lui tendit la reconnaissance de dette.

Elle l'examina avant de se lever pour se rendre à son écritoire et en sortir un billet manuscrit. Elle compara les deux écritures avant de sourire.

— C'est bien imité, dit-elle. Mais pas à la perfection. Souhaitez-vous que je vous la rende ?

— Elle sera plus en sécurité avec vous.

Ainsi, il s'agissait d'un faux. Le prince de Galles n'était pour rien dans cette histoire, se dit Pitt, étonné de ressentir un tel soulagement.

Il lui parla alors de la lettre d'Adinett et de ce qu'il en avait déduit.

Ensuite, il lui fut beaucoup plus difficile de lui confesser ce qu'il avait fait.

— J'ai détruit les deux lettres et fait disparaître le pistolet en le jetant dans une des cuves à sucre, dit-il d'une voix heurtée. J'ai fait en sorte que cela ressemble à un meurtre.

Elle hocha à peine la tête.

— Je vois.

Il attendit qu'elle dise autre chose pour manifester sa surprise, pour prendre ses distances avec cet acte, mais elle ne le fit pas. Savait-elle à ce point dissimuler ses pensées ? Peut-être avait-elle été confrontée à trop de duplicité et de trahisons au cours des années pour que plus rien ne l'étonne. Ou peut-être ne s'était-elle jamais attendu à autre chose de sa part. La connaissait-il vraiment ? Pourquoi avait-il présumé avec une telle certitude qu'elle le tenait pour un homme d'honneur ?

— Non, vous ne voyez pas, répliqua-t-il, la peine et la rancœur assourdissant sa voix. J'ai appris par Wally Edwards, l'autre veilleur de nuit, que Sissons avait une blessure à la main droite. Il lui aurait été impossible de presser la détente. J'ai fait en sorte qu'un meurtre, déguisé en suicide, ait de nouveau l'allure d'un meurtre.

Il s'interrompit pour reprendre son souffle.

— Et je pense avoir vu l'homme qui l'a commis.

Encore une fois, elle ne dit rien, attendant qu'il continue.

— Âgé, les cheveux noirs, grisonnants, le teint mat, un beau visage. Il portait une chevalière avec une pierre noire. S'il s'agit d'un Juif, je ne l'ai encore jamais vu dans le quartier.

Elle resta silencieuse si longtemps qu'il craignit qu'elle ne l'eût pas entendu. Il la fixa. Une immense tristesse noyait ses yeux. Elle semblait plongée en elle-même, accablée par quelque chose dont il ignorait tout.

Il hésita, n'osant rompre le fil de ses pensées. Aurait-il dû éviter de venir la troubler ? N'attendait-il pas beaucoup trop d'elle ?

— Tante Vespasia…

Gêné, il hésita. En se montrant si familier il faisait preuve d'impertinence ; elle n'était pas sa tante mais la tante par alliance de la sœur de sa femme.

— Je…

— Oui, je vous ai entendu, Thomas, dit-elle avec douceur. Je réfléchissais. Je me demandais si ce meurtre avait été prémédité et je ne vois pas comment il aurait pu en être autrement. Ceci a dû être organisé dans le but de mettre la couronne dans l'embarras, et pire encore, pour provoquer des émeutes qui auraient ensuite pu être exploitées…

Elle fronça les sourcils.

— Si c'est le cas, ils font preuve d'une sauvagerie insensée. Je…

Elle haussa imperceptiblement une épaule.

Pitt remarqua comme celle-ci était frêle sous la soie du peignoir et encore une fois il sentit sa fragilité, et sa force.

— Ce n'est pas tout, dit-il.

— Bien sûr, acquiesça-t-elle. Cet acte seul en soi n'aurait pas de sens. Il ne permettrait rien de permanent.

Soudain, il eut l'impression qu'ils étaient à nouveau redevenus des alliés. Il résuma ce que Tellman avait appris sur le duc de Clarence et Annie Crook, lui révélant toute la tragique histoire.

— Je vois, répéta-t-elle quand il eut enfin terminé. Et où se trouve ce Remus maintenant ?

— Je n'en sais rien. En train de chercher les derniers éléments de preuve, j'imagine. S'il les avait, Dismore aurait déjà tout publié.

Vespasia secoua la tête.

— D'après ce que vous dites, je penserais que ces révélations auraient dû être faites en même temps que l'annonce du suicide de Sissons. C'est ce que vous êtes parvenu à empêcher. Nous avons peut-être un jour ou deux de sursis devant nous.

— Pour faire quoi ? demanda-t-il au désespoir. Je ne sais à qui me fier. J'ignore qui appartient au Cercle intérieur !

Il sentait à nouveau les ténèbres se refermer sur lui, impénétrables, suffocantes. Il voulait continuer, dire quelque chose pour décrire l'énormité de la situation, mais il ne trouvait pas les mots, sinon ceux qu'il avait déjà prononcés.

— Si le Cercle intérieur est au cœur de cette conspiration, dit Vespasia comme si elle s'adressait à elle-même autant qu'à Pitt, alors son but est de renverser le gouvernement, et le trône, pour mettre en place un régime à son goût, une république sans doute.

— Oui, approuva-t-il. Mais connaître son but ne nous aide pas à savoir qui ils sont, et encore moins à les arrêter.

Elle secoua à nouveau la tête.

— Ce n'est pas où je voulais en venir, Thomas. Si l'intention du Cercle intérieur est de créer une république, alors ce n'est certes pas lui qui a dissimulé le mariage du duc de Clarence et assassiné ces cinq malheureuses.

Elle le dévisageait calmement ; ses yeux argentés ne cillaient pas.

— Deux conspirations, oui, j'y ai déjà pensé, murmura-t-il. Mais qui d'autre ? Vous ne pensez tout de même pas que la maison royale…

— Seigneur Dieu, non, répondit-elle. Sans pouvoir le jurer, je songe plutôt aux maçons[1]. Ils ont le pouvoir et le désir de protéger la couronne et le gouvernement.

— Mais iraient-ils jusqu'à…

Elle eut un très mince sourire.

— Certains hommes sont prêts à tout, pour peu qu'ils croient suffisamment en leur cause et soient tenus par des serments qu'ils ne peuvent briser. Bien sûr, il est aussi possible que cela n'ait rien à voir avec eux. Nous ne le saurons peut-être jamais. Quoi qu'il en soit, désormais le Cercle intérieur a les moyens de détruire le royaume et, semble-t-il, la volonté de le faire. Vous les avez retardés, Thomas, mais je doute qu'ils renoncent.

— Et ce faisant, j'ai mis en danger la moitié des Juifs de Spitalfields et contribué à ce que l'un d'entre eux, Isaac Karansky, se fasse exécuter pour un crime qu'il n'a pas commis.

Il détestait le mépris de lui-même qu'il entendait dans sa propre voix.

Elle lui lança un regard courroucé.

— Avons-nous un moyen de savoir si l'histoire à propos de Clarence est vraie ? demanda-t-il.

— Cela n'a plus grande importance désormais, répondit-elle. Elle pourrait l'être, et je doute que quiconque puisse prouver le contraire, c'est tout ce dont le Cercle intérieur a besoin. L'émoi provoqué sera trop

1. La franc-maçonnerie moderne est née en Écosse et en Angleterre au début du XVIIe siècle. (*N.d. T.*)

fort pour qu'on prenne le temps d'examiner les faits. La seule chance d'arrêter cette machination, c'est de le faire avant que tout cela soit révélé au grand public.

Un sourire effleura ses lèvres.

— Comme vous, j'ignore à qui je peux me fier. D'un point de vue moral, à personne sans doute. Mais je connais certaines personnes dont les intérêts les pousseront à agir maintenant que le besoin s'en fait sentir. J'espère les convaincre de le faire dans un sens qui nous convient.

— Prenez garde à vous !

Il était terrifié pour elle.

Elle ne se donna même pas la peine de répondre.

— Quant à vous, reprit-elle, vous feriez bien d'essayer d'aider vos amis juifs. Je pense qu'il ne servirait pas à grand-chose de rechercher le meurtrier de ce pauvre Sissons. Ce malheureux semble avoir été dupé depuis le début... dans une certaine mesure sans doute avec son propre consentement. Mais il n'envisageait sûrement pas une fin aussi funeste. Je dirais qu'il n'avait aucune idée de l'ampleur des conspirations auxquelles il s'est trouvé mêlé. Il a dû être sincère par le passé, comme tant d'autres idéalistes qui ont commencé noblement...

Elle laissa sa phrase en suspens. Le silence se prolongea.

— Qu'allez-vous faire ? finit-il par s'enquérir.

— Il n'y a qu'une solution, dit-elle, le regard perdu dans le lointain. Nous sommes face à deux alliances monstrueuses. Nous devons les dresser l'une contre l'autre en priant Dieu que l'issue soit plus destructrice pour elles que pour nous.

— Mais... commença-t-il à protester.

Elle haussa un sourcil.

— Vous avez une meilleure idée, Thomas ?

— Non.

— Alors, retournez à Spitalfields et faites en sorte que des innocents ne paient pas le prix de nos folies. Cela en vaut la peine.

Docile, il se leva et la remercia. Une fois dehors, il s'aperçut qu'il n'avait toujours pas déjeuné. Les domestiques avaient jugé préférable de ne pas les déranger.

Pitt parti, Vespasia sonna sa bonne qui entra aussitôt avec du thé et des toasts. Tout en mangeant, elle envisagea les possibilités qui s'offraient à elle. Une pensée gisait sous toutes les autres mais qu'elle se refusait à considérer pour l'instant.

D'abord, il fallait s'occuper du problème le plus immédiat. Peu importait au bout du compte que Sissons n'ait pas vraiment prêté de l'argent au prince de Galles : il suffisait au Cercle intérieur de le faire croire. Et elle l'en estimait tout à fait capable. Le but de ce meurtre était de provoquer la fermeture des fabriques. La perte de leur emploi était la seule raison pour laquelle les masses de Spitalfields se révolteraient à coup sûr.

Elle devait donc faire en sorte que cela n'arrive pas, au moins à court terme. À plus longue échéance, il faudrait trouver une autre solution… pourquoi pas, par exemple, un geste grandiose de la part du prince ? Ce serait pour lui l'occasion de se racheter, du moins en partie.

Elle monta s'habiller avec le plus grand soin d'un costume gris métallique avec une jupe très longue, un col et des manches magnifiquement brodés, choisissant une ombrelle assortie. Puis elle commanda sa voiture.

Elle arriva à Connaught Place à onze heures et demie – une heure peu convenable mais il s'agissait d'une urgence, comme elle l'avait expliqué par téléphone à Lady Churchill.

Randolph Churchill l'attendait dans son bureau. À l'instant où elle y pénétra, il se leva, le visage sévère, son déplaisir masqué par ses bonnes manières et peut-être une certaine curiosité.

— Bonjour, Lady Vespasia. C'est toujours un plaisir de vous voir, mais je dois admettre que votre message a suscité quelque anxiété. Je vous en prie...

Il allait ajouter « asseyez-vous » mais elle avait déjà pris place, bien décidée à ne pas lui accorder le moindre avantage, tout Randolph Churchill qu'il fût.

— ... et dites-moi ce que je peux faire pour vous, conclut-il en s'installant à son tour.

— L'heure n'est plus aux frivolités, dit-elle d'un ton sec. Vous savez sans doute que James Sissons, le fabricant de sucre de Spitalfields, a été assassiné hier soir.

Elle n'attendit pas sa réponse.

— En fait, on a voulu faire croire à un suicide. Sur les lieux se trouvait une lettre expliquant sa ruine en raison d'un prêt consenti au prince de Galles qui aurait refusé de le rembourser. En conséquence, ses trois usines devraient fermer et plus de mille familles de Spitalfields se retrouver à la rue.

Elle s'interrompit.

Le visage de Churchill était blême.

— Je vois que vous comprenez la situation, dit-elle. Si cela se produisait, elle risquerait de devenir des plus déplaisantes. Sans parler de toutes les autres infortunes que nous serions incapables de prévenir, elle pourrait conduire à la chute du gouvernement et à celle du trône...

— Ah... commença-t-il à protester.

— Je suis assez âgée pour avoir connu des témoins de la Révolution française, le coupa-t-elle, glaciale. Eux non plus n'imaginaient pas cela possible... même quand les tombereaux chargés de cadavres décapités roulaient dans les rues, ils n'y croyaient toujours pas.

Il se figea, comme si la peur venait de lui enlever l'énergie de protester. Ses yeux étaient écarquillés, son souffle court. Il l'observait presque sans ciller. C'était la première fois qu'elle le voyait aussi choqué.

— Fort heureusement, poursuivit-elle, nous avons quelques amis, l'un d'entre eux se trouvant être celui qui a découvert le corps de Sissons. Il a eu la présence d'esprit de faire disparaître l'arme et la reconnaissance de dette et de détruire la lettre afin que cette mort apparaisse comme le résultat du meurtre qu'elle est en réalité. Mais ce n'est là qu'une solution temporaire. Nous devons veiller à ce que ces usines ne ferment pas et que ces ouvriers continuent à être payés.

Elle soutint son regard, un maigre sourire aux lèvres.

— J'imagine que parmi vos relations beaucoup partageront cet avis et seront prêts à apporter leur contribution afin qu'il en soit ainsi. Ce serait très constructif… Dans notre propre intérêt, sans parler de la nécessité morale. De plus, si le public l'apprenait, le sentiment de gratitude serait sans doute considérable. Le prince de Galles, par exemple, pourrait devenir le héros du jour… au lieu d'en être le méchant. L'ironie de cette solution serait assez savoureuse si les méfaits commis n'étaient aussi désastreux, ne trouvez-vous pas ?

Il laissa échapper un très long soupir. Son soulagement était évident malgré toutes les peines qu'il se donnait pour le masquer. Et il était tout aussi impressionné par la détermination de Vespasia, malgré lui bien sûr, et cela aussi était visible. Pendant un instant, il envisagea d'atermoyer, de prétendre qu'il allait y réfléchir, avant de renoncer à cette idée absurde. Ils savaient tous les deux qu'il s'exécuterait. Il n'avait pas le choix.

— Excellente suggestion, Lady Vespasia, dit-il avec raideur. Je veillerai à ce qu'elle soit mise en application sur-le-champ… avant qu'un événement très grave ne se produise. Il est… heureux, en effet, que nous ayons eu un… ami… si bien placé.

— Et qui a su prendre l'initiative d'agir, au prix d'un risque considérable pour lui-même, ajouta Vespasia. Certains pourraient chercher à lui rendre la vie des plus difficiles s'ils venaient à l'apprendre.

Il eut un faible sourire, ses lèvres formant une ligne mince.

— Nous tâcherons de faire en sorte que cela ne se produise pas. Maintenant, si vous le permettez, je dois m'occuper de ces fabriques.

Elle se leva.

— Je vous le permets, dit-elle, cinglante. Il n'y a plus un instant à perdre.

Elle ne le remercia pas de l'avoir reçue. Ils savaient tous les deux qu'elle venait de lui rendre, ainsi qu'à tous ses alliés, un inestimable service. Vespasia ne tenait guère Randolph Churchill en grande estime, le soupçonnant plus que fortement d'être impliqué dans les meurtres de Whitechapel. Elle était en train de l'utiliser et ne cherchait pas à feindre le contraire. Elle inclina à peine la tête quand il passa devant elle pour lui ouvrir la porte.

— Bonne journée, dit-elle d'un ton froid. Je vous souhaite de réussir.

— Bonne journée, Lady Vespasia.

Maintenant, il restait un autre problème, bien plus sombre, bien plus douloureux, et qu'elle n'était pas encore prête à affronter.

Pitt passa le trajet de retour depuis la demeure de Vespasia à se creuser la tête pour trouver un moyen de sauver un innocent. Les pires rumeurs circulaient désormais à propos des soupçons de la police. Les derniers portraits ressemblaient de façon alarmante à Isaac. Ce n'était plus qu'une question de jours, d'heures peut-être, avant que son nom ne soit mentionné. Harper y veillerait. Son crime était d'être juif, un membre estimé d'une communauté clairement identifiable.

La mort de Sissons n'était qu'une excuse. L'usure était une vieille accusation non fondée mais qui s'était fixée dans les esprits après des siècles de ragots et de médisances.

Pitt possédait un maigre avantage : s'étant trouvé le premier sur les lieux, il était un témoin capital.

Quand il descendit du train à Aldgate Station, il avait pris sa décision et réfléchissait désormais aux arguments qu'il allait devoir employer.

Il marchait d'un bon pas. Quelqu'un avait tué Sissons, et, comme Vespasia l'avait fait remarquer, ce quelqu'un devait appartenir au Cercle intérieur. Il y avait peu de chances pour qu'il découvre un jour son identité. Harper veillerait à cela aussi.

Il régnait une chaleur suffocante cet après-midi-là, les égouts étaient presque à sec, les ordures s'amoncelaient et, avec elles, la nervosité et la peur. Les gens semblaient incapables de se concentrer sur les tâches routinières, des querelles éclataient pour un rien : une erreur en rendant de la monnaie, un passant qui en heurtait un autre, un chargement qui tombait, un cheval rétif, une charrette mal garée.

Les policiers en patrouille étaient fébriles, leurs mains ne s'éloignant jamais des matraques se balançant à leurs flancs. Hommes et femmes leurs criaient des insultes. Ici et là, un téméraire leur lançait des légumes pourris ou même une pierre. Les enfants geignaient sans savoir ce qui les effrayait.

Un pickpocket surpris fut battu jusqu'au sang et personne n'intervint ni n'appela la police.

Pitt ne savait toujours pas à quoi s'en tenir avec Narraway. Le chef de la Special Branch pouvait faire partie du Cercle intérieur ou bien être un maçon. Il était aussi possible qu'il ne fût ni l'un ni l'autre, mais simplement ce qu'il proclamait être : un serviteur de l'ordre public tentant de contrôler les anarchistes et d'éviter des émeutes dans Londres.

Pitt le trouva à l'endroit habituel.

— Que voulez-vous encore ? lui demanda sèchement Narraway.

Il semblait éreinté et mal à l'aise.

Pitt avait changé d'avis une douzaine de fois sur ce qu'il allait dire et n'était toujours pas décidé. Il étudia le visage de son interlocuteur, les yeux intelligents, profondément enfoncés. Ce serait une erreur de le sous-estimer.

— Karansky n'a pas tué James Sissons, déclara-t-il. Harper cherche un coupable idéal. Il corrompt les témoins, les oblige à fabriquer ce signalement.

— Ah ? Et vous en êtes certain ? demanda Narraway d'une voix dénuée d'expression.

— Pas vous ? rétorqua Pitt. Vous connaissez Karansky, c'est vous qui m'avez envoyé loger chez lui. Le croyez-vous capable de meurtre ?

— Tous les hommes sont capables de meurtre, Pitt, même Isaac Karansky. Ce n'est qu'une question de circonstances. Si vous ne le savez pas, vous vous êtes trompé de métier.

Pitt encaissa la remarque. Narraway avait raison.

— Vous pensez réellement qu'il visait à déclencher une insurrection ? demanda-t-il néanmoins. Ou alors qu'il a puni un débiteur qui refusait de payer un taux usuraire ?

Narraway grimaça.

— Non. Je ne l'ai jamais pris pour un agitateur ou pour un usurier. Il est simplement à la tête d'un groupe de Juifs qui s'entraident. C'est de la charité, pas un commerce.

Ainsi, cela aussi, il le savait, découvrait Pitt avec surprise.

— Harper veut lui faire porter le chapeau. À chaque heure qui passe, il tisse un peu plus sa toile autour de lui. Ils l'arrêteront dès qu'ils tiendront leur prétendue preuve. Avec le sentiment antisémite régnant en ce moment, cela ne devrait pas leur être trop difficile.

— Pourquoi venir me dire cela, Pitt ? Vous vous imaginez que je ne le sais pas ?

Pitt était prêt à le défier, à l'accuser d'indifférence, de négliger son devoir ou même de manquer d'honneur. Puis il remarqua son regard éteint, sa désillusion, la lassitude nourrie par de trop nombreuses défaites, et il ravala son réquisitoire. Il faut un infini courage pour continuer à se battre quand on sait qu'on ne gagnera pas la guerre.

— Ne restez pas là à encombrer mon bureau, Pitt, dit Narraway. Vous ne m'apprenez rien. Je sais que la police cherche un bouc émissaire. Ces messieurs n'ont toujours pas digéré les meurtres de Whitechapel il y a quatre ans. La population leur en veut. Il est hors de question pour eux de laisser un nouveau crime impuni, même s'il leur faut pour cela fabriquer de toutes pièces un criminel. Ils savent qu'aux yeux de la plupart Karansky serait un coupable idéal. Si je pouvais le sauver, je le ferais. C'est un homme de bien. Le meilleur conseil que je puisse lui donner, c'est de quitter Londres. Qu'il prenne un bateau pour Rotterdam ou Brême. Qu'il prenne le premier bateau pour n'importe où.

Pitt était atterré non par Narraway lui-même mais par ce que révélaient ses propos. Ainsi, au bout du compte, tout ce que la loi pouvait proposer à un innocent accusé à tort était de fuir ! Dans ces conditions, pourquoi un homme d'honneur devrait-il la respecter ? Cette loi n'était qu'une coquille vide, une belle coquille mais qui ne contenait absolument rien, une bulle de savon aux jolis reflets qui éclatait dès qu'on s'en approchait de trop près.

Il se pencha en avant, les poings serrés.

— Ils connaissent le meurtrier de Whitechapel et les raisons de ses crimes, déclara-t-il d'un ton sourd. Ils le couvrent pour protéger le trône.

Il guetta la réaction de Narraway.

— Vraiment ? dit très doucement celui-ci. Et en quoi, selon vous, Pitt, sa capture affecterait-elle le trône ?

Pitt se pétrifia. Il avait commis une erreur. Narraway était à l'évidence l'un d'entre eux. Pas un membre du Cercle intérieur mais un maçon, comme Abberline, et le commissaire Warren, et Dieu savait qui d'autre… Cédant un instant à la panique, il fut pris d'une abominable envie de fuir, de filer dans ces ruelles grises et de disparaître quelque part où on ne pourrait jamais le trouver. Mais il savait que cela ne servirait à rien. Ils le retrouveraient où qu'il aille.

Sa peur se mua en colère. Il toisa Narraway.

— Parce que les meurtres ont été commis pour cacher le mariage du duc de Clarence avec une jeune catholique nommée Annie Crook et le fait qu'un enfant est né de leur union, dit-il avec rage.

Quelque chose passa dans le regard de Narraway, si brièvement que Pitt se demanda s'il ne l'avait pas imaginé. De la surprise ? En raison des faits eux-mêmes ou bien de constater que Pitt les connaissait ?

— Et vous avez découvert cela depuis que vous êtes à Spitalfields ? s'enquit Narraway.

Il donnait l'impression d'avoir la bouche sèche.

— Non. On me l'a dit. Un journaliste a pour ainsi dire réuni toutes les preuves de cette machination. Du moins, il était sur le point de le faire. Il se peut qu'il les ait déjà mais, pour l'instant, les journaux n'ont toujours rien publié.

— Je vois. Et vous n'estimiez pas nécessaire de m'en informer ?

Le visage de Narraway était indéchiffrable, ses yeux perçants sous ses paupières plissées, la voix très douce, dangereusement polie.

Pitt pouvait encore mentir. Il choisit de dire la vérité.

— Ce sont sans doute les maçons qui ont organisé ces meurtres... Quant au Cercle intérieur, il livre ses informations à ce journaliste au compte-gouttes afin qu'il révèle l'affaire au moment adéquat. La plupart des policiers de haut rang chargés de l'enquête faisaient partie de la conspiration. L'assassinat de Sissons est dû au Cercle intérieur. Vous pourriez être dans un camp ou dans l'autre. Je n'ai aucun moyen de le savoir.

Narraway inspira profondément et son corps s'affaissa.

— Dans ce cas, vous prenez un satané risque en me confiant tout cela, non ? Ou bien allez-vous me dire que vous avez une arme dans votre poche et que si je ne fais pas le bon choix, vous allez m'abattre ?

— Non, je n'ai aucune arme dans ma poche.

Pitt se laissa tomber sur la seule autre chaise libre avant de poursuivre :

— Et le risque en vaut la chandelle. Si vous êtes un maçon, vous voudrez arrêter le Cercle intérieur. Si vous êtes du Cercle, vous dénoncerez les maçons pour tenter de renverser le trône mais, dans ce cas, il vous faudra faire en sorte que la mort de Sissons soit à nouveau considérée comme un suicide ce qui, au moins, sauvera Karansky.

Narraway se redressa lentement sur son siège. Quand il reprit la parole ce fut d'une voix dure. Ses mains fines semblaient détendues sur la table mais sa rage était évidente.

— Je suppose que je devrais vous être reconnaissant de m'avoir enfin avoué tout cela.

Le sarcasme était mordant mais dirigé autant contre lui-même que contre Pitt.

Était-ce possible ? Narraway était-il en fin de compte un honnête homme que cette situation révoltait tout autant que Pitt ? Enrageait-il lui aussi de participer à un système corrompu jusqu'à la moelle ?

— Partez et faites ce que vous pouvez pour Karansky, dit Narraway d'un ton neutre. Et, au cas où vous auriez des doutes, ceci est un ordre.

Pitt faillit sourire. Enfin, une infime lueur dans le noir. Il acquiesça et se leva. Lui qui avait servi la loi toute sa vie d'adulte allait maintenant aider un innocent à se transformer en fugitif. Isaac allait devoir abandonner sa maison, ses amis, la communauté qu'il avait servie et honorée, toute la vie qu'il avait péniblement reconstruite dans le pays dont il avait cru qu'il lui offrirait un abri et une nouvelle chance.

Voilà pourtant ce que Pitt était décidé à faire, même s'il devrait pour cela le forcer à boucler ses bagages et l'accompagner sur les quais, acheter des billets de bateau à son nom ou même offrir un pot-de-vin à un capitaine pour qu'il le prenne à son bord.

Dans les rues, la chaleur et la poussière se livraient un sourd combat. Une puanteur générale stagnait sur les hommes pris au piège sous la fumée des cheminées.

Pitt se dirigea rapidement vers le sud. Il devait trouver Isaac au plus vite. Passant devant un vendeur de journaux, il jeta un coup d'œil aux manchettes... toujours le même portrait mais, à présent, encadré par un gros titre : ON RECHERCHE... LE MEURTRIER DE LA SUCRIÈRE... au cas où quelqu'un aurait oublié son offense à la communauté. Le dessin semblait changer imperceptiblement à chaque nouvelle édition, ressemblant de plus en plus à Isaac.

Pitt accéléra l'allure au milieu des vendeurs ambulants, des charretiers et des mendiants ; à un coin de rue, un bonimenteur improvisait une chansonnette sur le meurtre de Sissons et ne faisait que brailler tout haut ce que tout le monde pensait tout bas : « L'usurier a réglé son compte au pauv' fautif. » Le sous-entendu était flagrant. Le mot « Juif » n'était pas prononcé mais la rime suggérée ne laissait aucun doute.

Arrivé à la maison de Heneagle Street, Pitt fonça droit dans la cuisine. Leah se tenait près du poêle. Une marmite mijotait sur le feu et l'odeur d'épices tranchait agréablement avec les relents du dehors. Isaac était debout à l'autre extrémité de la table avec deux sacs en tissu usé posés à terre près de lui.

Il se tourna d'un geste brusque dès que Pitt fit son entrée. L'épuisement creusait son regard. Inutile de lui demander s'il avait vu le portrait dans les journaux et s'il comprenait ce qu'il signifiait.

— Vous devez partir !

Pitt sentit la dureté de sa propre voix et s'en indigna. On était en Angleterre. Ces gens n'avaient rien fait ; un innocent n'aurait pas dû avoir à fuir devant la loi.

— Nous étions sur le point de le faire, répondit Isaac en enfilant sa vieille veste. Mais nous voulions vous attendre.

— Votre souper est sur le feu, ajouta Leah. Il y a du pain dans le garde-manger. Les chemises propres sont rangées dans l'armoire…

On cogna avec violence à la porte de la maison.

— Partez ! dit Pitt au désespoir.

Isaac prit Leah par le bras, la repoussant vers la fenêtre.

— Il y a du savon dans le placard, dit-elle à Pitt. Vous trouverez…

Un choc terrible ébranla la porte d'entrée.

— Saul aura de nos nouvelles, dit Isaac en ouvrant la fenêtre donnant sur l'arrière de la maison tandis que Pitt se dirigeait vers le couloir. Que Dieu soit avec vous !

Il aida Leah à franchir le rebord.

— Et avec vous, répondit Pitt.

Les coups sur la porte étaient si puissants qu'ils menaçaient de briser les gonds. Sans les regarder partir, il traversa le petit vestibule pour aller déverrouiller la porte au moment même où un dernier coup de butoir aurait à coup sûr fait éclater le chambranle.

Harper se tenait là, fulminant, toujours en compagnie de l'agent Jenkins qui, lui, semblait accablé.

— Quoi, encore toi ! Ah, tu commences à me plaire !

Harper repoussa brutalement Pitt pour se ruer dans la cuisine. Il la trouva vide. Perplexe, il fronça le nez en sentant les odeurs d'épices inhabituelles.

— Où sont-ils ? Où est Isaac Karansky ?

— Je ne sais pas, dit Pitt, feignant la surprise. Mrs. Karansky vient tout juste de sortir pour acheter quelque chose qu'elle avait oublié pour le dîner.

Il indiqua la marmite sur le feu.

Harper fit volte-face, frustré mais pas encore soupçonneux. Il inspecta la marmite, le repas à moitié préparé, l'ordre tout à fait ordinaire qui régnait dans la pièce. La meilleure veste d'Isaac était pendue à un crochet derrière la porte. Pitt remercia en silence la prudence née d'une longue fréquentation de l'oppression qui l'avait conduit à la laisser en dépit de sa valeur. Il dévisagea Harper avec une haine qu'il ne chercha même pas à masquer ; de toute manière, il en aurait été incapable. Elle le brûlait à l'intérieur comme s'il avait avalé de l'huile bouillante.

Harper tira une des chaises et s'assit.

— Eh bien, on va les attendre.

Pitt se tourna vers le poêle pour remuer le contenu de la marmite. Il n'aurait servi à rien de le laisser brûler et puis cela lui évitait de regarder Harper.

Jenkins se dandinait d'un pied sur l'autre, sans rien dire.

Les minutes passèrent lentement.

Pitt repoussa la marmite sur le rebord du poêle à l'écart du feu.

— Qu'est-elle allée chercher ? demanda soudain Harper.

— Je ne sais pas. Des épices, sans doute.

— Où est Karansky ?

— Je ne sais pas, répéta Pitt. Je viens à peine de rentrer.

Ils devaient sans doute savoir que c'était la vérité.

— Je te conseille de ne pas mentir, fit Harper.

Pitt continua à lui tourner le dos.

— Pourquoi mentirais-je ?

— Pour les protéger. Il t'a peut-être payé.

— Pour dire que Mrs. Karansky est sortie acheter des épices ? fit Pitt, incrédule.

Harper émit un bruit de dégoût.

Dix autres minutes passèrent.

— Tu mens ! explosa soudain Harper en se dressant d'un bond et en flanquant un coup de poing sur la table. Tu les as avertis et ils se sont enfuis ! Aide et assistance à un fugitif. Et complicité de meurtre, par-dessus le marché ! Ton compte est bon, mon gars.

Jenkins s'éclaircit la gorge.

— Chef, vous ne pouvez pas. On a aucune preuve.

— J'ai toutes les preuves qu'il me faut ! aboya Harper, jetant un regard malveillant à son subordonné. Et je vous conseille de ne pas interférer. Arrêtez-le, c'est un ordre !

Jenkins ne bougea pas.

— On a un mandat pour Karansky, monsieur. Pas pour lui.

— Vous n'avez pas besoin de mandat, Jenkins, vous avez mes ordres ! À moins que vous ne vouliez finir dans la même cellule que lui !

Secouant la tête, les mâchoires serrées, Jenkins annonça à Pitt qu'il était en état d'arrestation puis, sous le regard furibond de Harper, lui passa les menottes.

Ensuite, comme s'il s'agissait d'une tâche tout aussi essentielle, il enleva la marmite du feu et replaça soigneusement le couvercle au cas où Leah reviendrait, afin qu'elle ne trouve pas son repas gâché.

— Merci, lui dit Pitt.

Dehors, une douzaine d'hommes et de femmes les attendaient. Ils fixèrent les policiers avec une haine palpable mais sans oser intervenir. Pitt, Harper et Jenkins quittèrent Heneagle Street et effectuèrent à pied le kilomètre qui les séparait du poste de police. Pendant le trajet, aucun d'entre eux ne prononça le moindre mot.

Dans la rue, l'abattement était général. Sur les unes des journaux, accompagnant le portrait d'Isaac, les titres faisaient état d'une possible fermeture des usines.

Au poste, Pitt fut enfermé et abandonné dans une cellule.

Ce ne fut que plus de deux heures plus tard que Jenkins revint, tout sourire.

— Les fabriques ne vont pas fermer, après tout, annonça-t-il en pénétrant dans la cellule. Lord Randolph Churchill et certains de ses amis vont injecter de l'argent frais pour qu'elles continuent. C'est pas étonnant, ça ?

Pitt éprouva un immense soulagement accompagné d'une réelle surprise. Vespasia ! Elle avait dû trouver une parade.

— Et tu ferais mieux de rentrer, ajouta Jenkins toujours aussi souriant. Au cas où les Karansky reviendraient.

Pitt se leva.

— On ne les recherche plus ?

Il n'osait y croire.

— Oh que si ! Mais qui sait où ils peuvent bien être à cette heure ? Si ça se trouve, ils sont déjà en mer.

— Et l'inspecteur Harper est prêt à me libérer ?

Il n'avait aucun mal à imaginer la frustration de Harper. Le Cercle intérieur aurait été ravi de voir Pitt croupir quelques années en prison.

— Ah ça non, il est pas prêt du tout, fit Jenkins qui en frémissait de plaisir. Mais il a pas le choix parce que l'ordre est venu d'en haut. On lui a bien précisé qu'il avait intérêt à bien te traiter et te laisser partir. T'as des amis haut placés, on dirait. Tant mieux pour toi.

— Merci, dit Pitt, profondément perplexe tandis qu'il allait récupérer ses affaires avant sa libération.

Encore Vespasia ? C'était peu probable… elle ne possédait pas ce genre d'influence. Narraway, alors ? Non, il n'en avait pas le pouvoir et il ne devait même pas être au courant de son arrestation.

Il ne restait donc plus qu'une réponse plausible : l'autre camp. Les maçons… les responsables de la conspiration de Whitechapel. Soudain, sa liberté prenait un goût assez amer.

Il se secoua, refusant de se laisser abattre. Pour le moment, il allait rentrer à Heneagle Street manger le dîner de Leah puis, dès qu'il serait certain de ne plus être surveillé, il irait voir Saul et tenterait de collecter le plus d'argent possible pour Isaac et Leah.

— Ils sont forcément ici, quelque part, dit Juno, désespérée. J'en suis certaine ; Martin ne savait pas qu'il devait les détruire et Adinett n'en a pas eu le temps. De toute manière, il n'a rien emporté avec lui, je l'ai vu partir. Et quand il est revenu après la mort de Martin… ah, je suppose qu'il aurait pu prendre quelque chose à ce moment-là…

Elle s'interrompit. Elle faisait référence aux autres écrits de son mari qui, elle en était persuadée, comme Charlotte, étaient cachés quelque part dans la maison.

— Il n'aurait pas eu le temps de les chercher, raisonna Charlotte. Si Martin les lui avait montrés,

Adinett aurait dû les cacher pour les récupérer plus tard. Vous avez dit qu'il ne portait pas de sac, juste sa canne. Comment aurait-il pu transporter ces papiers ? Des feuilles volantes… à moins que votre mari ne les ait joints à un livre ?

Juno contempla les étagères de la bibliothèque autour d'elle.

— Je ne sais pas. Je ne sais pas vraiment ce que nous devons rechercher, sous quelle forme ces écrits sont rassemblés ; tout ce que je sais, c'est qu'ils existent. Il doit s'agir de plans détaillés. Ce n'étaient pas juste des rêveurs qui se rencontraient pour échanger des idées. Quand on veut réaliser quelque chose, on prévoit des actes très précis.

— Dans ce cas, s'il était royaliste, Adinett aurait sûrement voulu détruire ces plans, remarqua Charlotte, pensive, en contemplant à son tour les rangées de livres. Mais a-t-il eu une occasion de les chercher ?

— Rien ne semblait avoir été déplacé, répondit Juno. Hormis, bien sûr, les trois livres qui étaient par terre.

— J'imagine que la police a déjà effectué une fouille minutieuse. Si on avait caché quoi que ce soit derrière les livres, ils l'auraient trouvé.

— Nous pourrions quand même tous les retirer, suggéra Juno. Nous n'avons rien de mieux à faire. Enfin, moi, en tout cas.

— Moi non plus, dit aussitôt Charlotte. Je ne pense pas que votre mari les aurait cachés derrière les livres qu'il consultait régulièrement. Quelqu'un aurait pu remarquer quelque chose par hasard, une femme de ménage, par exemple.

— Vous avez raison. Si ces papiers sont quelque part, c'est sûrement là où personne d'autre ne regarderait. À condition qu'ils soient bien cachés derrière des livres.

— Ce n'est pas une excellente cachette, j'en conviens. Et s'ils se trouvaient à l'intérieur d'un livre, ils le gonfleraient de façon trop visible. Il doit s'agir d'une véritable liasse de documents et pas simplement d'une ou deux feuilles de papier.

— Et si…

Juno leva les yeux vers les étagères supérieures où étaient rangés les gros volumes de référence.

— Oui ? Quoi ? demanda Charlotte.

— Pourquoi pas vraiment *à l'intérieur* d'un livre… un ouvrage qu'on aurait évidé ? Je sais que cela tiendrait du vandalisme, mais ce serait une bonne cachette. Qui d'autre irait consulter ceux-là ?

Sur la dernière étagère près de la fenêtre, Juno désignait d'obscurs ouvrages sur les politiciens du XVIIIe siècle ainsi qu'une demi-douzaine de volumes de statistiques concernant le trafic maritime.

Charlotte fit aussitôt rouler le marchepied. Puis, tenant la rampe d'une main ferme et relevant ses jupes de l'autre, elle l'escalada.

— Attention ! lança Juno.

Charlotte s'arrêta, en équilibre précaire. Elle se retourna pour lui sourire. Juno avait pâli.

— Je suis désolée, s'excusa-t-elle. Je…

— Je comprends, dit vivement Charlotte.

Le marchepied était assez stable, mais le souvenir de la mort de Martin Fetters restait encore trop présent. Il était censé être tombé à l'endroit exact où elle se trouvait.

Charlotte chassa cette pensée. Tendant la main, elle s'empara du premier volume, un gros livre jaune très ancien traitant des voies de navigation. Pourquoi, au nom du ciel, avoir gardé un tel ouvrage ? À moins qu'on ne l'ait tout simplement oublié ? Il était très lourd. Elle le passa à Juno.

Celle-ci le feuilleta.

— Rien, dit-elle avec un effort pour masquer sa déception. Martin a dû l'acheter il y a plus de vingt ans.

Elle le posa à terre pour attendre le suivant.

Charlotte délogea l'un après l'autre tous les livres qui, après examen, vinrent former sur le sol des piles de plus en plus hautes.

Il fallut près de trois heures pour que, maculée de poussière et les bras douloureux, Juno reconnaisse enfin la défaite.

— Il n'y a rien là-dedans.

En sentant son abattement, Charlotte eut mal pour elle. Si seul le désir de savoir avait été en jeu, elle aurait peut-être elle aussi renoncé. Mais elle avait besoin de prouver au monde que Pitt avait eu raison à propos de John Adinett.

— Asseyons-nous un moment, suggéra-t-elle. Peut-être une tasse de thé ?

Elle descendit du marchepied et Juno lui tendit une main tremblante pour l'aider, tout en évitant son regard.

— Nous ferions mieux d'arrêter, dit alors Charlotte malgré elle mais déchirée par tant d'accablement. Peut-être n'y a-t-il rien à trouver, après tout. Nous nous sommes sans doute fait des idées.

— Non, dit calmement Juno, les yeux toujours baissés. Martin n'était pas ainsi. Je le connaissais bien.

Elle émit un petit rire douloureux.

— Du moins, je le connaissais en partie. Mais on ne peut cacher ou feindre certains traits de caractère. Et Martin a toujours fait en sorte que ses rêves se réalisent. C'était un romantique, j'en conviens, mais très méticuleux. Même pour une chose aussi triviale que me trouver des roses pour mon anniversaire, il était capable de prendre des dispositions extravagantes et ne s'accordait pas le moindre répit avant d'y être parvenu.

Elle ouvrit la porte de la bibliothèque.

Des roses pour un anniversaire ne semblaient pas un cadeau si extraordinaire. Charlotte se demanda pour quelle raison elle les mentionnait.

— Et il réussissait ?

— Oh oui. Cela lui prenait quatre ans.

Charlotte sursauta.

— Les roses poussent très facilement, murmura-t-elle. J'en ai dans mon jardin jusqu'à Noël.

Juno sourit. C'était un doux sourire au bord des larmes.

— Je suis née un 29 février. Il faut beaucoup d'ingéniosité pour trouver des roses à la fin février. Il insistait pour que je ne le célèbre que lors des années bissextiles, comme cela il pouvait m'offrir une fête qui durait quatre jours et me gâter effroyablement. Il était très généreux.

Une boule douloureuse se forma dans la gorge de Charlotte.

— Comment trouvait-il les fleurs ? demanda-t-elle d'une voix enrouée.

— Il avait découvert un jardinier en Espagne qui se débrouillait pour les faire éclore et qui les envoyait par bateau quand elles étaient encore en bouton. Elles tenaient à peine deux jours mais je ne les ai jamais oubliées.

— Aucune femme n'aurait pu.

— Nous avons vérifié pratiquement toute la bibliothèque, dit Juno comme pour changer de sujet. C'était une idée idiote, de toute manière. J'aurais dû m'en douter. Martin adorait les livres. Il n'en aurait jamais mis un seul à mal, même pour y cacher un secret. Il aurait trouvé un autre moyen. Quand ils étaient abîmés, il tenait à les réparer lui-même. Il était très doué. Je le revois, un livre endommagé à la main et me faisant la morale, m'expliquant comme il était barbare de le maltraiter, de casser le dos, de corner les pages, d'y faire des marques.

Elles descendaient les marches et Charlotte aperçut une bonne qui traversait le vestibule en contrebas. L'idée du thé la titillait. Elle avait la bouche affreusement sèche ; tous ces livres et cette poussière l'avaient déshydratée.

— Il lui arrivait même de refaire les reliures, poursuivait Juno. Dora, voulez-vous servir le thé dans le salon du jardin, s'il vous plaît ?

— Les reliures ? dit vivement Charlotte.

— Oui.

Charlotte s'immobilisa au pied des marches.

— Quoi ? demanda Juno.

— Nous n'avons pas prêté attention aux livres qu'il a reliés…

Juno comprit aussitôt. Elle écarquilla les yeux. Et n'hésita pas.

— Dora ! Attendez pour le thé. Je vous préviendrai ! Venez, dit-elle à Charlotte. Remontons. Oui, ce serait une cachette idéale.

Elles gravirent les marches à toute allure, jupes à la main pour ne pas trébucher.

Il leur fallut à peine une demi-heure pour le trouver : un petit ouvrage sur l'économie troyenne, relié à la main d'un discret cuir noir avec lettrage doré.

Côte à côte, elles lurent une page au hasard.

La preuve du prêt aura, bien évidemment, été disposée avec soin. Il y sera fait référence dans la lettre que l'on trouvera à sa mort. Dès que la nouvelle éclatera, le journaliste se verra fournir la dernière pièce manquante sur l'affaire Whitechapel.

Cette conjonction devrait suffire à tout déclencher.

Juno consulta Charlotte du regard, l'air interrogateur.

Celle-ci réfléchissait à toute allure. Elle n'en comprenait qu'une partie mais l'allusion à Remus sautait aux yeux.

— Il savait par avance que quelqu'un allait mourir, dit lentement Juno. Ceci fait partie du plan destiné à renverser le gouvernement, n'est-ce pas ?

Par cette question, elle mettait Charlotte au défi de lui offrir un mensonge réconfortant.

— Il semble bien, oui, acquiesça celle-ci.

Juno ne dit rien. Elle tendit le livre d'une main tremblante, préférant laisser à Charlotte le soin de tourner les pages.

La suivante contenait les chiffres des morts et des blessés au cours des différentes révolutions sur le continent en 1848. À partir de ces éléments étaient projetées des estimations sur le nombre de victimes probables à Londres et dans diverses autres villes majeures d'Angleterre au cours des événements futurs. Ce qui ne laissait plus le moindre doute possible quant à la signification du document.

Juno était pâle comme un linge, ses yeux semblaient peu à peu s'enfoncer dans leurs orbites.

Elles ne firent que jeter un coup d'œil à la douzaine de feuilles qui contenaient des plans de redistribution des richesses et des terres confisquées aux aristocrates et aux nantis.

La dernière feuille présentait un modèle de Constitution pour le nouvel État : celui-ci serait dirigé par un président responsable devant un Sénat, à la manière de l'antique république romaine. Elle n'était pas rédigée de façon formelle mais plutôt comme une série de suggestions. L'identité du premier président semblait pourtant déjà connue. Le rédacteur faisait aussi référence aux grands idéalistes du siècle, en particulier à Mazzini et à Mario Corena, le visionnaire qui avait si magnifiquement échoué à Rome. Mais le maître du complot n'avait pas pour seule ambition d'accomplir un idéal : il comptait bien gouverner lui-même l'Angleterre.

Charlotte n'eut pas besoin de demander si Martin Fetters avait rédigé tout cela ; elle savait que non. Les écritures ne présentaient pas la moindre ressemblance, celle de Fetters était ample, fluide, un peu brouillonne, comme si son enthousiasme précédait sa main. Celle-ci était précise, un peu inclinée, sans espace entre les phrases, les capitales à peine plus grandes que les autres lettres.

Elle leva les yeux vers Juno. Elle essayait d'imaginer ce qu'elle aurait ressenti si elle avait trouvé cela parmi les papiers de Pitt. C'était un manifeste passionné, idéaliste, arbitraire et atroce. Tout ce qui était proposé reposait sur une tromperie : ces gens visaient à attiser le mécontentement général par des mensonges ; pas une seule fois, ils n'envisageaient de consulter le peuple.

Juno était horrifiée, et sa stupeur et son chagrin éclipsaient la douleur de son deuil.

— Je me trompais, murmura-t-elle. Je ne le connaissais pas du tout. Ceci est monstrueux. Il... il a perdu son idéalisme, sa générosité. Je ne comprends pas comment il a pu changer à ce point. Il haïssait et méprisait la tyrannie sous toutes ses formes. J'imagine qu'il pensait agir pour le bien de tous mais, à lire ce qui est écrit ici, il n'envisageait même pas de nous demander si nous voulions d'une république ou bien si nous étions prêts à mourir pour elle. Il a décidé à notre place. Je ne vois là aucune liberté, mais simplement une autre forme de tyrannie.

C'était l'exacte vérité et Charlotte ne trouvait aucun mot pour la réconforter. Ce plan était d'une ultime arrogance, d'un despotisme absolu, quels que soient les idéaux qu'il prétendait défendre.

Au bout d'un très long silence, Juno chassa ses larmes d'un geste décidé.

— Merci d'avoir été là avec moi, finit-elle par dire.

— Et si nous allions prendre ce thé, maintenant ? J'ai l'impression d'avoir mâché du papier.

Juno esquissa un demi-sourire et acquiesça. Elles descendirent et, moins de cinq minutes plus tard, Dora apportait un plateau. Ni l'une ni l'autre ne parlait. Elles semblaient ne rien avoir à dire. Finalement, Juno reposa sa tasse et se leva pour se poster devant la fenêtre. Elle contempla le petit bout de pelouse illuminé de soleil.

— Je me sentais mal à l'aise avec John Adinett, commença-t-elle d'un ton étrangement résolu. Et je l'ai haï parce qu'il avait tué Martin. Dieu me pardonne, mais j'ai même éprouvé de la joie quand ils l'ont pendu.

Son corps était comme figé, les épaules raides, les muscles tétanisés.

— Maintenant je comprends pourquoi il s'est senti obligé d'agir ainsi… Je crois que je devrais révéler la vérité… cela ne fera pas revenir Adinett mais au moins son nom sera lavé.

Charlotte n'était pas aussi sûre de ses propres sentiments. Qu'en serait-il pour Pitt ? D'une certaine façon, le crime d'Adinett paraissait désormais justifiable ou au moins compréhensible. Si on avait su au cours du procès les raisons de son geste, il n'aurait jamais été condamné à mort. Certains auraient même blâmé Pitt d'avoir cherché à le confondre.

Mais Adinett avait refusé de donner la moindre explication. Qui aurait pu deviner ? Même Gleave n'avait rien dit. Sans doute parce qu'il ne savait pas. Puis elle se souvint de ses menaces à peine voilées quand il avait insisté auprès de Juno pour obtenir les écrits de Martin. Ces menaces n'avaient pas été proférées ouvertement mais elles avaient été bien réelles, glaçantes jusqu'aux os.

Donc, il savait ! Mais, en réalité, il était du côté de Fetters ! Pauvre Adinett... même son propre avocat le trahissait. Il n'avait eu personne vers qui se tourner, personne à qui se fier. Pas étonnant qu'il soit resté silencieux pour finalement aller à la mort sans rien tenter afin de se sauver. Dès son arrestation, il avait su qu'il n'avait plus aucune chance. Conscient qu'il risquait sa vie, il avait agi pour épargner à son pays une révolution sanglante. Son sacrifice méritait que la vérité soit proclamée.

— Oui, approuva-t-elle. Vous avez tout à fait raison. En tant qu'épouse du commissaire Pitt, j'aimerais être à vos côtés, si vous me le permettez.

Juno se retourna.

— Bien sûr. J'allais vous le demander.

— À qui parlerez-vous ?

— Je viens d'y réfléchir. À Charles Voisey. En tant que juge à la cour d'appel, il a fait partie de ceux qui ont statué sur cette affaire. Elle lui est donc familière. Je le connais un peu, à la différence des autres juges. Je vais tenter de le voir dès ce soir. Je veux agir au plus vite... Je... Il me serait très pénible d'attendre.

— Je comprends, dit aussitôt Charlotte. Je serai là.

— Je me rendrai chez lui en voiture à sept heures et demie, à moins qu'il soit dans l'impossibilité de nous recevoir. Je vous ferai prévenir, promit Juno.

Charlotte se leva.

— Je serai prête.

Elles arrivèrent à la demeure de Charles Voisey sur Cavendish Square un peu après huit heures et furent immédiatement introduites dans un splendide salon. Il était décoré dans un style des plus traditionnels, de teintes sombres et chaudes dans les rouges et ors ; l'originalité provenait de cuivres arabes, plateaux, jarres et vases dont la lumière ciselait les exquises gravures.

Voisey les reçut avec courtoisie, masquant sa curiosité devant cette visite inattendue. Dès qu'ils furent installés et les rafraîchissements offerts et refusés, il se tourna vers Juno.

— En quoi puis-je vous servir, Mrs. Fetters ?

Juno devait accepter le fait que Martin n'était pas l'homme qu'elle avait cru connaître et aimer pendant toutes les années de leur mariage. En parler à un étranger allait lui être difficile.

— Comme je vous l'ai laissé entendre par téléphone, commença-t-elle, assise très droite, j'ai découvert certains papiers de mon mari qui avaient échappé aux recherches de la police.

Voisey se raidit.

— Vraiment ? Je présume pourtant qu'elle avait effectué une fouille très minutieuse.

Ses yeux se tournèrent une fraction de seconde vers Charlotte. Celle-ci eut l'impression que l'échec de Pitt lui procurait un certain plaisir, et elle dut prendre sur elle-même pour ne pas le défendre.

Juno s'en chargea à sa place.

— Ils avaient été très habilement dissimulés. Mon mari les avait reliés pour leur donner l'apparence d'un livre banal. Il effectuait lui-même ses propres reliures. Et avec beaucoup de talent. À moins de passer en revue tous les ouvrages de la bibliothèque, il n'y avait aucun moyen de deviner leur présence.

— Et c'est ce que vous avez fait ? Vous les avez tous examinés ? s'étonna-t-il.

Elle afficha un maigre sourire.

— Je n'avais rien de mieux à faire.

Elle n'attendit pas la réaction de Voisey.

— J'avais besoin de savoir pourquoi John Adinett, que j'avais toujours cru son ami, l'avait tué. Maintenant je sais et j'estime qu'il est de mon devoir moral de le révéler. Il m'a semblé que vous étiez la personne la mieux placée.

Il ne broncha pas.

— Je vois. Et que disent ces papiers, Mrs. Fetters ? Je présume que vous êtes certaine qu'ils lui appartenaient ?

— Ils ne sont pas écrits de sa main mais il les a cachés dans sa propre bibliothèque, répondit-elle. Je ne vois pas à qui d'autre ils auraient pu appartenir. Ils comprennent des lettres et une sorte de mémorandum concernant une cause à laquelle il se dévouait sans aucun doute sans réserve. Je pense que John Adinett a dû les trouver lui aussi et que c'est pour cette raison qu'il l'a tué.

— Cela semble une mesure très… extrême.

À présent, Voisey ne prêtait plus la moindre attention à Charlotte et concentrait toute son attention sur Juno.

— Si ce qui se trouve dans ces papiers révoltait à ce point Adinett, pourquoi ne les a-t-il pas rendus publics ? demanda-t-il.

— Rendre cela public aurait pu provoquer une panique, et même encourager d'autres personnes de même orientation politique, répondit Juno. Cela aurait certainement causé une grande joie aux ennemis de l'Angleterre et, pourquoi pas, leur aurait suggéré des moyens de s'en prendre à nous.

Voisey la fixait avec une tension croissante. Sa voix se durcit.

— Et pourquoi, selon vous, a-t-il jugé préférable de ne pas s'adresser aux autorités concernées, même de façon discrète ?

— Parce qu'il ignorait qui d'autre était impliqué, répondit Juno. Voyez-vous, il s'agit d'une vaste conspiration…

Il haussa les sourcils. Ses doigts se nouèrent.

— Une conspiration ? Dans quel but, Mrs. Fetters ?

— Dans le but de renverser le gouvernement, Mr. Voisey, répondit-elle d'une voix étonnamment calme. En ayant recours à la violence… Disons, pour résumer, que ces hommes visaient à provoquer une révolution afin d'abattre la monarchie et la remplacer par une république.

Il resta très longtemps silencieux, comme s'il était abasourdi et ne parvenait pas à la croire.

— En êtes-vous… certaine, Mrs. Fetters ? N'auriez-vous pu vous méprendre ? Ces écrits concernent peut-être un autre pays…

— Croyez-moi, le coupa-t-elle, j'aurais souhaité que cela soit le cas.

Son émotion était visible.

Voisey se tourna vers Charlotte.

Elle croisa son regard et ce qu'elle y vit la remplit de stupeur : une extraordinaire froideur, pour ne pas dire une haine violente à son encontre. C'était incompréhensible. Elle n'avait jamais rencontré cet homme et ne lui avait certes jamais fait aucun mal.

Il s'adressa à elle, d'une voix sèche.

— Avez-vous lu ces papiers, Mrs. Pitt ?

— Oui.

— Et y voyez-vous, vous aussi, des préparatifs pour une révolution ?

— Oui, j'en ai peur.

— N'est-il pas extraordinaire que votre mari ne les ait pas trouvés ?

Devant son mépris affiché, elle comprit que c'était à Pitt qu'il en voulait si terriblement.

— J'imagine qu'il ne pouvait envisager à ce moment-là l'idée d'une conspiration visant la monarchie, le défendit-elle. L'enquête aurait sans doute été plus complète s'il avait pu découvrir le mobile de ce meurtre, mais ce n'était pas nécessaire. Par la suite, Adinett a choisi de monter à l'échafaud sans jamais tenter de se justifier… ce qui donne une idée de l'ampleur du complot. Il ne savait vers qui se tourner, à qui demander de l'aide, y compris pour sauver sa propre vie.

Le visage de Voisey était sombre ; ses yeux étincelaient.

Charlotte se demanda s'il se reprochait, en tant que juge d'appel, d'avoir condamné un homme qui se révélait à présent être à la fois héros et victime.

— Et se trompait-il, Mrs. Pitt ? demanda-t-il d'une voix douce, les mâchoires serrées. S'il avait avoué au commissaire les raisons qui l'avaient poussé à tuer Fetters, aurait-il trouvé auprès de lui aide et compréhension ?

Il ne formula pas l'autre moitié de la question.

— Si vous êtes en train de me demander si mon mari est un révolutionnaire, ou bien s'il aurait pu être de mèche avec ces...

Voyant son sourire, elle s'interrompit. Il n'était pas difficile de deviner ce qu'il pensait : Juno Fetters avait elle aussi cru en l'innocence de son mari... et elle s'était trompée.

— Je suis certaine qu'il aurait fait tout ce qui était en son pouvoir pour faire échouer cette conspiration, reprit-elle. Je vous accorde que lui non plus n'aurait pas su à qui se fier. Mais dans la mesure où Adinett n'a pas jugé bon de le prévenir, la question ne se pose pas.

Il se tourna à nouveau vers Juno et son expression changea, retrouvant un peu de compassion.

— Qu'avez-vous fait de ce livre, Mrs. Fetters ?

— Il est ici avec moi, dit-elle en le lui offrant. Je crois que nous devrions... que je devrais... faire en sorte que le nom de Mr. Adinett soit lavé de toute infamie afin qu'il ne passe pas à la postérité comme celui d'un homme qui a tué son ami sans raison. Je... je souhaiterais pouvoir m'en charger moi-même, pour le propre salut de mon mari, mais j'en suis incapable.

— En êtes-vous certaine ? demanda-t-il avec gentillesse sans se saisir du livre. Une fois que vous aurez placé cette preuve entre mes mains, je ne pourrai plus vous la rendre. Il me faudra agir. Êtes-vous sûre que vous ne préférez pas la détruire afin de préserver la réputation de votre mari : celle d'un homme qui a combattu, à sa manière, pour la liberté de tous ?

Il fixait Juno.

— À quoi cela servirait-il que le public apprenne l'existence de ce complot et de ces hommes ? poursuivit-il. Des hommes qu'il nous serait impossible de nommer et donc de poursuivre ; des hommes prêts à renverser notre monarchie et nos deux Chambres pour les remplacer par un président et un Sénat ? Ce sont là des idées étrangères à la plupart des gens qui ne les comprennent pas et qui se sentent en sécurité avec ce qu'ils connaissent malgré toutes les iniquités existantes. John Adinett a très bien pu garder le silence car il prévoyait les bouleversements que provoquerait une telle révélation et pas uniquement parce qu'il ne savait à qui se fier. Avez-vous songé à cela ?

— Non, dit Juno dans un murmure. Non, je n'y ai pas pensé… Je comprends ce que vous voulez dire. S'il a refusé de parler sur le moment, il préférerait peut-être continuer à garder le silence. C'était un grand homme… un très grand homme. Je comprends pourquoi sa perte vous affecte tant. Je suis désolée, Mr. Voisey… et j'ai honte.

Il esquissa un bref sourire empli de tristesse.

— Vous ne devriez pas, dit-il. Cette faute n'est pas la vôtre. Oui, c'était un grand homme et l'histoire lui rendra peut-être justice un jour mais, à mon sens, ce jour n'est pas encore venu.

Juno se leva pour se diriger vers la cheminée où, délibérément et sans la moindre hésitation, elle jeta le livre dans les flammes.

— Je vous remercie de tout mon cœur pour vos conseils, Mr. Voisey.

Elle se tourna vers Charlotte.

Celle-ci se leva à son tour, un peu hébétée, essayant de remettre de l'ordre dans le chaos de ses pensées... mais, au cœur d'entre elles, gisait une certitude absolue : Charles Voisey faisait partie de la conspiration ! Il connaissait ces papiers mieux qu'elles ne les connaissaient elles-mêmes. Juno avait mentionné une révolution censée abattre la monarchie et instituer une république mais elle n'avait jamais parlé de la forme que prendrait celle-ci, elle n'avait jamais parlé de Sénat. Pas plus que de la chute des Chambres des lords et des communes.

— Mrs. Pitt...

La voix de Voisey la ramena au présent.

— Mr. Voisey, répondit-elle, tentant désespérément de masquer ses émotions.

Il la fixait, ses yeux inquisiteurs scrutant la moindre expression sur son visage. Devinait-il qu'elle l'avait percé à jour ?

— Vous avez sans doute raison, se força-t-elle à dire.

Qu'il s'imagine qu'elle était déçue de ne pas voir publier des documents qui auraient prouvé que Pitt avait bien arrêté l'assassin de Fetters. Pour l'heure, elles devaient fuir, s'éloigner de cet homme au plus vite. Rentrer chez elles, dans la sécurité de leurs foyers.

Mais quelle sécurité ? Martin Fetters avait été assassiné dans sa propre bibliothèque ! Il fallait convaincre Juno de quitter Londres sur-le-champ, d'aller se cacher quelque part à la campagne dans le plus complet anonymat. Il ne fallait pas qu'on puisse la retrouver.

— Je le pense, dit-il avec un petit sourire. Laver le nom d'Adinett causerait plus de mal que de bien en ce moment... et, ses actes le prouvent, il était prêt à consentir ce sacrifice pour le bien de son pays.

— Oui, je comprends.

Elle se dirigea vers la porte, s'obligeant à marcher d'un pas lent malgré une folle envie de se mettre à courir. Il ne devait se douter de rien. Il ne devait pas sentir sa peur. Dans un suprême effort, elle s'immobilisa pour lui permettre de la rejoindre avant qu'elle n'emboîte le pas à Juno.

Elle crut qu'elles n'atteindraient jamais la porte de la maison.

Juno s'arrêta pour saluer leur hôte et le remercier de ses conseils.

Enfin, elles se trouvèrent à bord du fiacre qui fila dans la nuit.

— Dieu soit loué ! fit Charlotte dans un souffle.

— Dieu soit loué ? répéta Juno avec lassitude et une pointe de déception.

— Il savait pour le Sénat ! Vous ne lui en aviez pas parlé.

Dans la pénombre, Juno la saisit soudain par le bras, si violemment que ses ongles s'enfoncèrent dans sa chair.

— Vous devez quitter Londres, ajouta Charlotte. Tout de suite. Dès ce soir. Il sait que vous avez lu ces documents. Ne dites à personne où vous allez. Envoyez un message à Lady Vespasia Cumming-Gould… surtout pas à moi !

— Oui, oui, fit Juno, terrifiée. Mon Dieu, dans quoi sommes-nous tombées ?

Elle ne lâcha pas le bras de Charlotte de tout le trajet.

CHAPITRE XIII

Vespasia se tenait dans le petit salon, contemplant par la fenêtre les roses jaunes épanouies à l'autre bout du jardin. Le moment était venu où elle ne pouvait plus éviter d'affronter la question qui la déchirait. Elle avait peur de déjà connaître la réponse mais elle avait toujours estimé que le courage est mère de toutes les vertus. Sans lui, pas d'intégrité ; sans courage, même l'amour ne pouvait survivre car l'amour est risque… et il finit toujours par faire mal.

Elle avait aimé Mario pendant la moitié d'un siècle. Cela lui avait apporté la joie la plus complète, la plus profonde, et la douleur la plus terrible qu'elle ait jamais connues… mais jamais la désillusion. Elle essayait de se persuader que ce ne serait pas le cas ce jour-là.

Elle n'avait toujours pas bougé quand la camériste vint annoncer Mrs. Pitt.

Pour une fois, Vespasia regretta cette visite.

— Faites-la entrer, dit-elle en se détournant des roses.

L'affaire devait être urgente pour que Charlotte vienne de si bonne heure. Elle venait à peine de terminer son petit déjeuner.

Dès qu'elle la vit, elle sut qu'elle ne s'était pas trompée. Pâle comme un linge, à l'exception de deux

taches rouges sur les joues comme si elle avait la fiè-
vre ou bien comme si elle avait couru, Charlotte se
lança dans son récit après avoir à peine esquissé un
geste de courtoisie.

— Bonjour. Je vous prie d'excuser cette visite si
matinale, mais hier Juno Fetters et moi avons découvert les papiers de Martin, ceux qu'il dissimulait. Il
comptait déclencher une révolution afin de renverser
non seulement le trône mais aussi le gouvernement…
et le Parlement. Tout ! Il voulait mettre en place un
Sénat et un président. Par la violence ! Il y avait même
des estimations quant au nombre de morts ainsi qu'une
ébauche de nouvelle Constitution.

— L'existence d'un tel plan ne me surprend pas
vraiment, répondit Vespasia. Je ne m'attendais cependant pas à ce que Martin Fetters fût impliqué dans un
complot entraînant des violences. Je le croyais enclin
aux réformes et non révolutionnaire. Le consentement
du peuple est au cœur de toute forme de gouvernement
honnête. Entendre une telle chose me navre.

Charlotte se tenait tout près d'elle, le regard douloureux.

— Moi aussi, dit-elle avec tristesse. Je ne le
connaissais que par ses écrits mais j'en étais venue à
beaucoup l'apprécier. Cela a été un coup terrible pour
Juno. L'homme qu'elle a aimé toute sa vie n'existait
pas vraiment.

— Asseyons-nous.

Vespasia indiqua deux fauteuils.

— J'imagine, reprit-elle, que vous comptez agir
d'une manière ou d'une autre.

— C'est déjà fait, dit Charlotte d'une voix rauque.
Juno a immédiatement compris que cette information
expliquait le mobile de John Adinett et pourquoi il ne
pouvait en parler à personne. Après tout, en qui aurait-
il pu avoir confiance ?

Vespasia attendit, de plus en plus mal à l'aise.

— Alors, elle a décidé, en conscience, de la révéler, conclut Charlotte.

— À qui ? demanda aussitôt Vespasia avec l'impression qu'un gouffre terrifiant s'ouvrait devant elle.

Comme dans un miroir, sa peur se reflétait sur le visage de Charlotte.

— À Charles Voisey. Nous sommes allées le trouver hier soir. Elle lui a dit l'essentiel de ce qui était dans ces papiers mais pas tout.

— Je vois…

— Non !

Charlotte était blême à présent, les yeux écarquillés.

— Non, vous ne voyez pas… Avant notre départ, il est parvenu à persuader Juno de détruire le document, sous prétexte que révéler cette conspiration pourrait provoquer des troubles. Et cela paraissait sensé sur le moment, poursuivit-elle. Mais dans la chaleur de la discussion, il a mentionné des détails dont nous ne lui avions pas parlé ! Tante Vespasia, il fait partie du Cercle intérieur ! Je pense même qu'il en est le chef. Ils ne confieraient jamais des informations aussi essentielles à un membre d'un rang subalterne. Ce n'est pas leur mode de fonctionnement. Ils sont divisés en petits groupes qui ne peuvent se trahir car chacun ignore l'existence des autres.

— Oui…

L'esprit de Vespasia fonctionnait à toute allure. Ce que Charlotte venait de lui dire semblait terriblement fondé. Charles Voisey serait l'homme idéal, celui qui apparaîtrait à point nommé pour prendre les rênes d'une Angleterre en pleine insurrection. En tant que juge d'appel, il servait son pays depuis si longtemps : il était celui qui rendait la justice, qui annulait les verdicts erronés, sans jamais favoriser le moindre intérêt, qu'il soit personnel ou partisan. Il possédait un vaste cercle d'amis et de collègues, mais s'était toujours tenu à l'écart de toute controverse politique, si bien qu'il n'était pas associé dans l'esprit du public à quelque faction que ce soit.

Tout cela rendait les affirmations de Charlotte parfaitement crédibles. Par ailleurs, d'autres détails prenaient tout leur sens, des bouts de conversations qu'elle avait surpris, des choses que Pitt lui avait dites, certaines paroles de Randolph Churchill.

D'autres éléments lui vinrent à l'esprit et l'infime lambeau de doute auquel elle s'accrochait encore s'évanouit enfin.

— Tante Vespasia… dit Charlotte en se penchant vers elle.

— Oui, répéta celle-ci. Ce que vous dites est vrai pour l'essentiel. Mais il me semble que vous avez mal interprété un élément et si vous étiez en mesure d'en parler à Mrs. Fetters, cela serait pour elle un immense réconfort. Mais d'abord, nous devons veiller à sa sauvegarde. Si elle détient encore ces documents, je crains qu'ils ne la laissent plus en paix.

— Elle ne les a plus, dit Charlotte. Elle les a brûlés sous les yeux de Voisey dans sa propre cheminée. Mais qu'ai-je mal interprété ?

Vespasia soupira.

— Si Adinett a subitement appris l'existence de ces documents et la part que prenait Martin Fetters dans un complot révolutionnaire et si cela s'est passé ce jour-là dans la bibliothèque, pourquoi ne les a-t-il pas emportés avec lui ?

— Il ne savait pas où les trouver et il n'avait pas le temps de chercher. Ils étaient très bien dissimulés. Martin les avait reliés de façon à leur donner l'apparence d'un livre et…

Soudain, Charlotte ouvrit de grands yeux.

— Oh… oui, mais bien sûr. S'il avait vu ce livre, il savait donc où le trouver. Il l'aurait sûrement pris.

— De qui était l'écriture de ces notes dans le livre ?

— Je n'en ai aucune idée. De deux ou trois mains différentes, il me semble. Vous suggérez que ces documents n'appartenaient pas à Martin ?

— Il est probable que l'une de ces mains était celle d'Adinett, répondit Vespasia. Quant aux autres, je pencherais pour Voisey et pourquoi pas Reginald Gleave. Selon moi, Fetters a été le seul à ne rien écrire.

— Mais il a lui-même relié ces notes pour les déguiser en livre ! protesta Charlotte. Et il était républicain. Il n'a jamais prétendu le contraire !

— Beaucoup de gens sont républicains, répliqua calmement Vespasia. Mais la plupart ne cherchent pas à provoquer une révolution en utilisant la violence et la mystification. Bien sûr, ils croient profondément en leur cause et tentent de la faire partager par la raison ou la passion… ou les deux. Si, comme je le pense, c'était le cas de Martin Fetters et s'il avait découvert que les intentions de ses compagnons étaient beaucoup plus radicales, ceux-ci ont à coup sûr voulu le réduire au silence…

— Et Adinett s'en est chargé, conclut Charlotte. Je comprends maintenant pourquoi Voisey hait Thomas à ce point : il a fait preuve d'une telle persévérance pour prouver la culpabilité d'Adinett et il l'a plus ou moins placé dans une situation où il a dû lui-même rejeter son appel. Trois autres juges ayant déjà voté contre, s'il avait soutenu son complice, il se serait découvert sans pour autant le sauver. Quelle ironie ! fit-elle avec amertume.

Mais son expression s'adoucit.

— Je suis heureuse que Martin Fetters n'y ait pas été mêlé. Pour Juno, ce sera un tel soulagement… Que pouvons-nous faire pour elle ? Elle court un grand danger.

— Je vais y réfléchir, répondit Vespasia.

Elle avait dit cela d'un air étrangement absent.

Surprise, Charlotte l'étudia avec attention.

Vespasia semblait ailleurs, comme égarée dans un rêve éveillé. À l'évidence, elle n'était pas prête à le partager et peut-être ne le serait-elle jamais. L'étoffe des êtres ne peut pas toujours se tisser avec des mots[1].

Elle se leva. Charlotte l'imita aussitôt, comprenant qu'il était temps de partir.

— Thomas est venu me voir hier, annonça alors Vespasia. Il allait bien…

Elle vit le soulagement inonder le visage de Charlotte.

— Je pense qu'on s'occupe bien de lui là-bas à Spitalfields. Ses vêtements étaient propres et raccommodés. Merci d'être venue, ma chère. Je vais réfléchir très soigneusement à tout ce que vous m'avez dit. Si Charles Voisey est bien le chef du Cercle intérieur et si John Adinett était son lieutenant, nous tenons l'explication de ce qui est arrivé à Martin Fetters. Thomas avait donc raison. Je verrai ce que je peux faire pour aider Mrs. Fetters.

Charlotte lui donna un baiser léger sur la joue avant de la quitter.

Maintenant, Vespasia devait agir. La dette du prince de Galles était un faux : elle le savait grâce à la reconnaissance que Pitt lui avait donnée. C'était une contrefaçon – excellente, d'ailleurs –, mais qui n'aurait jamais tenu devant une cour. Sa seule utilité était de convaincre ceux qui avaient peur et faim, ceux qui allaient perdre leur emploi dans les fabriques en raison de la prodigalité princière. Une fois que les émeutes auraient éclaté ni les mensonges ni la vérité n'auraient plus la moindre importance.

S'ajouterait à cela la publication de l'article de Lyndon Remus sur le duc de Clarence et les meurtres de

---

1. Allusion à Shakespeare, *La Tempête* : « *This is the stuff dreams are made of…* » : Ceci est l'étoffe dont sont faits les rêves. (*N.d. T.*)

Whitechapel, que cela fût vrai ou pas. Les émeutes se transformeraient en révolution. Le Cercle intérieur manipulerait l'opinion jusqu'à ce que vienne pour lui le moment d'avancer au grand jour et de prendre le pouvoir.

Elle repensa à Mario Corena lors de la soirée à l'Opéra. Quand elle avait dit à quel point elle trouvait Sissons ennuyeux, il lui avait répondu qu'elle se trompait sur son compte, qu'il méritait d'être jugé selon son cœur comme s'il le connaissait personnellement.

Et elle repensa aussi à la description faite par Pitt de l'homme qu'il avait vu quitter l'usine – âgé, les cheveux sombres, grisonnants, le teint mat et portant une chevalière avec une pierre noire. La police avait pensé à un Juif. Elle se trompait : il s'agissait d'un Italien, d'un républicain fervent.

Leur rencontre à Rome datait de près de quarante-cinq ans. À l'époque, jamais il n'aurait commis un assassinat. Mais une vie s'était écoulée depuis cet été-là, deux vies même, celle de Mario et celle de Vespasia. Les gens changeaient. La déception et la désillusion pouvaient ronger même le cœur le plus fort. Un espoir trop longtemps différé pouvait se muer en amertume.

Elle se vêtit de gris argent, une exquise soie moirée, et choisit un de ses chapeaux préférés. Elle avait toujours été superbe dans l'adversité. Puis elle envoya chercher son attelage et donna au cocher l'adresse où résidait Mario Corena.

Il la reçut avec surprise et plaisir. Leur prochain rendez-vous n'était prévu que le lendemain.

— Vespasia !

Ses yeux burent son visage, l'élégance de sa robe et, plus encore, celle de son maintien. Le chapeau le fit sourire mais, comme toujours, il s'abstint de tout commentaire sur son apparence ; son appréciation se lisait dans son regard. Puis il la dévisagea plus attentivement et la joie quitta son expression.

— Qu'y a-t-il ? demanda-t-il avec calme. Ne me dites pas que ce n'est rien. Je le vois.

Le temps des faux-semblants était depuis longtemps derrière eux. Une part d'elle souhaitait tant rester là dans cette jolie pièce avec sa vue sur l'élégante place, les arbres frissonnant dans la brise d'été, les reflets dorés du soleil caressant la vitre. Elle pouvait être proche de lui, permettre au sentiment de plénitude qu'elle éprouvait toujours en sa compagnie de la posséder. Mais, inévitablement, ce moment prendrait fin. Il faudrait affronter la vérité.

Elle le regarda dans les yeux. Pendant un instant, sa résolution se lézarda. Il n'avait pas changé. Les années avaient fatigué leurs corps, marqué leurs traits, mais leurs cœurs portaient toujours la même passion, le même espoir, la même volonté de se battre et de se sacrifier, d'aimer et d'accepter la douleur.

Elle cligna des paupières.

— Mario, la police va arrêter Isaac Karansky, ou un autre Juif innocent, pour le meurtre de James Sissons. Je ne puis le permettre. Je vous en prie, ne me dites pas que le sacrifice d'un seul bénéficiera au plus grand nombre. Si nous permettons qu'un innocent soit pendu et que son épouse se retrouve seule, à l'abandon, alors notre justice n'est qu'une parodie. Qu'aurons-nous à offrir pour ce nouvel ordre que nous voulons créer ? Si nous utilisons nos armes pour faire le mal, nous leur enlevons le pouvoir de faire le bien. Nous nous joignons à nos ennemis. Je pensais que vous le saviez…

Il la fixait, silencieux, le regard voilé.

Elle attendit qu'il réponde, la douleur en elle gonflant comme pour exploser.

Il respira très longuement, très profondément.

— Je le sais, ma chère. Peut-être ai-je oublié un moment qui au juste était l'ennemi.

Il baissa les yeux.

— Sissons allait donner sa vie pour la cause de la liberté. Il savait qu'en prêtant de l'argent au prince de Galles, il ne lui serait jamais remboursé. Il voulait dénoncer ce parasite égoïste, sachant que cela coûterait leur emploi à beaucoup d'hommes, mais il était prêt à le payer de sa vie.

Il la regarda à nouveau, le regard étincelant.

— Mais, au dernier moment, ses nerfs l'ont trahi. Il n'était pas le héros qu'il aurait voulu être, qu'il souhaitait être. Alors, oui… je l'ai tué. Cela a été rapide, propre, sans peur ni douleur. Il n'a su qu'une fraction de seconde ce que j'allais faire et ça a été terminé. Mais j'ai laissé la note rédigée de sa main disant que c'était un suicide ainsi que la reconnaissance de dette du prince. La police les a forcément dissimulées. Je ne comprends pas comment cela a pu se produire. Nous aurions dû avoir notre propre homme sur place qui aurait fait en sorte que la thèse du suicide devienne officielle et qu'aucun malheureux ne soit accusé à tort.

La confusion se lisait sur ses traits, la confusion et… le malheur.

— Votre homme a essayé, reconnut Vespasia. Mais il est arrivé trop tard. Quelqu'un d'autre avait déjà découvert le corps de Sissons et, n'ignorant pas que cela allait provoquer des émeutes, avait détruit la lettre. Voyez-vous, cela n'aurait pas pu être pris pour un suicide, car James Sissons n'avait plus l'usage de sa main droite.

Elle croisa à nouveau son regard.

— Quant à la reconnaissance de dette, je l'ai vue. Ce n'était pas la signature du prince. La contrefaçon est excellente : elle devait juste servir dans le but que vous vous étiez fixé.

Il voulut parler mais s'arrêta. La compréhension envahit lentement ses traits, puis la douleur et enfin la rage. Il lui était inutile de clamer qu'il avait été trompé ; à le voir aussi dévasté, il était impossible d'en douter.

Une boule de feu brûlait la gorge de Vespasia. Elle l'aimait tant que cela la consumait tout entière ; mais si elle se rendait maintenant, si elle disait que cela ne comptait pas, que l'un et l'autre pourraient traverser cette épreuve, elle le perdrait... et plus encore, elle se perdrait elle-même.

La brûlure dans sa gorge lui monta aux yeux.

— J'ai une chose à réparer, murmura-t-il. Au revoir, Vespasia... Je vous dis au revoir, mais vous serez avec moi dans mon cœur partout où j'irai.

Il prit sa main et la porta à ses lèvres. Puis il quitta la pièce sans un regard derrière lui.

Gracie était fascinée par l'histoire du prince Eddy et d'Annie Crook. Elle imaginait la jeune fille, une fille ordinaire, pas beaucoup mieux que tant d'autres que Gracie elle-même avait connues dans les rues de son enfance... un peu plus propre sans doute, un peu plus éduquée peut-être mais, au fond, n'attendant de la vie qu'une longue et monotone succession de journées laborieuses dont le sommet serait un mariage suivi d'encore plus de travail.

Et puis, un jour, un timide et charmant jeune homme lui avait été présenté. Elle avait vite dû comprendre que c'était un gentleman, mais de là à imaginer qu'il était prince, sûrement pas. En plus, il était différent des autres, isolé dans sa surdité. Ils avaient chacun trouvé quelque chose en l'autre, peut-être une compagnie que ni l'un ni l'autre n'avait jamais connue ailleurs. Ils étaient tombés amoureux.

D'un amour impossible.

Pas un seul instant, ils n'auraient pu imaginer l'horreur qui les accablerait.

Le souvenir de Mitre Square ne cessait de hanter Gracie, quand elle avait vu le visage de Remus à la lumière du bec de gaz et compris ce qu'il était venu chercher. Son cœur s'affolait encore quand elle y repensait, même là dans la cuisine de Keppel Street, buvant son thé à quatre heures de l'après-midi et essayant de choisir des légumes pour le dîner.

Daniel et Jemima étaient à nouveau sortis avec Emily. Celle-ci passait beaucoup de temps avec eux depuis le départ de Pitt. Du coup, elle remontait grandement dans l'estime de Gracie qui jusqu'alors la considérait comme une jeune femme un peu gâtée. Mais c'était la sœur de Charlotte et elle était contente de s'être trompée.

Elle fixait toujours les rangées d'assiettes bleu et blanc sur le vaisselier quand un coup frappé à la porte la ramena au présent.

C'était Tellman. Plus anxieux et fatigué que jamais. Le col de sa chemise était aussi serré et impeccable que d'ordinaire mais ses cheveux retombaient en avant comme s'il ne s'était pas préoccupé de les brosser comme à son habitude et cela devait bien faire une semaine qu'il n'était pas passé chez le barbier.

Elle ne prit pas la peine de lui demander s'il voulait une tasse de thé et le servit.

Sans un mot, il hocha la tête avant de s'asseoir face à elle et but une longue gorgée.

— J'ai réfléchi, dit-il enfin, l'observant par-dessus le rebord de sa tasse.

— Oui ?

Il était inquiet, serrant la tasse comme le manche d'un marteau.

— Vous avez appris qu'on a tué le patron des fabriques de sucre de Spitalfields, Sissons ?

— J'en ai entendu parler. Ils ont dit que les usines allaient fermer, puis que le prince de Galles, lord Randolph Churchill et quelques-uns de leurs amis allaient mettre assez d'argent pour qu'elles continuent au moins quelques semaines.

— Oui. Ils disent aussi que c'est un Juif qui a fait ça… qui l'a tué, parce qu'il avait emprunté de l'argent et ne pouvait pas rembourser.

Elle eut un geste d'ignorance. Elle ne savait rien à ce sujet.

— Je crois que ceci était censé se produire au moment même où Remus aurait trouvé les derniers éléments sur les meurtres de Whitechapel. Sauf qu'ils ne les lui ont pas donnés parce que l'affaire de la fabrique de sucre a mal tourné pour eux.

Il l'observait toujours, attendant sa réaction.

Elle était un peu perdue, n'étant pas sûre de comprendre.

— Je suis retourné voir Mr. Pitt, reprit-il. Mais il n'était pas là. En fait, ils cherchent à accuser Isaac Karansky, l'homme chez qui il loge, du meurtre de Sissons.

— Vous croyez que c'est lui ? demanda-t-elle, imaginant à quel point cela devait chagriner Mr. Pitt.

Elle avait souvent constaté combien il était touché quand quelqu'un qu'il connaissait se révélait coupable d'un acte horrible.

— Je ne sais pas.

Il semblait désorienté. Il y avait autre chose dans ses yeux, une ombre, un trouble. Comme s'il avait peur. Peur de quelque chose contre quoi il ne pouvait rien.

À nouveau, elle attendit.

— Ce n'est pas cela, dit-il soudain en reposant sa tasse vide. C'est Remus. J'ai peur pour lui, Gracie. Et s'il avait raison et que tout cela soit vrai ? Ces gens n'ont pas hésité à éventrer cinq femmes, sans parler de ce qu'ils ont dû faire à Annie Crook et à l'enfant.

— Et au pauvre prince Eddy, ajouta-t-elle. Vous pensez qu'il a eu une mort naturelle ?

Il écarquilla les yeux une fraction de seconde et pâlit encore un peu plus.

— Ne dites pas cela, Gracie ! N'y pensez même pas ! Vous m'entendez ?

— Oui, j'entends. Mais vous avez peur vous aussi et me dites pas le contraire.

Ce n'était pas une accusation. Seul un idiot n'aurait pas eu peur.

— Donc, vous avez peur pour Remus ? reprit-elle.

— Ils n'hésiteront pas à le tuer.

— S'il a raison, oui. Mais s'il a tort ? Et si ça n'avait rien à voir avec le prince Eddy ? Et si c'était le Cercle qui a inventé tout ça ?

— Cela ne changerait rien, répondit-il. Après l'avoir utilisé, ils se débarrasseront de lui.

— Bon, qu'est-ce qu'on fait, alors ? demanda-t-elle simplement.

— Vous n'allez rien faire du tout, répondit-il d'un ton sec. Vous allez rester ici et fermer votre porte à double tour.

Il pivota sur sa chaise.

— Cette porte aurait dû être verrouillée.

— À quatre heures et demie de l'après-midi ? fit-elle, incrédule.

Il s'empourpra légèrement et évita son regard.

Elle se surprit à sourire et essaya de le masquer sans y parvenir. Il avait peur pour elle et cela le rendait trop protecteur. Maintenant, il était gêné car il avait été percé à jour.

Il leva les yeux et vit son sourire. Pour une fois, il l'interpréta comme il fallait et du rose il vira au rouge. Au début, elle crut que c'était de colère ; puis elle lut dans ses yeux le plaisir. Comme lui, elle s'était trahie. Oh, et puis zut… elle n'allait pas faire semblant jusqu'à la fin des temps.

— Alors, qu'est-ce qu'on va faire ? répéta-t-elle. Il faut le prévenir. C'est le seul moyen.

— Il ne m'écoutera pas, dit-il avec lassitude. Il croit tenir l'article du siècle. Il n'abandonnera jamais quoi qu'il puisse lui arriver. Il est obsédé par cette histoire.

Elle se souvint du regard fou de Remus, de son horreur et de son excitation mêlées quand il s'était retrouvé dans Mitre Square. Tellman avait raison.

— Il faut quand même essayer, dit-elle en se penchant au-dessus de la table. Il a peur, lui aussi. Laissez-moi venir avec vous. À nous deux, on arrivera peut-être à quelque chose.

Il parut dubitatif. Les rides se creusaient sur son visage. Il n'avait personne dans sa vie. Personne avec qui partager ses peurs ou sa culpabilité s'il arrivait quelque chose à Remus sans qu'il ait tenté quoi que ce soit pour le prévenir.

Gracie se leva.

— Je vais vous refaire un peu de thé. Ça vous dirait une poêlée aux choux et à la viande hachée ? Je crois même qu'il nous reste des oignons frais. Ça vous tente ?

— Vous êtes sûre ?

— Non ! dit-elle vertement. Je dis ça parce que j'ai rien d'autre à faire. Qu'est-ce que vous croyez ?

— Un jour, vous allez vous pendre toute seule avec une langue pareille, répondit-il.

— Je suis désolée, s'excusa-t-elle, sincère.

Elle ne savait pas pourquoi elle s'était emportée ainsi. Peut-être parce qu'elle voulait faire beaucoup plus pour le réconforter et qu'il n'était pas prêt à l'accepter.

Cette idée la fit rougir jusqu'aux cheveux et elle fila vers le garde-manger pour choisir les légumes. Elle garda le dos tourné pendant qu'elle émincait les oignons et les faisait frire avant d'ajouter les autres ingrédients qu'elle remua doucement jusqu'à ce qu'ils soient cuits à l'intérieur et croquants à l'extérieur. Elle versa le tout dans une assiette qu'elle posa devant lui. Puis elle remit la bouilloire sur le feu et lui prépara du thé frais.

Après quoi, elle s'assit enfin face à lui.

— Donc, on va aller voir Remus et lui dire que cette histoire est trop énorme pour lui ?

— Pas tout à fait, répondit-il, parlant, mâchant et essayant de sourire en même temps. J'y vais. Pas vous.

Elle ouvrit la bouche.

— Vous n'irez pas ! reprit-il rapidement. Inutile de discuter. C'est comme ça.

Elle poussa un gros soupir et ne dit rien.

Il reporta son attention sur son assiette. Le plat était chaud, croustillant et agréablement relevé grâce aux oignons. Il ne parut pas remarquer qu'elle avait renoncé avec un peu trop de facilité.

Quand il eut terminé, il la remercia avec une réelle admiration et traîna encore une dizaine de minutes avant de se décider à partir.

Ayant suivi Remus avec succès à travers Londres, Gracie pensait être assez douée en la matière. Bien sûr, Tellman, c'était une tout autre histoire, mais il ne s'attendait sûrement pas à ce qu'elle le prenne en filature et, en plus, elle savait où il se rendait : chez Remus. Après avoir griffonné en hâte un billet à l'orthographe très personnelle à l'intention de Charlotte pour lui expliquer où elle était partie, elle prit son chapeau et son manteau accrochés à la patère et sortit à son tour. Elle n'appréciait pas particulièrement Lyndon Remus mais elle ne voulait pas qu'il lui arrive quelque chose.

Elle aperçut Tellman qui descendait Keppel Street en direction de Tottenham Court Road. Il allait donc prendre l'omnibus. Ce qui posait un problème. Il n'était pas question d'embarquer à bord du même véhicule et, si elle attendait le suivant, elle arriverait au moins un quart d'heure après lui.

Mais elle savait où logeait Remus. Elle avait une bonne chance d'arriver là-bas à peu près en même temps que Tellman si elle empruntait le chemin de fer souterrain. Elle en serait quitte pour une bonne séance de frousse.

Elle se mit à courir dans la direction opposée. Avec un peu de chance, ça pouvait marcher. Et elle avait bien assez d'argent sur elle, au moins un shilling et deux pence.

Assise mais gardant néanmoins les deux mains crispées autour d'une barre, elle serra les dents pendant tout le trajet. Dès qu'elle arriva à destination, elle se rua hors de la rame, trotta sur le quai et gravit les marches deux à deux.

Il y avait beaucoup de monde dans la rue et il lui fallut un moment pour se repérer. Elle demanda son chemin à une petite vendeuse de muffins avant de repartir au pas de course.

Elle franchit le dernier coin de rue à toute allure et… fonça droit dans Tellman qui faillit se retrouver par terre.

Il poussa une bordée de jurons si hauts en couleur qu'elle en resta stupéfaite. Elle ne l'aurait jamais cru capable d'employer un vocabulaire d'une telle… richesse.

— C'est terrible ! fit-elle, éberluée.

Il devint écarlate. Et il était si embarrassé qu'il en oublia momentanément de lui ordonner de rentrer.

Elle redressa son chapeau.

— Donc, il est pas encore revenu, hein ?

Il s'éclaircit la gorge.

— Non. Pas encore.

— Faut attendre, alors, annonça-t-elle en détournant les yeux et en affichant une expression d'immense patience.

Il voulut discuter mais, avant même de prononcer le premier mot, il se résigna. Elle était là et, à moins de la traîner de force, il n'avait aucun moyen de la renvoyer chez elle.

Ils se tenaient côte à côte au coin de la rue, sur le trottoir opposé à l'entrée de l'immeuble de rapport où vivait Remus. Après cinq minutes de silence et quelques regards curieux des passants, Gracie décida de donner son avis.

— Si vous voulez pas qu'on se fasse remarquer, on ferait mieux de se causer. À rester plantés là comme ça, on dirait qu'on prépare un mauvais coup. Et si on dit rien, les gens vont même pas croire qu'on s'est disputés. Je connais personne qui boude pendant des heures.

— Je ne boude pas, dit-il aussitôt.

— Alors, parlez-moi.

— Je ne peux pas juste… parler.

— Si, vous pouvez.

— De quoi ?

— De n'importe quoi. Si vous pouviez aller n'importe où dans le monde, où vous iriez ? Si vous pouviez parler à un grand personnage historique, lequel vous choisiriez ? Qu'est-ce que vous lui diriez ?

Il la fixait avec de grands yeux.

— Eh bien ? insista-t-elle. Et me regardez pas avec cet air de hareng. Guettez Remus. C'est pour ça qu'on est là. Alors, qui vous voudriez rencontrer ?

Quelques taches de couleur revenaient sur les joues blafardes de Tellman.

— Et vous ? riposta-t-il.

— Florence Nightingale, répondit-elle aussitôt.

— Je savais que vous diriez ça, répondit-il. Mais elle n'est pas encore morte.

— Et alors ? C'est quand même un personnage historique. À vous.

— L'amiral Nelson.

— Pourquoi ?

— Parce que c'était un grand chef autant qu'un grand soldat. Il savait se faire aimer de ses hommes.

Elle sourit, satisfaite. Elle avait toujours pensé qu'on en apprenait beaucoup sur les gens à travers les héros qu'ils se choisissent.

Tout à coup, il la saisit par le bras.

— Voilà Remus ! Venez !

Il l'entraîna à toute allure derrière lui sur la chaussée, se faufilant dans la circulation.

— Remus ! appela Tellman.

Arrivé à sa porte, le journaliste se retourna, surpris. Dès qu'il reconnut l'inspecteur, son visage se durcit.

— Pas le temps de vous parler, marmonna-t-il.

Il voulut fermer le battant derrière lui mais Tellman glissa son pied dans l'entrebâillement.

— Vous êtes sourd ou quoi ? gronda Remus. Je n'ai rien à vous dire. Maintenant, fichez le camp d'ici !

Tellman se raidit comme pour se préparer à un coup et ne bougea pas d'un pouce.

— Si vous êtes toujours sur les meurtres de Whitechapel et ce qui arrivé à Annie Crook, vous feriez mieux d'abandonner. C'est beaucoup trop dangereux pour un homme seul…

— Et c'est encore plus dangereux d'en parler à un flic, rétorqua Remus. Vous devriez le savoir mieux que quiconque ! Et vous aussi, qui que vous soyez ! lança-t-il en se tournant vers Gracie.

— Je connais des gens dignes de confiance, dit Tellman d'une voix pressante. Parlez-leur. C'est votre unique chance.

Un rictus sardonique déforma les lèvres de Remus.

— Vous voulez que je parle à la police ? En commençant par vous, peut-être, c'est ça ?

Il émit un petit rire méprisant.

— Maintenant, enlevez votre pied. Je sais ce que je risque et c'est sûrement pas aux flics que j'irai faire des confidences.

Tellman chercha un argument et n'en trouva pas.

Gracie n'en avait aucun non plus. À la place de Remus, elle n'aurait fait confiance à personne.

— Eh bien, ouvrez l'œil, dit-elle. Vous savez ce qu'ils ont fait à ces femmes.

Remus lui sourit.

— Bien sûr que je sais. Je fais attention.

— Vous faites attention à rien du tout ! s'exclama-t-elle. Je vous ai suivi un peu partout dans Whitechapel, je vous ai même parlé, et vous vous êtes aperçu de rien. Vous me reconnaissez même pas maintenant. Je vous ai suivi à Mitre Square mais vous étiez trop obsédé par votre fichu article pour vous en rendre compte !

Remus pâlit. Il la fixa.

— Qui êtes-vous ? Pourquoi m'avez-vous suivi… si vous l'avez fait ?

Mais il y avait de la crainte dans sa voix. Il savait qu'elle disait vrai. Comment, sinon, aurait-elle su qu'il était allé à Mitre Square ?

— Ça compte pas qui je suis, répliqua-t-elle. Si je peux vous suivre, alors ils le peuvent, eux aussi ! Vous feriez mieux de l'écouter…

Elle désignait Tellman.

— Et de prendre des précautions, conclut-elle.

— D'accord, d'accord, je serai prudent ! Maintenant, allez-vous-en.

Il poussa une nouvelle fois la porte.

Tellman renonça à insister davantage : ils avaient fait tout leur possible. Il battit en retraite, et Gracie avec lui.

De retour au coin de la rue, il s'arrêta, la consultant du regard.

— Il est sur quelque chose, dit-elle d'un ton décidé. Et c'est pas parce qu'il est mort de trouille qu'il va s'arrêter.

— Je suis d'accord, dit Tellman à voix basse. Je vais le suivre, voir si je peux le protéger d'une manière ou d'une autre. Vous, vous rentrez à la maison…

— Non, je viens avec vous.

— Pas question !

— Je viens… avec ou derrière vous !

— Gracie…

Mais, à cet instant, la porte de la maison de Remus se rouvrit et il apparut ; il regarda de part et d'autre et, arrivant, semblait-il, à la conclusion qu'ils étaient partis, se mit en marche. Ils n'avaient plus le temps de se disputer. Ils le suivirent.

La filature se déroula sans le moindre problème pendant près de deux heures, d'abord du côté de Belgravia, avant qu'il ne reparte vers l'est et le sud, traversant la Tamise et longeant les quais tout près de la Tour de Londres. Finalement, ils le perdirent alors qu'il semblait se diriger à nouveau vers l'est. Le crépuscule tombait.

Frustré, Tellman poussa un juron mais en prenant soin cette fois de modérer son langage.

— Il l'a fait exprès, dit-il avec fureur. Il a dû nous repérer. On a été stupides !

— Peut-être aussi qu'il se doutait qu'on le suivrait, fit remarquer Gracie. Ou peut-être que c'était pas nous qu'il cherchait à semer. Peut-être qu'il était juste prudent, comme on le lui a dit.

Les yeux plissés, Tellman fixait la rue dans la direction sans doute prise par Remus.

— On l'a quand même perdu. Et on dirait bien qu'il retourne vers Whitechapel !

La lumière déclinait rapidement. L'allumeur de réverbères commençait son travail et il se dépêchait.

— Nous ne le retrouverons jamais là-dedans.

Tellman évoquait la circulation autour d'eux. C'était l'heure où tout le monde semblait pressé de rentrer chez soi. Le vacarme était assourdissant, raclements des roues et coups sourds des sabots sur les pavés se mêlant aux cris des cochers et aux hennissements des chevaux. On n'y voyait pas à cinquante mètres dans cette pénombre et cette masse grouillante de gens, de bêtes et d'attelages.

Gracie était déçue et abattue. Ses pieds la torturaient et elle avait faim mais elle redoutait surtout que Remus n'ait pas vraiment saisi l'imminence du danger.

— Venez, Gracie, lui dit Tellman avec gentillesse. On ne peut rien faire de plus maintenant. Allons manger quelque chose. Et nous asseoir un moment.

Il fit un geste vers un pub tout proche.

L'idée de s'asseoir était encore plus tentante que celle de manger.

— D'accord.

La nourriture fut excellente et le répit divin. Elle l'apprécia d'autant plus que jusqu'à présent, quand ils avaient partagé un repas, cela avait toujours été dans la cuisine de Keppel Street et c'était elle qui l'avait préparé. Ils discutèrent de toutes sortes de choses, notamment des débuts de Tellman dans la police. Il lui raconta quelques anecdotes, certaines très drôles, et elle se surprit à rire de bon cœur. Elle ne s'était jamais rendu compte qu'il possédait un tel sens de l'absurde.

— Comment vous appelez-vous ? demanda-t-elle tout à coup.

— Quoi ? fit-il, interloqué, ne sachant pas trop ce qu'elle voulait dire.

— Comment vous appelez-vous ? répéta-t-elle, cette fois sur un ton beaucoup plus sérieux.

Elle ne voulait plus penser à « Tellman ». Elle voulait connaître son prénom, celui qu'utilisait sa famille.

Le visage du policier se colora et il baissa les yeux vers son assiette vide.

— Pardon, dit Gracie. J'aurais pas dû...

— Samuel, dit-il très vite, avalant le mot à moitié.

Pas mal, se dit-elle. Pas mal du tout, même.

— Hum... trop beau pour vous. C'est un joli nom.

Il leva vivement les yeux.

— Il vous plaît ? Vous ne trouvez pas que ça fait un peu...

Il ne termina pas sa phrase.

— Un peu, oui, acquiesça-t-elle, moqueuse. J'avais juste envie de savoir, c'est tout. On ferait mieux de rentrer.

Mais elle n'esquissa pas le moindre geste pour se lever.

— Oui, dit-il sans bouger lui non plus.

— Vous savez à quoi je pense, dit-elle tout à coup. Remus était drôlement sûr de lui, encore plus que d'habitude. Il connaissait le fin mot de l'histoire, c'était écrit sur sa figure. Je suis certaine qu'il a enfin eu sa fameuse preuve et qu'il va révéler toute l'histoire dès demain.

Tellman ne la contredit pas.

— Je sais. C'est aussi mon impression. Mais je ne vois pas comment l'en empêcher. Lui expliquer les dégâts qu'il va provoquer ne servirait à rien. C'est sa chance d'être célèbre, il ne la lâchera pour rien au monde.

— Vous voulez que je vous dise ? À mon avis, il est retourné à Whitechapel une dernière fois avant de tout raconter... peut-être avant d'écrire la conclusion à son article. Je suis prête à parier qu'il est retourné sur les lieux de tous les crimes... Hanbury Street, Buck's Row et tous les autres.

Elle vit à la façon dont ses yeux s'agrandirent brièvement qu'il partageait son avis. Il repoussa sa chaise.

— J'y vais. Vous, prenez un cab et rentrez à la maison. Je vais vous donner de l'argent.

Il commença à fouiller dans sa poche.

— Jamais de la vie ! fit-elle en se levant à son tour. Je vais pas vous laisser aller là-bas tout seul. Et gâchez pas votre salive à essayer de me convaincre. On va demander à un poulet sur High Street de nous accompagner et si on trouve rien, plutôt que de passer pour des idiots, vous pourrez dire que c'est ma faute.

Sans attendre sa réponse, elle se dirigea vers la porte.

Cette fois, ce fut Tellman qui dut la suivre.

Le trajet en cab dans la nuit londonienne leur parut interminable. Une fois dans Whitechapel High Street, Tellman ordonna au cocher de s'arrêter dès qu'il aperçut un policier qui faisait sa ronde, haute silhouette casquée émergeant de la brume sous la lueur d'un bec de gaz.

Il bondit à terre. Gracie se démena avec ses jupes et le marchepied pour le rejoindre tandis qu'il expliquait à l'agent qu'ils craignaient pour la vie d'un informateur et avaient besoin de son assistance sur-le-champ.

— C'est vrai, renchérit Gracie en opinant vigoureusement du bonnet.

— Gracie Phipps, annonça Tellman. Elle est avec moi.

— Où se trouve cet informateur ? demanda le policier en regardant autour de lui.

— À Mitre Square, dit aussitôt Gracie.

— Hé ! appela le cocher du fiacre. Vous avez encore besoin de moi ?

Tellman revint lui régler sa course puis ils se mirent en route vers Aldgate Street avant de tourner dans Duke Street. Ils n'échangeaient pas un mot et l'écho de leurs pas résonnait dans le brouillard. Dans la rue déserte, la distance entre les lampadaires semblait de plus en plus grande. Les pavés étaient glissants. L'humidité prenait à la gorge.

Gracie déglutit péniblement. Elle repensa au visage de Remus tel qu'elle l'avait vu quelques nuits auparavant, à son regard exalté.

Elle imagina la grande voiture noire qui avait rôdé dans ces rues quatre ans auparavant.

Un rat fila devant eux. Gracie saisit le bras de Tellman et s'y accrocha avec force. Il ne la repoussa pas. Au contraire, il posa la main sur la sienne.

Ils s'engagèrent dans la ruelle longeant St Botolph Church, précédés par la lueur de la lanterne de l'agent.

Ils émergèrent sur la place déserte, éclairée par un unique réverbère fixé sur un mur. Il n'y avait personne à cet endroit.

Gracie éprouva un tel soulagement qu'elle fut prise d'un vertige. Peu lui importait que le policier la prenne pour une folle. Peu importait si Tellman – Samuel – piquait une colère.

Puis elle l'entendit émettre une sorte de hoquet bizarre comme si sa respiration se bloquait, et elle distingua enfin le corps étalé sur les pavés dans le coin opposé de la place, les bras en croix.

L'agent s'avança, la démarche incertaine.

— Non ! dit Tellman en retenant Gracie.

Mais elle eut le temps de le voir à la lueur de la lanterne. Lyndon Remus gisait dans la même posture que Catherine Eddowes, la gorge tranchée, les entrailles arrachées et placées sur son épaule comme dans un immonde rituel.

Gracie contempla Remus pendant un terrible instant avant de se détourner pour enfouir son visage dans l'épaule de Tellman. Elle sentit ses bras se refermer autour d'elle et la serrer si fort qu'on aurait dit qu'il ne la lâcherait plus jamais.

Remus avait découvert la vérité… et il en était mort. Mais qu'avait-il appris au juste ? Qu'il existait bel et bien un complot autour du pauvre prince Eddy ? Ou bien qu'il n'y avait jamais rien eu de tel… que Jack l'Éventreur n'était qu'un fou solitaire, comme on l'avait toujours supposé ? Qui l'avait assassiné ? Ceux qui avaient froidement éventré cinq femmes ou bien des sbires du Cercle intérieur dans le but de l'empêcher de démontrer qu'il n'y avait pas eu conspiration ?

Il avait emporté son secret dans la mort et personne ne lirait jamais l'article qu'il allait écrire… quel qu'il soit.

Elle s'écarta juste assez pour passer ses propres bras autour de Tellman, avant de se blottir à nouveau contre lui et de sentir sa joue et ses lèvres sur ses cheveux.

Sans eux, un silence de mort régnait dans la maison d'Isaac et Leah. Pitt entendait ses propres pas retentir dans le couloir. Les tintements de la poêle et de la casserole semblaient assourdissants tandis qu'il se préparait à manger dans la cuisine. Même le bruit de sa cuillère contre son assiette avait quelque chose de gênant. Il garda le poêle allumé de façon à avoir un peu d'eau chaude, mais il était trop conscient que seule la présence de Leah apportait une vraie chaleur à cet endroit.

Il mangea seul et se coucha tôt, ne sachant que faire d'autre. Il ne dormait toujours pas quand il entendit un coup sec, péremptoire, frappé à la porte.

Sa première pensée fut que quelqu'un recherchait Isaac pour l'aider.

À moitié habillé, il descendait l'escalier quand on cogna à nouveau. Cette fois, il remarqua l'autorité avec laquelle on frappait, comme si le visiteur était en droit d'exiger qu'on lui ouvre. Cependant, si cela avait été la police, et notamment Harper, il était probable que la porte aurait déjà été défoncée.

Il la déverrouilla et tira le battant.

Victor Narraway entra aussitôt et referma derrière lui. À la lueur de la lampe du vestibule, il semblait hagard avec sa tignasse en bataille et humide à cause de la brume.

L'estomac de Pitt se noua.

— Que se passe-t-il ?

Son imagination lui jouait déjà des tours horribles.

— La police vient de m'appeler, annonça Narraway d'une voix enrouée. Voisey a abattu Mario Corena.

Pitt ne réagit pas. Cette nouvelle ne signifiait pas grand-chose pour lui. Il ignorait qui était Corena et Voisey n'était qu'un nom. Mais l'expression de Narraway suffisait à le convaincre qu'il s'agissait de quelque chose d'énorme.

— Mario Corena était l'un des plus grands héros des révolutions de 1848 en Europe, expliqua Narraway avec une tristesse aussi immense que réelle. L'un des plus braves et des plus généreux.

— Que faisait-il à Londres ? demanda Pitt, toujours surpris. Et pourquoi Voisey aurait-il voulu l'abattre ?

Des souvenirs de certaines choses que Charlotte et Vespasia lui avaient dites commençaient à lui revenir.

— N'a-t-il pas des sympathies républicaines ? reprit-il. De toute manière, Corena était italien, non ? Pourquoi Voisey se serait-il soucié de lui ?

Narraway grimaça.

— Corena dépassait le cadre des nations, Pitt. C'était un grand homme, prêt à sacrifier tous ses biens à son combat pour plus d'égalité et de justice.

— Dans ce cas, pourquoi Voisey l'aurait-il tué ?

— Il prétend que c'était en légitime défense. Habillez-vous. Nous allons voir de quoi il retourne. Faites vite !

Pitt obéit sans discuter. Une demi-heure plus tard, ils émergeaient d'un cab devant l'élégante demeure de Cavendish Square.

Dans le vestibule, deux hommes, parmi lesquels Pitt reconnut le médecin légiste, attendaient visiblement leur venue. On leur désigna une des portes.

Il s'agissait à l'évidence d'une pièce de travail avec un immense bureau, plusieurs bibliothèques et des fauteuils rembourrés de cuir. Le gaz était allumé, illuminant la scène. Sur le sol, entre la porte et le bureau, gisait un homme mince au teint sombre et dont la noire chevelure était parsemée de mèches blanches. À sa main, brillait une chevalière ornée d'une pierre noire. Son visage était séduisant, presque beau dans la paix de son expression, les lèvres étirées dans un infime sourire. La mort lui était venue sans horreur, plutôt comme une amie longtemps attendue.

Narraway s'était figé, il semblait en état de choc.

Pitt connaissait l'homme étendu. Il s'agenouilla et toucha sa gorge. Il ne décela pas le moindre battement sous la peau encore tiède. La balle était entrée à hauteur du cœur. Une mare de sang écarlate semblait vouloir le fuir.

Pitt se redressa, se tournant vers Narraway.

Celui-ci évita son regard.

— Allons parler à Voisey. Voyons comment il pourra… expliquer ceci !

Sa voix était étranglée, autant par la rage que par le chagrin.

Quand ils ressortirent, il referma très doucement la porte derrière eux comme si cette pièce était devenue une sorte de sanctuaire. Il traversa le vestibule en direction du deuxième homme qui attendait toujours. Ils n'échangèrent qu'un bref regard puis celui-ci ouvrit une autre porte.

Charles Voisey était assis au bord d'un vaste divan, la tête entre les mains. Il leva les yeux quand Narraway s'arrêta devant lui. Son visage avait perdu toute couleur à l'exception des endroits où ses doigts avaient laissé des marques livides.

— Il s'est jeté sur moi ! dit-il, d'une voix stridente, affolée. On aurait dit un fou. Il avait une arme. J'ai essayé de le raisonner mais il n'écoutait pas. Il… c'était comme s'il n'entendait rien de ce que je lui disais. Il était… il était… fanatique !

— Pour quelle raison aurait-il voulu vous tuer ? demanda froidement Narraway.

Voisey émit une sorte de hoquet.

— Ce… c'était un ami de John Adinett et il savait que je l'avais été moi aussi. Il pensait que je l'avais… en quelque sorte… trahi… en n'ayant pu le sauver. Il ne comprenait pas.

Il regarda Pitt puis à nouveau Narraway.

— Quelle que soit l'estime que l'on éprouve pour quelqu'un, il existe des devoirs plus forts que l'amitié. Et Dieu sait si Adinett possédait de nombreuses qualités…

— C'était un grand républicain, dit Narraway avec un mélange de passion et de sarcasme que Pitt ne put déchiffrer.

— Oui…

Voisey hésita.

— Oui, il l'était. Mais…

Encore une fois, il s'arrêta, le regard incertain. Il se tourna vers Pitt et fut, pendant un instant, incapable de masquer sa haine. Puis il baissa vivement les yeux.

— Il croyait que de nombreuses réformes étaient nécessaires et il s'est battu pour elles avec tout son courage et toute son intelligence. Mais je ne pouvais renier la loi. Corena ne le comprenait pas. Il y avait quelque chose de… sauvage… en lui. Nous avons lutté sans que je parvienne à lui arracher son arme.

L'ombre d'un sourire effleura ses lèvres, un sourire provoqué par la stupeur.

— Il avait une force extraordinaire pour un homme aussi âgé. Le coup est parti.

Il n'ajouta rien de plus ; ce n'était pas nécessaire.

Pitt l'examina, remarquant le sang sur sa chemise, à une hauteur correspondant à la plaie de Corena. Sa version des faits pouvait être vraie.

— Je vois, fit sombrement Narraway. Pour vous, il s'agissait donc de légitime défense ?

Les sourcils de Voisey se dressèrent.

— Mais bien sûr ! s'indigna-t-il. Seigneur Dieu… croyez-vous que j'aurais pu l'abattre de sang-froid ?

Sa stupéfaction et son incrédulité étaient si intenses que, en dépit des sentiments qu'il lui inspirait, Pitt ne put s'empêcher de le croire.

Narraway tourna les talons et quitta la pièce, envoyant cogner la porte contre le mur.

Pitt dévisagea longuement Voisey avant de sortir à son tour.

Dans le vestibule, Narraway se tourna vers lui.

— Vous connaissez Lady Vespasia Cumming-Gould, n'est-ce pas ? demanda-t-il d'une voix sourde.

C'était à peine une question et il n'attendit pas la réponse.

— Mais peut-être ne savez-vous pas que Corena a été le grand amour de sa vie. Ne me demandez pas comment je suis au courant ; je le sais, c'est tout. Il vaudrait mieux que ce soit vous qui lui annonciez la nouvelle. Qu'elle ne l'apprenne pas par les journaux ou bien de la bouche de quelqu'un qui ne comprendrait pas ce que cette perte signifie pour elle.

Pitt en eut le souffle coupé.

Vespasia !

— Je vous en prie, faites-le, ajouta Narraway. Évitez que ce soit un étranger.

Il le suppliait du regard.

Pitt hocha la tête et quitta la maison.

Dans la rue si calme, il prit le premier cab en maraude, demandant au cocher de forcer l'allure. L'homme lança son cheval au galop dans la nuit.

Quand Pitt sonna à la porte de Vespasia, on lui répondit sur-le-champ.

— Bonsoir, monsieur, dit sobrement le majordome. Madame n'est toujours pas couchée. Si vous voulez bien vous donner la peine d'entrer, je vais la prévenir de votre présence.

— Merci…

Pitt était hébété, perdu ; il vivait un cauchemar éveillé. Il suivit le majordome dans le salon jaune et attendit, debout.

Quand la porte s'ouvrit pour livrer passage à Vespasia, il n'aurait su dire combien avait duré cette attente. Elle portait une longue robe de soie d'une quasi-blancheur, la chevelure encore relevée au-dessus de la tête. Sa beauté semblait de plus en plus éthérée.

Pitt sentit les larmes qui lui serraient la gorge et lui piquaient les yeux.

— Cela ira, Thomas, dit-elle d'une voix si sourde qu'il l'entendit à peine. Je sais qu'il est mort. Il me l'a écrit ; il m'a annoncé ce qu'il comptait faire. C'est lui qui a tué James Sissons, croyant l'aider à accomplir son vœu le plus cher. Sissons avait l'intention de se suicider, mais ses nerfs l'ont trahi au dernier moment, au moment qui, croyait-il, allait faire de lui un héros.

Elle s'interrompit un moment, luttant pour garder son sang-froid.

— Vous êtes libre d'utiliser cette lettre afin qu'Isaac Karansky ne soit pas accusé d'un crime qu'il n'a pas commis… et que peut-être Voisey le soit, même si je ne vois pas comment vous pourriez parvenir à cela.

Pitt s'en voulait mais il avait encore une chose à lui avouer ; un mensonge aurait été grotesque.

— Voisey prétend l'avoir abattu en état de légitime défense. Je ne sais si nous pourrons prouver le contraire.

Vespasia faillit sourire.

— Je suis sûre que c'était le cas. Charles Voisey est le chef du Cercle intérieur. Si leur conspiration en vue de déclencher une révolution avait réussi, il serait devenu le premier président de Grande-Bretagne.

Pendant un instant, le temps d'un battement de cœur, Pitt resta ébahi. Puis la stupeur passa et tout s'éclaira : Martin Fetters découvrant le complot ; confondant son

« ami » Adinett – qui était sans doute le lieutenant de Voisey ; son meurtre parce qu'il était enclin aux réformes et non révolutionnaire ; puis Voisey ne pouvant sauver Adinett malgré tous ses pouvoirs, légitimes aussi bien qu'occultes. Pas étonnant qu'il ait conçu une telle haine pour Pitt et ait usé de toute son influence pour le détruire.

Et Mario Corena, l'homme mû par une flamme plus pure, qui avait été utilisé et trompé afin de détruire Sissons. Comprenant enfin le rôle qu'on lui avait fait jouer, il s'était retourné contre Voisey.

— Vous ne saisissez pas, n'est-ce pas ? dit Vespasia avec douceur. Voisey comptait devenir le héros ultime, le dirigeant d'une nouvelle ère… et il est même possible qu'à l'origine ses aspirations aient été louables. Il comptait en tout cas quelques hommes de bien parmi ses alliés. Seule son arrogance l'a conduit à croire qu'il avait le droit de décider pour nous tous, de forcer le cours des choses, avec ou sans notre consentement.

— Oui… je sais… commença Pitt.

Elle secoua la tête, les larmes brillant dans ses yeux.

— Mais, à présent, cela lui est à jamais interdit. Il vient de tuer le plus grand héros républicain du siècle… quelqu'un qui s'était élevé au-dessus de tous les nationalismes.

Il croyait commencer à comprendre où elle voulait en venir.

— Mais c'était de la légitime défense, fit-il remarquer.

Elle sourit et les larmes coulèrent sur ses joues.

— Oui, il prétendra avoir découvert la conspiration contre le trône… et Mario, ayant compris qu'il savait, l'a attaqué, ce qui l'a, bien sûr, obligé à se défendre. Quelle bravoure ! Pratiquement à lui tout seul, Voisey a déjoué un immense et terrible complot. La reine pourrait même peut-être l'anoblir… qu'en pensez-vous ?

Je dois en parler à Somerset Carlisle et voir si cela peut être arrangé.

Puis elle tourna les talons et quitta la pièce sans un mot, incapable de garder plus longtemps en elle le chagrin et les regrets qui la consumaient.

Pitt resta sur place jusqu'à ce que l'écho de ses pas se fût éteint puis, à son tour, il sortit. Dans le couloir désert, le majordome l'attendait pour le reconduire à la porte.

Un mois plus tard presque jour pour jour, Pitt, de nouveau commissaire à Bow Street, se tenait auprès de Charlotte dans la salle du trône de Buckingham Palace. Il se sentait extrêmement mal à l'aise dans son nouveau costume, sa chemise immaculée, son col dur et ses bottines impeccables. Même ses cheveux avaient été coupés et domptés. Charlotte portait un nouveau vêtement elle aussi et il ne l'avait jamais vue si jolie.

Mais c'était Vespasia, à quelques mètres de là, qui retenait toute son attention. Elle était vêtue d'un gris colombe avec des perles à la gorge et aux oreilles. Sa chevelure luisait comme de l'argent, son menton était haut, son visage exquis, délicat et très pâle. Elle refusait de s'appuyer sur le bras de Somerset Carlisle qui se tenait à ses côtés, attentif à lui apporter son soutien au moindre signe de défaillance.

Un peu plus loin, Charles Voisey posa un genou en terre devant une autre vieille dame, petite, replète, aux regard vif, et qui manipulait un peu maladroitement une épée qu'elle posa sur son épaule avant de lui ordonner de se relever.

— Nous sommes sensibles au grand service que vous nous avez rendu en agissant pour la sauvegarde et la prospérité de notre pays, Sir Charles, dit-elle distinctement. Il nous plaît de reconnaître aux yeux du monde les actes désintéressés de courage et de loyauté que vous avez accomplis en secret.

Le prince de Galles, debout à quelques mètres de là, rayonnait d'approbation et plus encore d'une infinie gratitude.

— Le trône n'a pas de serviteur... ou d'ami plus fidèle, déclara-t-il.

Des applaudissements enthousiastes s'élevèrent de la foule des courtisans.

Voisey essaya de parler, et s'étrangla, comme il s'étranglerait désormais dès qu'il chercherait à élever la voix en faveur de la cause républicaine.

Victoria avait l'habitude que les hommes soient transis en sa présence. Comme l'exigeaient les bonnes manières, elle ignora donc cette maladresse.

Voisey s'inclina et se retourna. Il croisa alors le regard de Pitt et le dévisagea avec une haine si démente qu'il en trembla de tout son corps et que la sueur perla sur son front.

Charlotte agrippa le bras de Pitt, qui sentit ses ongles, à travers le tissu, s'enfoncer dans ses chairs.

Voisey se tourna enfin vers Vespasia. Elle soutint son regard sans ciller, la tête haute, et elle eut ce même sourire calme et passionné que Mario Corena avait eu en mourant.

Puis elle fit volte-face et s'en fut pour qu'il ne voie pas ses larmes.

Anne Perry

Les aventures de la famille Reavley

En juin 1914, Joseph Reavley, professeur à Cambridge, perd
ses parents dans un accident de voiture. Pour son frère
Matthew, agent des services secrets britanniques, il s'agit
d'un assassinat. Leur père n'avait-il pas en sa possession
un dossier de la plus haute importance ? Rejoints par leurs
sœurs Hannah et Judith, les Reavley se mettent en quête du
mystérieux document... Espion, soldat ou infirmière, séparés
par la marche de l'Histoire, ils tenteront de dévoiler
un complot aux conséquences désastreuses pour le monde.

n° 3761 – 8,50 €

GRANDS DÉTECTIVES, DES POLARS HORS LA LOI DU GENRE

Anne Perry

Les enquêtes de William Monk

Bel homme mondain et dandy tourmenté, William Monk est un détective hors du commun. Aucun mystère ne saurait lui résister, si ce n'est celui de son passé : amnésique à la suite d'un accident, il tente, d'un roman à l'autre, de reconstituer le puzzle de sa vie… Anne Perry, la reine du polar victorien, nous emmène au cœur de la société londonienne de la fin du XIXe siècle, dénonçant corruption, non-dits et fausse respectabilité.

n° 2978 – 7,80 €

Impression réalisée sur Presse Offset par

BRODARD & TAUPIN

GROUPE CPI

La Flèche (Sarthe), 39232
N° d'édition : 3920
Dépôt légal : janvier 2007

Imprimé en France